S0-CFO-779

잘먹고 잘사는 법

잘먹고 잘사는 법

박정훈 지음

1판 1쇄 인쇄 2002. 8. 20.
1판 20쇄 발행 2002.11. 4 .

발행처 김영사
발행인 박은주

등록번호 제 1-25호
등록일자 1979. 5. 17.

서울특별시 종로구 가회동 17 우편번호 110-260
마케팅부 02) 745-4823 (구내101), 편집부 (구내234), 팩시밀리 02) 745-4826

값은 표지에 있습니다.

ISBN 89-349-1113-1 03800

좋은 독자가 좋은 책을 만듭니다.
김영사는 독자 여러분의 의견에 항상 귀 기울이고 있습니다.
독자의견 전화 02) 741-1990
홈페이지 http://www.gimmyoung.com
이메일 gys@gimmyoung.com

잘먹고 잘사는 법

박정훈 지음

김영사

차례

추천의 글

이 책은 방송에서 다루지 못한 이야기들을 심도 있게 다루고 있다. 이 책을 읽는 독자들이 '잘먹고 잘사는 법'이 방영될 때 가졌던 느낌과 각오를 다시 되새기며 삶을 풍요롭게 만드는 계기를 갖게 되기를 간절히 바란다.

'단 4개월 만에 9kg을 감량하고, 허리를 3인치 줄이다.' 이것은 신문에서 흔히 볼 수 있는 다이어트 식품의 광고 카피가 아니다. 바로 나 자신이 올 초에 체험한 일이다. 지난해 프로그램 준비에 바쁜 박정훈 PD를 우연히 만났을 때, 사실 나는 내 몸에 대해 점차 자신을 잃어가고 있었다. 누구나 그렇듯이 나도 늘 바쁘기 때문에 운동은 거의 못하고 살았다. 그러면서도 점심에는 찌개나 전골, 저녁에는 등심이나 안심과 같은 고기가 빠지지 않는 식단을 고수해왔다. 또 스트레스를 탓하며 하루에도 커피나 콜라를 10여 차례 이상 마셔댔다. 점차 체중은 늘어가고 배가 나오고…. 그러다 어느 날 문득 신발 끈을 매기 위해 몸을 굽히는 간단한 동작조차 힘들어 하는 나를 발견하기에 이르렀다. 심지어 저녁 먹고 나서 아내와 함께 동네 공원을 한 바퀴 산책할 때도, 반도 못 가 지쳐버리곤 했다.

물론 나도 속수무책으로 당하고만 있었던 것은 아니다. 나름대로는 마음을 굳게 먹고 몇 번이나 헬스클럽에 등록하기도 했다. 그러나 며칠 동안 격렬한 운동을 하고나면 반드시 몸의 어딘가에 이상이 와서 어쩔 수 없이 쉬어야 했고, 다시 마음을 가다듬어 운동하기란 쉽지 않았다. 그렇게 많은 시간을 미적거리고 있던 작년 초, 우연히 박 PD로부터 그의 새로운 다큐멘터리에 관해 들을 기회가 생겼다. 그런데 그 우연이 내게는 변화의 시작이었다.

야채를 많이 먹는 것이 몸에 좋다는 얘기야 진작부터 여기저기서 듣고 있었지만, 나는 그의 이야기를 듣기 전에는 한 번도 고기에 대한 나의 지극한 애정을 포기할 마음을 가져보지 못했다. 그러나 육식 위주의 식생활이 가져다주는 문제에 대한 박 PD의 구체적인 이야기는 내가 어렴풋이 느끼고 있던 나의 문제들을 심각하게 다시 들여다보게 하는 계기가 되었다. 더욱이 예전에 그렇게 튼튼하던 내 친구들에게도 이미 당뇨나 심장질환과 같은 성인병들이 나타나고 있었다. 그의 충고를 간단히 요약하면 '동물성 식단을 절제하고 우리의 전통 식사를 30번 이상 씹어먹되, 평소 먹는 양의 70~80%만 먹어라'는 것이다.

어쨌든 그 날 이후 나는 박 PD에게 배운 그대로를 실천하기로 마음먹었다. 결론부터 말하자면 이제 나는 내 몸에 무엇이 좋은가를 알게 되었다. 지금 나는 채소류와 과일 위주의 식단, 현미식 그리고 늘 적게 먹는 습관에 조금씩 익숙해지고 있다. 그리고 이제 나는 고기에 대한 욕망으로부터 훨씬 자유롭다. 나의 경우 고기에 대한 문제는, 무조건 육류를 먹어야 한다든가 혹은 먹지 말아야 한다든가 하는 양자택일의 문제가 더 이상 아니다. 다만 나는 전보다 고기를 훨씬 덜 먹게 되었는데도 별로 먹고 싶은 욕구가 없고, 전보다 내 몸이 훨씬 더 좋아진 것을 느낀다. 박 PD는 내게, "과체중인 상태에서 운동으로 급속히 체중 감량을 하는 것은 몸에 무리가 오기 때문에 바람직하지 않으므로 먼저 체중을 어느 정도 감량한 다음 적절한 운동을 함께하면 그 효과가 극대화된다"고 했는데 나는 그의 이론이 내게 딱 들어맞았다고 생각한다.

전에는 격렬한 운동을 통해 짧은 기간 동안 체중 감량을 하려고 했는데, 이런 방법은 이미 운동을 오랫동안 잊고 지내왔던 내 몸에는 무리였다는 것도 알게 되었다. 사실 전에는 운동을 하고난 뒤 심한 공복과 갈증으로 평소보다 더 많이 먹었기 때문에 운동 위주의 방법은 그다지 효과적이지 못했던 것이다. 그래서 나는 그의 충고대로 운동에만 의지하는 방법을 그만두고 음식물에 중점을 주되 운동을 병행하는 방법으로 바꾸었다.

이처럼 박 PD와의 만남 이후 나는 먼저 매끼 식사의 양을 줄이고 육류 중심의 식단에서 조금씩 벗어났다. 그리고 얼마 지나지 않아 내 몸에서 일어나는 많은 긍정적인 변화를 느끼게 되었다. 이 책에서 상세히 설명하고 있듯이 사람의 신체에서 일어나는 좋은 변화는 사람의 마음에도 엄청난 효과를 가져온다. 아토피성 피부질환이나 비만, 동맥경화, 당뇨 등과 같이 사람들의 삶을 힘들게 하는 신체적 문제들이 해결되면 사람의 인생이 바뀌게 되는 것이다.

이 책은 식생활에 대한 중요한 문제들을 많이 다루고 있지만 그 중에서도 식품의 안전성 문제는 특히 중요하다고 생각한다. 얼마 전 유럽연합은 성장호르몬을 투여한 가축으로부터 나온 육류제품, 특히 소고기에 대해 수입을 제한했는데, 소의 성장을 비정상적으로 촉진하기 위해 성장호르몬제를 대량으로 투여해온 미국 축산업계가 이러한 조치에 강력하게 항의한 것은 물론이다. 이 분쟁은 세계무역기구의 분쟁해결 절차를 통해 결국 미국의 승리로 매듭이 지어지는 듯했지만, 판결의 공정성 여부에 대한 비판이 유럽은 물론 미국 내 여러 단체로부터 강력하게 제기되어 아직도 호르몬제가 포함된 소고기를 둘러싼 분쟁은 계속되고 있다.

그러나 여러 가지 이론에도 불구하고 한 가지 분명한 것은 호르몬제 사용과 유전자 조작 등 자연의 원칙을 왜곡하거나 변형하는 여러 시도들에 대해 '의학적으로는 안전하다' 고 하던 기존의 주장이 미국에서조차 설득력을 잃고 있다는 것이다. 사실 오늘날 많은 미국의 상류층들이 더 비싼 값을 치르더라도 유기농산물 전문 슈퍼마켓에서 농산물을 구매하고 있으며, 미국 의회는 소비자들이 농 · 축산물을 구매할 때 GMO(유전자 조작 식품) 제품인지를 알 수 있도록 하는 법안을 추진하고 있는 것이다.

민영방송이기 때문에 단기적인 시청률에 특히 민감할 수밖에 없다는 SBS가 '생명의 기적' 이후, 또다시 우리 사회에 커다란 영향을 미친 다큐멘터리 '잘먹고 잘사는 법' 을 오랜 기간 동안 치밀하게 제작하여 방송한 것은 매우 용기 있는 일이다. 이미 잘 알려진 바와 같이 다큐멘터리 '잘먹고 잘사는 법'은 우리 사회와 국민의 건강에 커다란 공헌을 했다. 무엇보다도 우리 주변의 많은 사람들이 이 프로그램으로 인해 용기를 얻고 자신의 삶을 더 나은 방향으로 바꿀 수 있었다는 것은 이 프로그램이 우리 모두에게 가져다준 축복이었다.

이 책은 방송에서 다루지 못한 이야기들을 심도 있게 다루고 있다. 이 책을 읽는 독자들이 '잘먹고 잘사는 법'이 방영될 때 가졌던 느낌과 각오를 되새기며 삶을 풍요롭게 만드는 계기를 갖게 되기를 간절히 바란다. 내가 박정훈 PD에게 들은 이야기 중 가장 잊혀지지 않는 말이 있다.

"언제나, 지금부터 시작해도 늦지 않습니다…."

김형진(미국 변호사)

책머리에

"나는 환경운동가가 되기로 결심했습니다. 만약 내가 정말로 환경운동가가 된다면, 그것은 '다큐멘터리 잘먹고 잘사는 법' 때문일 겁니다."

—방송을 본 어느 시청자

나는 이 책에서 최근 몇 년 동안 먹고 사는 문제에 대해 고민해온 '나'라는 평범한 소시민의 모습을 그대로 담아내려고 한다. 다큐멘터리 '잘먹고 잘사는 법'에는 제작자인 나의 인생에서 삶의 방식과 가치관을 변화시킨 순간의 열병과도 같은 애틋한 추억이 담겨 있다. 내가 왜 이 프로그램을 만들게 되었는지, 나의 생각이 어떻게 변하여 프로그램으로 만들어졌는지, 1년간 누구를 만나고 무엇을 들었는지 이 책에서 처음 자세히 공개할 것이다.

올해 초 3부작 방송이 나간 후 한편으로는 유기농 야채 매장과 현미가 동이 나는 사태가 벌어지고 다른 한편으로는 육류의 매출이 떨어지는 양극화 현상이 빚어졌다. 방송 후 대부분의 시청자들로부터 분에 넘치는 칭찬을 들었고 '음식문화에 대해 반성하는 계기를 마련해주었다'는 이유 등으로 방송대상 등 여러 차례 상도 받았다. 반면, 육류업에 관계되는 분들의 항의도 많았다. 방송생활 중 처음 겪은 이런 양극단적 반응은 제작자인 나에게 여간 곤혹스러운 것이 아니었다. 설마 하던 우려가 현실로 다가온 정신적 고통은 이루 말할 수 없었다. 나를 가장 괴롭혔던 것은 생업에 지장을 받았다는 사람들의 원망이었다.

그러나 나를 이 순간 버티게 하고 이 책을 쓰게 만든 힘의 원천은 다름 아닌 '다수를 위해 소수의 일시적 고통은 감수해야 한다'는 주변의 위안이었다. 실제 방송 내용과는 다르게 '모든 사람이 채식만 해야 건강하다'고 방송했다며 매도하는 사람도 있었으나, 지금 프로그램을 아무리 다시 봐도 그런 메시지는 아니었다. 나는 채식주의자도, 특정 종교인도 아니며 고기에 원수진 사람도 아니다. 그리고 지금도 고기나 유제품을 가끔 먹고 달걀은 거의 매일 먹는다. 그러나 바뀐 것이 있다면 과거보다 훨씬 적게 먹는다는 것이다.

물론 우리 사회의 한 편에는 아직도 먹고 사는 문제에 어려움을 겪는 사람이 있다. 그러나 나는 이 프로그램을 통해 요즘 같이 가공식품이 넘쳐나는 풍요의 시대를 즐기는 대다수 사람들에게 이대로 가다간 정말 큰일난다는 경고를 하고 싶었다. 그리고 분명한 것은 필자가 프로그램에 담은 내용들은 매우 정확한 정보였다는 것이다. 음식이란 것이 사람마다 다르게 적용된다는 것은 기본 상식이고, 아무리 대중매체이지만 모든 사람들에게 동일하게 해당되는 메시지만을 줄 수는 없는 것이다.

이 책에는 방송의 한정된 시간에 담지 못했던 세계적인 인물들과의 기분 좋은 만남에서 얻은, 피가 되고 살이 될 만한 이야기들이 담겨 있다. 방송으로 소개된 다큐멘터리 '잘먹고 잘사는 법' 에는 1년간 취재한 내용의 5%만이 들어 있다. 여러 가지 이유로 프로그램에서 눈물을 머금고 빼야 했던 이야기들을 보다 자세히 소개할 수 있는 기회를 갖게 되어 무엇보다도 다행이다.

책으로 '잘먹고 잘사는 법' 을 다시 쓰게 된 가장 큰 이유는 독자들에게 '무얼 먹고 살아야 하는가' 에 관한 자세한 정보를 알려주기 위함이기도 하지만, 더 큰 목적은 바로 필자처럼 살아온 보통 사람들이 새롭게 인생을 살아가는 데 필요한 용기를 주기 위해서이다. 그런 면에서 이 책은 한편으론 내 인생의 참회록이기도 하다. 책에는 나의 하나밖에 없는 딸아이의 육아와 성장과정을 통해 얻은 평범한 아버지로서의 회한과 깨달음도 담았다. 그 이유는 내가 아이 자랑을 하려는 것이 아니라 자식을 키우며 알게 된 소중한 체험을 독자들과 나누고 싶어서이다.

책을 쓰면서 어쩌면 이 책이 독자들에게도 나의 경우처럼 새로운 삶을 살게 되는 동기를 줄 수 있을지도 모른다는 희망을 가져본다. 그저 2~3일간의 틈나는 시간을 책으로 만든 '잘먹고 잘사는 법' 에 투자한다면 앞으로 남은 인생을 건강하고 즐거운 마음으로 새롭게 살 수도 있으리라 생각한다.

'골고루 먹으면 건강하다' 는 말은 과거의 영양학에서부터 지금까지 하나의 진리처럼 인식되어온 말이다. 그러나 과연 그런가. 대부분 요즘 음식들은 '음식의 순수성' 이 지켜지던 시절에 먹던 건강한 음식들이 아니다. 이런 음식들을 골고루 먹으라고 아이들에게 말하는 것은 우리의 무책임일 뿐이다. 음식에 대한 정확한 정보를 알고 먹어야 원인을 알 수 없는 각종 질병으로부터 자유로울 수 있다.

이 책에는 취재하면서 만난 사람들의 목소리를 가급적 쉽게 전달하기 위해 독자들의 인생에 별 도움이 안 되는 전문 용어와 복잡한 도표의 사용을 최대한 절제했고, 초등학교 6학년인 필자의 딸아이도 읽고 이해할 수 있도록 가급적 쉽게 쓰려고 노력했다. 글의 질은 독자가 판단하시겠지만 독자들의 시간을 도둑질하는 사람이 되지 않으려고 그동안 필자가 지켜온 프로그램을 만드는 원칙과 열정을 이 책에도 옮겨 놓으려고 애썼다. 그러나 글쓰는 전문가가 아닌 탓에 이곳저곳에서 미숙한 점들이 자주 눈에 띈다.

끝으로 1년간 취재의 기회를 준 SBS와 취재 기간 내내 고락을 같이한 류혜린, 김화영, 백남욱, 김형렬 씨 등 제작진과 작년 나에게 무료로 영양학 과외를 해준 김수현 씨 그리고 출판을 도와준 고세규 씨에게 이 기회에 다시 한 번 감사의 마음을 전하고 싶다.

제대로 먹고 사는 문제가 제대로 태어나는 것보다 어쩌면
훨씬 더 중요한 문제라는 생각이 들었다. 태어나는 것은
한순간이지만 먹는 것은 평생 동안 반복되는 피할 수 없는
행위가 아닌가. 나는 이 프로그램을 통해 내 아이를
가르치듯 아이들에게 제대로 먹는 교육을 시키기로
마음 먹었다.

제1장

다큐멘터리 '잘먹고 잘사는 법'을 만든 이유

하나의 계기 - 어느 봄날의 충격

1999년 이른 봄날, '생명의 기적' 취재차 경기도 어느 목장에 들렀을 때였다. 나는 눈앞에 펼쳐진 희한한 소 사육장 풍경에서 눈을 뗄 수가 없었다. 약 30여 마리의 소들이 모두 쇠사슬에 묶인 채 축사 양옆의 벽을 보고 죽 늘어서 있었던 것이다. 소들의 엉덩이 쪽 복도는 온통 배설물들로 가득했고 악취가 코를 찔렀다. 쇠사슬에 묶인 소들은 더러운 콘크리트 바닥에 앉거나 일어서는 행동 외에 다른 동작을 취할 수 없었다. 심지어 어떤 소들은 자신의 차가운 배설물덩어리 위에 눌러앉아 있었고, 온몸에 똥덩어리들이 덕지덕지 말라붙어 있는 다른 소들은 그저 무력하게 서 있을 뿐이었다. 일반적으로 소들은 낯선 사람이 다가서면 경계의 몸짓을 보이거나 소리를 내는데 그 목장의 소들은 처음 보는 내가 다가서도 아무런 관심조차 없는 듯 그저 껌벅거릴 뿐이었다. 왜 소를 이렇게 키우는지 목장 주인에게 물어보았다.

"이 소들이 왜 이렇게 묶여 있어요?"

그의 대답은 나를 순간 혼란 속으로 몰아넣었다.

"사람들이 꽃등심을 좋아하는데, 이렇게 키우면 등심 부위뿐 아니라 몸 전체가 마블(꽃등심)이 됩니다."

그는 아주 자랑스럽게 말했다. 소들의 운동량을 최소화하여 육질을 부드럽게 함으로써 비싼 고급 고기를 생산한다는 것이다. 꽃등심의 그 부드러운 맛을 잘 모르는 사람들을 위해 설명하자면, 꽃등심은 소고기의 등심 안에 부채살처럼 촘촘히 박혀 있는 근내(筋內) 지방이 잘 발달된 것으로 그것을 살짝 구워 먹으면 입안에서 살살 녹는 것 같다. 값도 소고기의 부위 중 가장 비쌀 뿐 아니라 꽃등심 공급망을 확보하고 있는 고깃집은 그 한 가지 이유만으로도 명소가 될 정도이니 가히 '소고기 맛의 백미'라고 할 만하다. 당시 유난히 고기를 좋아하는데다 꽃등심의 그 살살 녹는 맛에 매료되어 있던 난 잠시 할 말을 잃고 말았다.

위 | 꽃등심 생산용 소. 평생 쇠사슬에 묶여 지낸다.
아래 | 묶여 지내는 일본의 젖소.

'내가 좋아하던 그 맛있는 고기가 소를 저렇게 키워 만든 것이란 말인가…. 그런데 그런 고기를 비싸게 사 먹고, 그걸 먹고 사는 사람들을 우리는 부러워하지 않는가.'

순간 머릿속을 어지럽히는 온갖 생각들이 스쳐 지나갔다. '저렇게 스트레스를 받으며 살다 죽은 고기는 정말 우리 몸에 좋은 것일까, 저 소는 무슨 생각하며 살까, 저런 스트레스를 받고도 몸이 아프지 않나?' 쇠사슬 목장에서 받은 그 날의 충격은 그로부터 1년 후 '잘먹고 잘사는 법'이란 3부작 다큐멘터리 프로그램 제작이 시작되는 결정적 계기가 되었다.

먹는 행위에 삶의 진리가 담겨 있다

독자들은 웃을지 모르지만 난 그동안 살기 위해 먹었다기보다 먹기 위해 살아왔던 것 같다. 그것도 잘먹기 위해…. 내 인생의 족적을 돌이켜보면 결국 잘먹고 살기 위한 몸부림 그 이상이 아니었다. 그만큼 나에게는 먹는 행위 자체가 내 삶의 매우 중요한 부분을 차지하고 있었다. 여행을 가도 보고 느끼는 형이상학적 유희보다 맛있는 것을 먹으려 혈안이 되어 소위 '맛있는 집'이라고 불리는 곳들을 수소문하며 찾아다니기에 바빴다. 내 입으로 들어가는 음식이 어떻게 만들어졌는지에 관해서는 아예 관심조차 없었다. 별미를 찾아다니다 그저 맛있는 곳을 발견하면 그것으로 그만이었다. 그러던 내가 '사람이 태어나 무엇을 먹고 살아야 잘살 수 있는 것인가'라는 거창한 주제를 심각하게 고민하기 시작한 것은 그리 오래 전의 일이 아니다.

먹는 것에 관한 프로그램을 생각하게 된 것은 몇 년 전 '생명의 기적' 이라는 다큐멘터리를 만들면서 생명의 탄생 이후 인간이 하는 행위에 자연히 관심을 갖게 되면서부터이다. 우리는 우리의 몸 안으로 어떤 것들을 집어넣고 있으며 몸에 들어가는 음식은 우리 몸이 과연 원하는 것들일까. 현대인들은 첨단 과학의 혜택을 누리고 살면서도 왜 각종 질병으로 고생할까. 왜 내 몸은 항상 피곤할까… 등등. 몸에 대해 생각하면 할수록 궁금증이 꼬리에 꼬리를 물고 이어졌다. '그래, '생명의 기적' 다음 이야기는 '먹는 것' 으로 하자.' 어느 날 운명에 이끌리듯 그동안 관심도 별로 없었고 아는 바도 없는 '먹는 이야기' 를 다큐멘터리로 제작하기로 결심했다.

나의 첫 번째 관심사는 엄마 젖에 관한 것이었다. 세상에 태어난 사랑스런 아이에게 나는 엄마 젖을 먹이지 않아도 된다고 생각했다. 그러나 포유류가 탄생 후에 하는 첫 번째 능동적인 행동은 다름 아닌 '젖 빨기' 이다. 그 첫 번째 행위는 아이가 엄마 젖을 먹느냐의 여부에 따라 아이의 몸과 마음이 어떻게 성장하는가가 결정되기 때문에 인간의 삶에 아주 중요한 부분이 될 수밖에 없다. 나 자신이, 대부분의 아이들이 요즘처럼 분유를 먹고 자라는 현실을 바꾸어야 인생의 첫 단추를 제대로 끼우는 것이라는 사실을 어슴푸레 깨닫게 되었을 땐 이미 내 아이가 한참 크고난 뒤였다. 그리고 찬찬히 세상을 다시 보니 안 보이던 것들이 보이기 시작했다.

이미 커질 대로 커진 거대한 음식산업, 그들의 관심사는 더 이상 소비자들의 진정한 행복이 아니다. 그들은 최대한 많은 사람들로 하여금 자신들의 제품을 소비하도록 하는 데에만 관심을 가질 뿐이다. 제대로 된 정보는 그들의 힘에 의해 철저히 조작되고 차단된다. 이런 환경에서 소시민들이 진실을 찾기란 거의 불가능하다. 나에게 남겨진 숙제는 광고로 먹고 사는 공중파에서 어떻게 이들의 힘을 뚫고 제대로 된 정보를 시청자들에게 전달할 것인가 하는 것이었다. 그것은 결코 남한테 미룰 수 없는, 내가 감당해야 할 몫이었다.

프로그램을 제작하기 전까지 나의 식생활 습관을 돌아보면 지금도 얼굴이 화끈거린다. 반찬마다 양념을 많이 넣은 짜고 매운 음식을 즐겨 먹었고(소문난 집들은 대개 양념을 과하게 쓰는 곳이 많다), 꽃등심과 활어회를 최고의 음식으로 생각해왔다. 우유를 먹으면 속이 좋지 않던 탓에 값이 비싼 저온 살균 우유를 몸을 생각하며 억지로라도 먹었고 치즈를 유난히 좋아했다. 특히 훈제 족발과 훈제 닭고기, 기름진 중국식 돼지 갈빗대 등을 즐겨 먹었다. 고기를 먹을 땐 가급적 고기로 배를 채우고 야채와 밥은 거의 먹지 않았다. 입이 짧은 딸아이에게 고기를 잘 안 먹어 힘이 없다며 억지로 먹이고, 음식을 너무 천천히 먹는다며 빨리 먹으라고 닦달했다.

그렇게 살아온 나의 몸은 점점 보기가 민망할 정도로 망가져갔다. 아침마다 욕실 거울에 비친 불룩 나온 아랫배와 점점 가늘어지는 팔과 다리, 그리고 잠자리에 들기 전에 맥주와 짠 안주로 배를 채운 탓에 퉁퉁 부운 얼굴을 가진 사람, 그 사람이 바로 나였다. 30분 동안 신문을 보며 용을 쓰는데도 변은 가늘고 잘게 끊어져 뭔가가 계속 남아 있는 듯한 찜찜한 느낌까지 더하면 겉모습뿐 아니라 몸 속까지 정상이 아닌 듯했다.

'아, 변이라도 매일 속 시원히 봤으면…'

'왜 내 몸은 자꾸 ET를 닮아가는 거지?'

'배가 나오고 팔다리가 가늘어지는 게 미래인의 모습이라는데 문명의 진보 속도가 너무 빠른 탓일 거야.'

운동 부족과 게으름에 전 내 몸은 자꾸 미래인의 모습으로 변하고 있었다. 틈틈이 윗몸 일으키기를 하고 심지어는 하루 종일 배에 힘주고 다녀도 빠지지 않는 뱃살, 버짐이 피는 얼굴과 겨울이면 건조하여 각질이 일어나는 다리, 게다가 신장과 위장에도 문제가 생기기 시작했다. 그런 나의 몸에 대한 자가 진단은 '다 일하면서 받은 스트레스 때문이야. PD생활 때려치기 전에는 어쩔 수 없는 당연한 결과지 뭐…' 늘 그런 식이었다. 내 몸은 오랫동안 철저히 방치되어 수습 불능의 단계로 들어서고 있었던 것이다.

그런데 이런 생활에 젖어 살아온 내가 어느 순간부터 다른 인생을 살아보기로 마음을 먹은 것이다. 아무 생각 없이 살아온 내 인생의 커다란 전환점이었다. 그리고 한 걸음 더 나아가 '잘먹고 잘사는 법' 이라는 3부작 다큐멘터리 프로그램을 통해 나 외의 다른 사람들도 변화시킬 수 있다고 확신하게 되었다. 그리고 프로그램 제작과정 자체가 그동안 유지해온 내 삶의 방식에도 근본적인 수술을 가하는 계기가 되었던 것이다.

잘먹고 잘사는 법의 이데올로기

30대에는 한 번도 상상해보지 않았던 40이라는 나이. 이 고개를 넘어서자 자연스럽게 자문하는 버릇이 생겼다. '나는 무슨 생각을 하며 무엇을 위해 살고 있나, 잘먹고 잘살려고 달려온 길이었던가, 그래 무엇이 잘먹고 잘사는 것인가, 내가 살아온 삶은 잘사는 것인가, 우리는 무엇을 위해 이렇게 밤 새워 일하는가, 일한 대가로 얻는 것은 무엇인가, 맛있는 산해진미와 생활의 편리함들… 그리고 또 무엇인가.' 바쁘게 사는 것에만 익숙해진 탓에 뒤로 미루고 그냥 지나쳐 온 삶의 본질에 대한 회의가 들기 시작했다. 그러나 불행히도 이렇다 할 답이 떠오르지 않았다. 아니 떠오르지 않은 것이 아니고 사실 그 답은 나에게 없었다.

사람으로 태어나 본능에 충실하며 그것에 만족하면서 살아갈 수만은 없다. 종교에 심취한 사람은 나의 이런 고민을 훈계하여 종교의 교리대로 살다가 저승에서 평안한 안식처를 찾는 것이 최선이라고 말할지도 모른다.

그리고 실제로도 잘먹고 잘사는 법을 만든다니까, "너나 잘먹고 잘살도록 노력해라. 몸도 망가질 대로 망가진 놈이…", "하나님 믿는 것이 잘사는 길이야" 하는 말을 집안 형제들로부터 적잖이 듣기도 했다. 그러나 그렇게 쉽게 인생의 고민을 털어버릴 수 있다면 얼마나 좋겠는가.

누구나 잘먹고 잘살기 위해 발버둥치면서도 정작 무엇이 잘먹고 잘사는 것인가라는 문제에 맞닥뜨리면 저마다 다른 생각을 내놓는다. 그러나 한 가지 분명한 것은 세월이 갈수록 우리의 먹고 사는 삶이 방향을 잘못 잡아가고 있는 것이 아닌가 하는 회의를 갖게 된다는 것이다. 눈을 조금만 돌리면 그런 생각을 갖게 하는 환경에 우리가 점점 포위되어가고 있다는 사실을 실감할 수 있다. 경치 좋다는 국도 주변 지역은 온통 닭, 오리, 장어, 송어, 개고기 등을 파는 '○○가든' 들에 의해 빠른 속도로 점령당하고 있다. 그로 인한 환경 오염의 심각성은 여기서 구태여 말하지 않아도 이미 잘 아는 사실일 것이다. 도시 중산층은 주말마다 그곳에 찾아가 배부르게 먹고 나오면서 경제적 풍요와 생활의 편리함을 만끽한다. 호의호식하고 비싸고 맛있는 것들을 나와 내 가족에게 많이 먹게 하는 것이 오늘날 한국 중산층의 '잘사는 삶'의 이데올로기가 되었다고 해도 과언이 아니다.

그러나 잘살게 된 사람들이 먹는 그 맛있는 음식의 실체는 무엇인가? 혀의 판단력을 무력화시키는 자극적인 조미료의 남용, 몸에 좋다는 각종 건강식의 범람, 자연식의 자리를 대체한 가공식품의 대량 생산, 동물성 지방과 단백질이 과도하게 들어 있는 기름진 음식 맛에 탐닉하는 음식문화, 그것이 가져오는 고기에 대한 폭발적 수요, 그 수요를 감당하기 위해 대량 속성으로 생산되는 가축 동물과 양식 물고기들, 그 동물들이 만들어내는 환경 오염과 생물에 대한 약물 남용, 수확 전후의 농산물에 과도하게 사용되는 농약…. 편리한 생활을 좇는 현대인들과 아이들은 점점 인스턴트 가공식품에 길들여져가고, 그 영향이 알게 모르게 우리의 체내에 축적되어 몸과 정신을 위협하는 구조적 악순환을 거듭하고 있는 것이 우리의 현재 모습이 아니던가.

회의가 들기 시작했다. 소득이 늘어 소비 수준은 향상되었지만 우리가 사 먹는 음식들은 우리의 몸 안에 들어가 우리가 눈치채지 못하는 사이에 우리의 몸을 점점 파괴해가고 있는 것은 아닐까. 이런 생활 방식이 현대인이 추구하는 편리한 삶의 방식임에는 틀림없는데 그것이 과연 우리를 행복하게 해주는 것인가를 한 번 돌아볼 필요가 있다. 주변을 돌아볼수록 내 눈에 비친 현실은 뭔가 잘못되어도 한참 잘못되어가고 있었다.

지난 30년간 각종 매스컴들은 보기 좋은 음식이 맛도 좋다는 논리로 음식문화를 혼란에 빠뜨려왔다. 아이에게 정성껏 밥상을 차려주는 대신 공장에서 완성된 음식을 포장만 뜯어 식탁에 내놓으면 그만이기도 했다. 필자가 어릴 때 거의 먹어보지 못했던 그 맛있는 음식에 둘러싸여 자라는 아이들은 자신들이 무엇을 먹고 사는지 자신의 몸이 어떻게 변해가는지도 모르고 편식에 몰두해 있다. 자제력이 부족한데다 본능적으로 생각하고 행동하는 요즘 아이들은 그 맛있는 음식을 먹었던 기억을 쉽게 지울 수가 없는 것이다. 아이들에게 관대한 대부분의 요즘 부모들은 아이들이 먹는 음식에 관한 한 통제권을 포기한 상태이다.

좋은 음식을 먹는다는 것은 사람들의 심리 상태를 매우 만족스런 행복감에 젖어들게 한다. 복부의 포만감과 달콤한 혀의 감촉들을 감상하며 내가 살고 있는 인생은 남의 인생보다 잘사는 인생이라는 만족감이 우리의 뇌를 지배한다. 사람들은 특히 고급스런 장소에서 이런 느낌을 받는 것을 매우 동경한다. 소시민들이 선망하는 이런 삶이 내가 생각하고 있던 잘먹고 잘사는 모습이었다. 그런 내가 다큐멘터리 '잘먹고 잘사는 법' 이라는 프로그램을 제작한다는 것은 나를 부정하는 것이었다.

프로그램 제작은 꿈이 아니고 현실이지만 나는 꿈을 꾸고 있었다. 인간이 무엇을 먹느냐에 따라 지구 안 모든 생명체의 현재와 미래의 행복과 불행이 결정된다는 평범한 진리를 구체적으로 대중 앞에 보여주고 싶었다. 동물의 자유를 구속하여 환경을 오염시키며 인간의 혀를 만족시키는 이 불합리한 동물 사육 메커니즘의 구조적 모순을 고발하리라. 참담한 상황에서 도살되는 동물들의 절망스런 눈빛을 보았는가. 그들을 먹으며 세상의 평화를 얘기할 때 포크와 나이프에 썰려나가 우리의 입에 넣어지는 기름진 고기의 달콤함 속에 동시대를 살고 있는 다른 생명체의 슬픔과 한과 절망이 고스란히 배어 있다는 것을 상상해 보았는가. 프로그램에서 하고 싶은 말들이 차고 넘쳤고 난 계속 꿈을 꾸었다. '잘먹고 잘사는 법' 이라는 주제에 얽히고 설킨 실타래를 머릿속에서 구체적인 이야기로 풀어내는 데 거의 1년이라는 세월을 보냈다. 결국 고민 끝에 얻은 결론은 우리가 무심하게 지나쳐버리는 먹고 사는 문제와 생명, 건강, 그리고 환경의 문제가 모두 연결되어 있다는 것이었다.

지난 10년의 기획 준비과정

본격적으로 잘먹고 잘살기 위한 이야기를 풀어가기 전에 우리 집안 이야기를 하지 않을 수 없다. 남의 집 시시콜콜한 이야기라 지루하겠지만 다음 이야기 전개에 필요한 것이라 잠시 소개하겠다.

나는 최근 몇 년 사이 사람의 몸을 주제로 몇 개의 프로그램을 만들었는데 운 좋게도 모두가 시중에 회자되는 프로그램들이 되었다. 그런데 그 프로그램들을 기획하게 된 동기가 나의 성장과정과 내 아이가 태어나고 자라면서 그 아이를 보고 느낀 것에서 비롯되었다는 공통점을 갖고 있다. 예들 들어, 필자가 조연출자에서 본격적으로 PD 생활을 시작하면서 만든 첫 프로그램은, 오른쪽 다리에 소아마비를 앓아 온갖 수난을 당하며 살아온 나의 둘째형을 생각하며 기획한 '사랑의 징검다리' 였다. 그 프로그램은 SBS라는 민영방송의 출범과 동시에 제기된 방송의 상업주의 비난에 대해 방패막이 역할을 톡톡히 해주었는데, 비록 시청률은 낮았지만 6년간이나 지속되었고 나는 지금도 그 프로그램을 만든 일을 나의 PD 인생에서 가장 보람된 일로 꼽는다. 또한 딸아이의 성장과정을 보면서 만들게 된 '생명의 기적'의 기획 동기는 이렇다.

내가 '몸' 이라는 단어에 관심을 갖게 된 것은 아이를 키우면서 느끼기 시작한 잘못된 나의 '생명관' 이었다. 딸아이가 태어난 1990년 4월 이전에는 한 번도 생각해보지 않았던 우리의 출산문화에 대한 문제 의식이었다. '이렇게 아이가 태어나고 자라는 것은 분명 잘못된 것이다' 라는 막연한 생각에서부터 '아, 이렇게 키우면 안 되는데…' 하는 구체적 후회까지, 아이는 내게 인간의 탄생과 성장에 이르는 전 과정을 돌아보게 하는 거울과 같은 존재였다. 아내가 아이를 임신하기 이전부터 우리 몸 안에 새 생명의 탄생을 위한 냉엄한 질서가 존재한다는 사실을 조금이나마 배웠다면 오늘날 우리의 생명 존중의식이 이렇게까지 망가지지는 않았을 텐데 하는 회한을 갖게 된 것도 내 아이의 출산과정을 겪으면서였다.

딸아이의 출생 후 10년이라는 짧지 않은 세월 동안 반복된 '나의 무지의 되새김' 이 구체적 영상 언어로 표현된 것이 2000년 밀레니엄 특집 다큐멘터리 '생명의 기적' 이었다.

'생명의 기적' 은 2세를 만드는 숭고한 일에 방송 프로그램 한 편 만드는 노력의 만분의 1도 쏟지 못했던 어느 못난 아비의 참회록 같은 프로그램이었다. 아이가 태어날 당시만 해도 난 새 생명이 태어난다는 것, 즉 나의 정자와 아내의 난자가 아주 어렵게 만나 생명체 하나를 만들어낸다는 물리적 메커니즘 외에 별로 아는 게 없었다. 그 알량한 상식도 고등학교 생물 책의 내용에 약간의 잡학이 보태진 수준이었다. 그런데 하루는 심심하던 차에 '나' 라는 '특정한 한 존재' 가 태어나기 위한 확률을 계산하다가 나의 위대함을 실감한 적이 있다. 남자는 평생 약 3천 번의 사정을 하게 되는데 그러면 나의 존재는 그 3천 번 행위의 한 번, 즉 3천분의 1이라는 확률속에 있다. 거기다가 여자는 일생 동안 약 400개의 난자를 생산하게 되는데, 그러면 다시 400분의 1을 여기다 곱해야 한다. 왜냐하면 그냥 한 생명체가 아닌 '나' 라는 특정한 생명체를 얻기 위한 확률이기 때문이다. 거기다

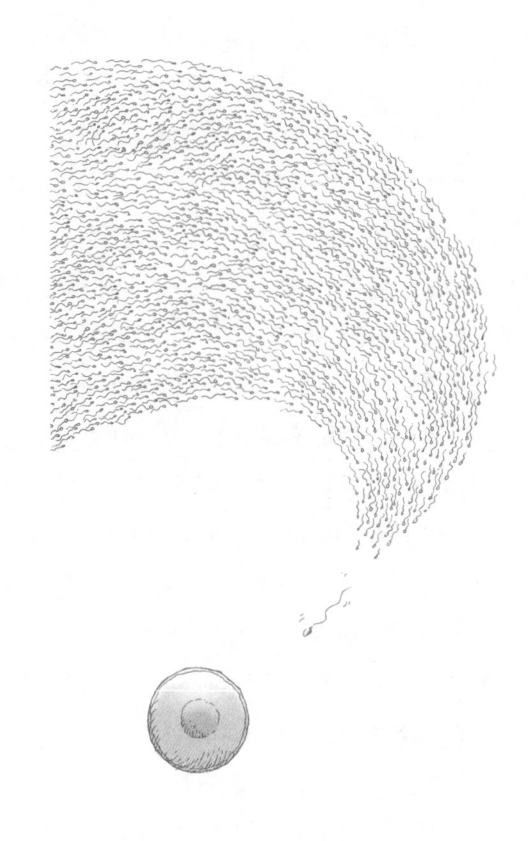

한 번 사정에 정자 수는 약 2억 개 정도가 배출되니까, 다시 특정한 정자 한 개가 선발될 확률 2억분의 1을 곱한다. 또 정자와 난자가 배란일에 만나도 임신이 확정되기까지는 5분의 1의 확률이라고 하니까 다시 5분의 1을 곱한다. 자, 여기까지만 계산해도 오늘날 '나'라는 특정한 생명체가 탄생하는 데는 (3천×400×2억×5)분의 1이니까 1

천200조분의 1의 확률이라는 수학적 계산이 나온다. '나' 라는 특정한 존재는 이렇게 우주의 섭리가 아니면 도저히 있을 수 없는 확률로 태어난 위대한 생명체인 셈이다. 이런 생명체를 만드는 거룩한 일을 아무 생각 없이 본능적 욕구로 대신했다는 것은 잘못되어도 한참 잘못된 일이었다. 그나마 이런 생각을 가지게 된 것도 이미 딸아이가 태어나고 10년이나 지난 뒤의 일이다.

딸아이의 탄생에 얽힌 비밀을 한 가지 고백한다면 아이는 나의 편집 스케줄에 맞추어 편집 없는 날에 제왕절개로 태어나는 운명을 맞았다. 당시 나는 PD도 아닌 AD의 신분이었는데 편집을 포함해 제작의 상당 부분을 도맡아하는 처지였는지라 아이를 낳는 일정이 편집 스케줄과 중복되면 매우 곤란한 상황에 처해 있었다. 당시 아내도 허리가 약해 출산을 걱정하고 있던 터라 난 아내에게 당시의 첨단 무통분만법인 제왕절개로 출산하자고 제안했다. "제왕절개로 낳으면 아이가 태어날 때 스트레스를 받지 않아서 머리도 좋아진대." 어디서 그런 말을 주워들었는지 그 당시에 사람들의 입에서 입으로 전파되던 그런 말도 안 되는 말을 서슴지 않았던 기억이 난다.

게다가 병원에서 아이가 태어나기를 기다리면서도 난 오로지 아들 생각만 하고 있었다. 수술실에 들어간 아내가 한창 수술을 받을 시간에는 태어날 아들에게 포경 수술을 해주라는 말을 깜박 잊은 나의 부주의를 탓하며 멍하니 기다리고 있었다.

잠시 후 분가루를 뒤집어쓰고 나온 허여멀건 아기가 딸이라는 사실에 놀라 혹시 아기가 바뀌지 않았는가 하고 수술실을 의심의 눈초리로 쏘아보던 기억이 난다. 아내는 집안의 8번째 딸을 낳았다는 말에 잠시 실신까지 했다. 딸을 낳은 죄인으로 친지의 위로 방문도 받지 못하고 수술 후 아프다는 소리 한 번 입 밖에 내지 못하며 눈물을 삼켜야만 했던 기억들이 생생하다. 이것이 당시 나의 2세를 맞이하던 우리 집안의 웃지 못할 풍경이었다.

그런데 태어난 아이는 이상하게 잠만 잤다. 병원에서 초유를 먹이려는 아내에게 간호사는 젖에 수술 후 맞은 진통제와 항생물질이 들어 있을지 모르니 아예 처음부터 분유를 먹이는 게 낫다고 했고 편집하느라 정신이 나간 나와 딸을 낳은 죄책감으로 멍한 아내는 다른 대안을 생각할 겨를도 마음의 여유도 없었다. "모유를 먹이면 몸매도 망가진다는데 그렇게 하지 뭐. 요즘 누가 모유 먹인다고 가슴 드러내고 그러나? 분유 먹는 아이는 머리도 좋고 살도 잘 오른다는데…. 산모가 몸도 약하니까 분유를 먹이지 뭐. 광고 보니까 분유가 훨씬 좋다고 하던데. 요즘 과학기술이 아이가 먹는 걸 좀 잘 만들었겠어." 주변에서 듣는 이야기라곤 그런 말들뿐이었다.

요즘은 이유식 광고에 분유를 슬쩍 끼워넣지만 당시엔 분유 광고가 홍수를 이루던 시절이었다. 모유 먹이는 사람은 좀 가난하고 무지하고 그런 부류에 속하는 사람으로 인식되던 시절이었고 부모 준비가 덜 된 우리 부부는 시류에 따라 분유 먹이는 것을 당연하게 생각했다. 당시엔 아이에게 모유를 먹이지 않는 우리 부부에게 정말 단 한 사람도 나무라는 사람이 없었다.

그러나 나의 이런 결정이 천추의 한으로 생각되기까지는 그리 오랜 시간이 걸리지 않았다. 태어날 때부터 아무런 자발적 생존 노력이 필요 없던 아이. 태어나는 과정부터 젖 빠는 행위까지 모든 인간이 태어나 겪어야 하는 두 가지 관문을 아무런 노력 없이 통과한 아이는 그야말로 생에 대한 집착이 없는 아이였다. 아이는 무엇에 취했는지 매일 잠만 자고 시도 때도 없이 아프기만 했다. 아토피가 3세까지 계속되고 감기는 한 달이 멀다 하고 걸렸으며 몸은 눈에 띄게 여위어갔다. 이런 세월이 장장 10여 년이나 지속되었다. 책 후반부에서 본격적으로 다루려 하는 모유에 관한 이야기도 나의 이런 한(恨) 때문에 나온 기획이다.

이제부터 딸아이가 태어나서부터 초등학교 6학년이 되기까지 출장과 야근을 밥 먹듯 하며 가정과 아이에게 소홀할 수밖에 없었던 불성실한 아비의 육아법을 공개하려 한다. 나의 부끄러운 과거 이야기지만 아마 나 같은 사람들이 많으리라는 생각에 작심하고 쓰려 한다.

아이가 태어나자 나를 가장 당황스럽게 만든 것은 아이에 대해 아무런 애정이 솟아나지 않는다는 것이었다. 다른 사람들은 눈에 넣어도 아프지 않을 만큼 아이가 사랑스럽다는데 아주 심한 정도는 아니었지만 난 아이가 귀찮게만 느껴졌다. '내가 왜 이렇지? 내가 너무 냉혈한인가? 내 자식에게 애정이 생기지 않다니….' 하루 이틀이 지나도 '자기 자식에게 애정이 생기지 않는 이상한 현상'에 대해 난 매우 당혹스러웠다. 시간이 나는 대로 안아 재우고 내 손으로 우유를 먹여도 없던 애정이 생겨나지 않았다. 아이를 재울 때 금방 잠이 들지 않으면 아무것도 모르는 아이에게 짜증을 내며 귀찮은 감정을 노골적으로 드러냈다. 새벽에 아이가 울면 신경질을 내며 다음날 일해야 한다는 핑계로 베개를 들고 옆방으로 사라지곤 했다. 어느 순간 정신차리면 '이러면 안 되지' 하는 생각도 들었지만 아이에 대한 애착은 쉽게 생기지 않았다. 이 풀리지 않는 수수께끼는 우리 부부 트러블의 주 원인이기도 했다.

아이가 백일이 지날 무렵부터 난 마음을 고쳐먹기로 했다. 사랑의 감정은 노력을 해야 얻을 수 있다는데, 내 나름대로 최대한 노력을 해보기로 한 것이다. 그후부터 집에 있는 날이면 아이를 가능하면 품에서 내려놓지 않고 피부 접촉 시간을 최대한 많이 가지려 노력했다. 목욕을 같이하는 건 물론이고 아이의 이가 나기 시작할 무렵부터 도맡아서 아이의 이를 닦아주었다. 아이가 학교 가기 전까지만 닦아주려 하다가 초등학교에 들어간 다음에도 계속했다. 사람들이 '웬 과보호?'냐고 반문할지 모르지만 안 좋은 치아에 한이 맺혔던 나는 아이의 치아만큼은 건강하게 보호해주고 싶었고 이 과정에서 자연스럽게 아이와의 접촉이 잦아지게 되었다.

아이에게 특히 신경 쓴 것 가운데 하나는 가능하면 아이가 잠들 때 꼭 옆에서 지켜보는 것이었다. 내가 집에 있는 날은 반드시 아이를 방까지 안고 가서 아이가 잠들 때까지 옆에 누워 재워주었다. 특히 아이가 엄마한테 야단을 맞은 날이면 꼭 마음을 풀어주어 한바탕 웃고난 다음 잠이 들도록 했다. 그래서 아이는 항상 나와 웃으며 자는 게 버릇이 되었다. 그런 영향 때문일까? 아이는 잠자다 일어나 울거나 놀라는 일도 없었고 잠꼬대를 하면서도 늘 웃었다.

아이가 유치원에 갈 무렵 우리 부부는 아이를 잘 키우기 위해 몇 가지 원칙을 의논했다. '아빠가 집에 있는 시간에는 가급적 아빠가 아이를 돌본다' '돈에 집착하지 않는 아이로 키운다' '물건과 음식을 탐하지 않는 아이로 키운다' '성교육은 아빠가 시킨다' 등이 우리 부부가 머리를 맞대고 짜낸 아이의 육아법 중 내가 감당해야 할 부분이었다.

출장 다니랴 밤샘 편집하랴 바쁜 PD생활에도 불구하고 유난히 아이와 내가 친하게 된 데에는 아내의 도움이 컸다. 아내는 내가 출장으로 집을 비울 때에도 물건을 사면 꼭 "이거 아빠가 사주라고 하고 가셨어. 그래서 엄마가 대신 사주는 거야"라든지, 내가 전화한 적도 없는데 "오늘 아빠한테 전화 왔는데 너한테 이렇게 해주라고 하셨어" 또는 아예 "아빠가 어제 밤늦게 오셔서 네 옆에서 주무시다가 아침 일찍 얼굴에 뽀뽀하고 또 일찍 나가셨어" 하는 식으로 나의 존재가 아이에게 멀어지지 않도록 늘 세심하게 배려해주었다. 내가 열흘간 집을 비우고 들어와도 아이는 내가 집에 안 들어갔는지도 잘 모를 정도였다. 오히려 늦잠을 자 아빠의 얼굴을 못 본 자신 탓이라고 생각하며 내게 미안해했다. 물론 이것도 일종의 거짓말이지만 우리는 아이의 심성 교육에 필요한 거짓말이라고 자위했다.

이런 노력이 효과가 있었는지 우리 부녀는 세상에 둘도 없이 친한 친구 사이가 되었다. 자연스레 그 낯설던 아이가 진짜 나의 아이가 되기 시작한 것이다. 그러나 '아, 이 아이가 내 아이구나' 하는 느낌을 정말로 가지게 된 것은 아이가 태어나고도 몇 년이 지나서였다. 좋은 남편 되는 것은 일찍이 포기했지만, 어떻게든 자식은 덜 실망시키며 살려고 했던 나의 소박한 욕심은 지난 십여 년간 구체적 행동으로 표현되었다. 나는 지금(초등학교 6학년)도 자주 아이의 이를 검사하고 이를 닦아주기도 하고 하루에 적어도 서너 번 뽀뽀를 하며 거의 매일 아이를 재운다. 그 과정에서 아이와의 부대낌을 좋아하게 된 것이다. 우리 부녀는 작년 12월 말(5학년 말) 욕조에서 같이 서로 등을 밀어주며 지난 12년간의 혼욕을 청산하는 의식을 치렀다. 그날부터 우리는 앞으로 각자 목욕을 하기로 했다. 내 눈에 비친 아이의 정신 연령은 아직 초등학교 1학년 수준에 머물러 있었지만 몸은 점점 커가고 있었기 때문이었다. 아이와 내 인생에서 다시는 함께 목욕을 하지 못한다는 생각에 이날 특별히 더 신경 써서 열심히 때를 밀어주었다.

지난 10여 년간 아이와 아옹다옹하고 지내면서 내가 내린 결론은 아이의 심성 교육은 부모가 해야 한다는 것이다. 아이를 자주 만지고 아이와 자주 얘기하고 같이 놀면서 자연스런 애정 훈련을 하는 방법밖에는 다른 길이 없는 것 같다. 모든 가정에서 아이에게 사랑으로 안아주는 교육을 시킨다면 세상이 한결 부드러워지고 조용해지지 않을까 하는 생각이 들기도 한다. 가정교육은 아이의 감성지수를 올리는 가장 기초적인 교육이어야 한다. 사회 생활을 하면서 느낀 것이지만 머리 좋고 공부 잘해서 좋은 학교를 나온 사람보다 인간다운 감성의 소유자가 사람들에게 인정받고 출세하는 경우가 훨씬 많다. 이 사회는 혼자 사는 것이 아니기 때문이다. 감성이 풍부하고 남을 생각할 줄 아는 아이로 키우는 교육은 말로 가르친다고 되는 게 아니라 부모가 그런 분위기 속에서 아이를 키워야 가능한 것이다. 왜 우리는 세상이 갈수록 각박해진다고 한탄하면서 자신의 자식에게 말 한마디라도 부드럽게 하지 못하는가. 나도 잘 안 되지만 때와 장소를 불문하고 아이를 자연스럽게 안아주지 못하는 부모와 그것을 어색하게 생각하는 가정 분위기라면 가족간의 인간 관계에 뭔가 문제가 있는 건 아닌지 한 번 생각해봐야 한다.

호주에 잠시 살며 아이를 초등학교에 보낸 적이 있는데 그때 그곳의 학부형들이 아이들을 대하는 태도, 예를 들면 아이들에게 건네는 말 한마디, 표정, 아이에게 가르치는 예의 범절 등을 보고 적잖은 충격을 받은 적이 있다. 나는 그때까지 그 사람들처럼 강렬한 애정의 눈빛을 아이에게 한 번도 보낸 기억이 없었기 때문이다. '세상에 어쩌면 저렇게 사랑으로 가득 찬 표정을 지을 수 있을까. 저 아이는 얼마나 행복할까.' 딸아이를 데리고 매일 학교를 왕복하면서 호주 엄마들의 표정 하나 하나에 지난날 아이에 대한 나의 경직된 태도가 떠올라 부끄러웠다. 이 사람들의 애정 어린 눈빛의 근원은 무엇일까. 그런 궁금증이 나로 하여금 서구 사회를 굳건히 떠받치고 있는 건전한 중산층 문화를 다시 보게 하는 계기가 되기도 했다.

사실 우리 나라 부모들 중에는 아이를 다독거리기보다는 말 한마디를 해도 퉁명스럽게 하고 소리도 잘 지르고 심지어는 욕도 하면서 부모와 자식 간의 평소 관계가 거친 사람들이 있다. 엄한 표정을 짓고 사사건건 참견하는 것을 좋은 부모, 자식 교육을 잘 시키는 부모라고 생각하는 경향이 있는데 난 이런 교육방식이 좋은 방법은 아니라고 생각한다. 부모의 거친 말에 아이들이 받는 마음의 상처는 어른이 생각하는 것보다 훨씬 크기 때문이다.

가정에서 부모와 정상적인 대화에 익숙해 있지 못한 아이들은 초등학교 4, 5학년만 되어도 부모와 정상적인 문장을 구사하는 대화가 되질 않는다. 길거리, 식당, 백화점 등에서 부모와 아이들이 말하는 걸 옆에서 들어보면 아이들은 외마디에 가까운 소리를 지르며 투정을 부리거나 떼를 쓰고, 부모는 아이를 마구 야단치기도 하고 아이의 투정에 속수무책으로 당하고 있는 경우가 많다. 어떤 사람들은 거의 대화가 안 되는 수준을 넘어 가족 관계인지가 의심스러울 정도로 관계가 삭막하기 이를 데 없는 경우도 있다. 이런 원인은 부모가 평소에 아이를 어떻게 대하는가에 많이 좌우된다고 생각한다.

아이를 항상 웃는 낯으로 대하고 자주 안아주고 말 한마디를 해도 다정하게 하는 가정과 그렇지 않은 가정의 아이는 시간이 흐를수록 기본 심성에서부터 차이가 난다. 사람을 대하는 기본 질서를 부모로부터 제대로 배우지 못하고 성장하는 아이들이 우리 주변에 의외로 많다.

처음 아이에 대한 나의 애정이 남보다 덜했던 이유도 출산 현장에서 자연분만의 고통스러운 과정을 지켜보지 못해 태어나는 아이와 감성적 교류가 없었기 때문이다. 왜 신은 유독 인간에게만 다른 동물보다 심한 출산의 고통을 주었을까. 태어난 아이에 대한 애착심을 더욱더 강하게 갖게 하기 위한 신의 배려가 아니었을까. 고통 없이 아이가 태어난다는 것이 얼마나 자연의 섭리에 위배되는 것인가를 조금씩 깨닫게 되면서 출산문화를 바꾸어야겠다는 생각이 점점 굳어져갔다. 지금은 대부분의 산부인과에서 자신이 원하는 자세와 분위기로 아이를 낳을 수 있고 원하면 남편이 아내 곁에서 출산을 도울 수 있다. 그러나 '생명의 기적' 방송 이전에 이런 모습은 거의 구경하기 힘들었다. 아내들은 출산 현장에서 외롭게 소리를 질러댔고 남편들은 밖에서 지친 모습으로 마냥 기다려야 했다. 내가 '생명의 기적'에서 이 부분을 특히 강조했던 것도 나의 뼈아픈 경험이 있었기 때문이었다.

실제로 아내 곁에서 출산 모습을 지켜봤던 남편들은 아이에 대한 애착심이 남다르다고 한다. 나는 이런 문화가 자연스러운 인간 본래의 문화라고 생각한다. 아이의 탄생 현장에 남편이 들어가 아내를 위로하고 산모들은 고통을 수반하는 자연분만을 기꺼이 선택하는 문화가 정착된다면 지금보다 가정의 분위기는 더 좋아지리라. 그렇게 고통스럽게 가슴 졸이며 기다리다 태어난 아이에게 필자처럼 아무런 감정이 안 생긴다거나 뉴스에서 자주 접하는 것처럼 아이를 함부로 대하고 학대한다는 것은 상상하기 힘든 일이기 때문이다.

이렇듯 아이를 키우면서 저지른 10년 동안의 나의 잘못을 참회하는 가운데서 태어난 것이 '생명의 기적' 이라는 프로그램이었다. 여기서 지나간 프로그램 얘기를 꺼내는 이유는 지금부터 본격적으로 얘기할 '잘먹고 잘사는 법' 이라는 프로그램도 같은 시기에 거의 동시에 구상된 프로그램이며 '생명의 기적' 다음에 필연적으로 탄생할 수밖에 없는 프로그램이었기 때문이다. 사람이 태어난 것으로 이야기를 그냥 끝내버리기에는 뭔가 아쉬움이 남았다. 나를 포함해 대부분의 사람들이 태어나자마자 먹기 시작하는 모유는 물론이고 전 생애에 걸쳐 먹는 음식에 대해 너무 무지했다.

그러던 중에 아이가 초등학교를 들어가면서 내 아이뿐 아니라 다른 아이들도 자신들이 먹는 음식에 대해 그 누구한테도 제대로 된 교육을 받고 있지 못한 현실을 보게 되었다. 못 먹고 살아온 내 세대의 부모가 그렇듯이 과거에 난, 아이가 좋아하는 음식을 잘 사주고 무슨 음식이든 골고루 먹이면 좋은 부모라고 생각했다. 생명 탄생의 고귀함에 대해서조차 무지했던 내가 아이가 태어난 이후의 식생활 교육에서 이제까지 제대로 한 것이 하나도 없는 것은 오히려 너무나 당연한 것이었다.

음식에 관심을 갖게 되면서 그 전에는 가정 교육과 공부로 인한 스트레스 탓이라고만 생각해온 아이들의 산만함과 폭력성이 혹시 아이들이 먹는 음식과 상관이 있는 건 아닌가 하는 의심이 들기 시작했다. 그 이유는 내가 자랄 당시에는 거의 먹어보지 못했던 음식들을 요즘 아이들은 입에 달고 살기 때문이었다. '저렇게 먹다가 몸에 탈 나지' 하는 우려에서 만들게 된 것이 '육체와의 전쟁' 이라는 프로그램이었다면, 이번에는 '저렇게 먹으니까 행동도 저렇게 하는구나' 하는 생각으로 발전한 것이다. 공교롭게도 서양학자들은 이런 문제에 대해 오래 전부터 연구해오고 있었던 것이다.

제대로 먹고 사는 문제는 제대로 태어나는 것보다 어쩌면 훨씬 더 중요한 문제라는 생각이 들기 시작했다. 태어나는 것은 한순간이지만 먹는 것은 평생 동안 반복되는 피할 수 없는 행위가 아닌가. 나는 프로그램을 통해 내 아이를 가르치듯 아이들에게 제대로 먹는 교육을 시키기로 마음을 다졌다. '내가 하지 못했던 것들을 다른 부모들이 보고 아이들에게 제대로 가르치게 하는 프로그램을 만들어야겠다. 아니, 아이들이 보고 직접 느끼게 하리라. 그래, 제목도 잘먹고 잘사는 법으로 하자. 누구나 잘먹고 잘살기 위해 사는 것 아니던가.'

우리는 우선 냉장고 속부터 정리했다. 먹다남은 치즈, 초콜릿, 콜라, 오래 보관된 육류와 생선, 짜고 매운 젓갈류 등을 들어냈다. 식탁에서는 흰 쌀밥과 흰 밀가루로 만든 빵이 사라졌다. 대신 신선한 유기농 야채와 현미 잡곡밥, 과일, 샐러드, 멸치, 해조류, 두부, 청국장 등이 그 자리를 차지했다. 우리 집 식탁 위에 혁명이 시작된 것이다.

제2장

험난한 여정이 시작되다

가족들을 상대로 한 생체실험

프로그램 제작에 들어가기 전 나의 생각에 확신을 갖기 위해 나와 내 가족을 상대로 실험에 착수했다. 그것은 무시무시한 세균 실험이 아니라 전혀 손해볼 게 없는 안전한 실험이었다. 아이도 아내도 기꺼이 동의해주었다. 그것은 다름 아닌 우리 조상들이 즐겨 먹던 음식을 꾸준히 먹어보는 것이었다. 여기서 '꾸준히'라는 말이 가장 중요하다. 잠시 흉내만 내다 효과가 없다고 포기하고마는 것이 아니라 최소한 4개월 이상 꾸준히…. 사람 몸의 세포는 1년이면 모두 새로운 세포로 바뀌게 된다니까 3분의 1이 바뀌게 되는 4개월 정도는 꾸준히 노력해야 효과가 나타날 것 같았다. 나는 우선 4개월 계획을 잡고 식생활의 근본적인 변화를 시도해보았다.

당시 우리 가족의 건강 상태는 이랬다. 딸아이는 한마디로 온갖 병을 달고 사는 걸어다니는 소아과 병원 같은 아이였다. 아토피성 피부, 알레르기 비염, 꽃가루 알레르기, 잦은 감기 등으로 각종 약들이 냉장고 문쪽 수납칸의 반을 차지할 정도였다. 소화제, 콧물 감기약, 기침 감기약, 몸살 감기약, 알레르기 비염약, 꽃가루 알레르기약, 각종 스테로이드 연고…. 아내는 잦은 감기를 위시해 소화불량, 만성피로, 설사 등에, 나는 면역 글로부린(IGA) 신증을 비롯해 위염, 식도염 등에 시달리고 있었다.

아이는 어려서 하루가 멀다 하고 병원을 들락거렸다. 아토피가 심해지면 의사는 스테로이드가 들어간 연고의 상표를 떼고 처방했다.

당시에는 이것이 스테로이드 제재인지도 모르고 아이의 증세가 심해지면 그야말로 신나게 발라주었다. 바를 때마다 신기하게도 반나절을 안 넘기고 씻은 듯이 없어지는 아토피. 우리는 의사의 탁월한 의술에 감탄했다. 그러다가 그 신기한 약이 도대체 무슨 성분인가 궁금해 추적해본 결과 그것이 스테로이드 제재인 것을 안 것은 아이가 세 살이 다 되어서였다. 그때 약을 남용한 탓에 지금도 아이의 목에 반점이 남아 있다.

딸아이는 혼자였기 때문에 그나마 부모의 식생활을 흉내내며 초등학교 입학 전까지 우리 한식을 즐겨 먹는 편이었다. 그런데 아이가 초등학교를 들어가면서 친구들과 어울리게 되자 상황은 점점 변해갔다. 그렇게 잘먹던 김치를 멀리하기 시작하더니 매 끼니 반찬투정에 초콜릿, 과자, 사탕, 빵, 탄산음료, 햄버거, 자장면, 라면, 피자 등 아이가 좋아하는 음식이 점점 인스턴트 가공식품, 패스트푸드로 고정되기 시작했다. 학교에서 돌아올 때면 아이들이 서로 돌아가며 간식을 쏘기로 했다는데 그 간식이라는 것들이 오래된 기름에 튀긴 튀김류, 시뻘건 떡볶이, 핫도그, 각종 색소로 버무린 아이스크림 등이었다. 아이는 이런 것들을 신나게 먹으며 집으로 돌아오곤 했다.

잡곡, 야채 등은 아예 거들떠보지도 않고 먹는 밥의 양도 점점 줄었다. 밥 먹을 때는 개도 야단치지 않는다는 말 때문에 식탁에서 야단도 못 치다보니 아이의 식습관은 그냥 그렇게 통제 불능의 상태가 되어갔다. 그것은 나의 딸아이뿐 아니라 딸 친구들도 마찬가지였다. 그나마 위안이 되었던 것은 다른 아이들의 편식은 더 심각하다는 것이었다. "그나마 우리 애는 비만은 아니잖아." "이것이 우리 부부가 서로를 위로할 때 하는 말이었다. 이런 병덩어리 한가족이 식생활 개선에 들어가기로 한 것이다. 우선 내가 읽은 책의 내용 중에 인상 깊었던 구절을 아내와 아이에게 보여주기도 하고 취재하면서 새롭게 알게 된 사실을 가르쳐주며 이론 무장을 병행해나갔다.

냉장고를 뒤집어엎다

우리는 우선 냉장고 속부터 정리했다. 냉장고 안에 들여놓지 말아야 할 음식들을 한쪽에 모아보았다. 먹다 남은 슬라이스 치즈, 콜라 등의 탄산음료, 사탕, 초콜릿, 과자, 냉동 보관된 기간이 오래 된 땅콩 등의 술안주와 고기 · 생선류, 짜고 매운 젓갈류, 무정란, 야채 박스 안의 오래된 야채, 과일 등을 들어냈다. 식탁에서는 우선 흰 쌀밥과 간혹 아침에 먹던 흰 밀가루로 만든 빵이 사라졌다. 대신 신선한 유기농 야채와 현미와 각종 잡곡, 과일, 샐러드 드레싱, 올리브, 멸치, 해조류, 두부, 청국장, 견과류, 자연 유정란 등이 그 자리를 차지했다. 우리 집 식탁 위에 혁명적 변화가 시작된 것이다. 그러나 현실은 이론과 다르다는 것이 바로 다음날부터 증명되었다.

아이가 처음부터 현미 잡곡밥을 돌 씹어 먹는 것처럼 먹기 시작했고 사흘이 지나자 고기를 유독 좋아하는 아내는 "내 몸에서 고기를 부른다"며 노래를 하기 시작한 것이다. 예상은 했지만 예상보다 더한 저항이 시작되었다. 제일 힘든 것은 아이에게 현미밥을 먹이는 것이었다. 그 다음이 인스턴트 가공식품과 단 음식을 절제시키는 것이었는데, 현미밥이 이래서 좋은 거라고 아무리 설명해도 대답은 "맛없고 씹기 힘들다"였다. 오히려 야채는, 우리 가족이 시드니에 잠시 살 때 먹어본 '월남쌈' — 숙주, 버섯, 깻잎, 양상추, 겨자채, 양파, 당근, 오이, 셀러리, 아보카도, 토마토, 파인애플 등의 채썬 야채와 계란을 쌀로 빚은 피에 싸서 피시(fish) 소스를 뿌려 먹는 음식 — 을 가족 모두가 좋아했고 우리 집의 별미로 먹고 있던 터라 수월하게 먹을 수 있었다. 아이가 현미밥에 어느 정도 적응하기까지 약 3주의 시간이 필요했다. 처음엔 고치기 어렵지 않을까 생각했는데 모두들 잘 협조해 주었다.

현미는 아주 천천히 꼭꼭 씹어 먹어야 넘어가는 음식이라 현미를 먹으면 우리 나라 사람들의 고질병인 벼락밥 먹는 습관을 고칠 수가 있다. 벼락밥 먹는 습관은 특히 복부 비만으로 이어진다고 한다. 나도 밥을 급하게 허겁지겁 먹는 스타일이었는데 현미밥을 먹으면서 천천히 먹는 습관이 체질화되어갔다. 아이는 과자, 사탕, 라면 등 인스턴트 식품을 절제하는 것이 가장 힘들어보였다.

우리 집 식탁문화를 바꾼 또 다른 혁명적 변화는 그릇 사용이었다. 그동안 밥 한 끼 먹을 때마다 여러 종류의 그릇을 사용했던 탓에 음식쓰레기도 많이 나오고 설거지 할 그릇도 많이 나왔는데 이 번거로움을 대폭 간소화시킨 것이다. 설거지 양이 적어지면 물도 아끼고 세제 사용도 줄일 수 있어 환경에도 도움이 된다. 우선 큰 접시에 각자 먹을 만큼의 밥과 반찬을 담는다. 그리고 접시의 음식은 하나도 남김

없이 먹는 것이다. 이와 동시에 위에 부담을 주고 환경에도 피해를 주며 과도한 염분 섭취의 원인이 되는 국물의 섭취량(끊임없이 발생하는 이산화탄소와 수질 오염에 크게 기여하고 있으며 염분 섭취의 약 1/3이 국물을 통해 섭취된다)을 이전의 반 이하로 줄였다.

2개월 정도가 지나니까 아이에게 변화가 오기 시작하였다. 그렇게 자주 걸리던 감기가 환절기를 지나면서도 소식이 없었다. 또한 꽃가루 알레르기가 심해 꽃피는 계절이면 알레르기 약을 달고 살았는데 그것도 아무 반응이 없었다. 아이의 다리에 각질이 생기고 트던 현상도 없어졌다. 어떻게 이런 일들이 벌어질까. 신기하기까지 했다. 이런 현상들보다 사실 가장 빨리 나타난 것은 대변의 상태였다.

사춘기에 접어든 딸아이의 기분을 상하게 할까 봐 조심스럽긴 하지만 아이는 화장실에만 가면 얼굴이 사색이 다 되곤 했다. 그 놈의 변비 때문에…. 어려서부터 변비가 심했던 아이였다. 제왕절개로 태어나 분유로 키운 아이는 어려서부터 몹시 허약했다. 그 중에서도 변비 때문에 아내가 아이의 항문에 손가락을 넣어 변을 파낸 것이 부지기수였다. 사나흘 만에 변을 볼 때면 변의 굵기가 자신의 팔뚝보다 더 굵어 아이는 매우 힘들어했다. 그렇다고 약을 먹일 수도 없고…. 그러던 아이가 이제 황금색 변을 본다. 그것도 쉽게. 아주 쉬운 것은 아니지만 과거에 비하면 너무나 수월하다. 그 비결이 바로 현미 잡곡밥과 야채 덕분이다.

음식이 입에 들어와 소화 기관을 거쳐 장에 이르게 되면 소장에서 각종 영양소를 흡수하게 된다. 이후 쓸모 없는 노폐물들이 배설되는데 이때 결정적인 역할을 하는 것이 바로 섬유질이다. 요즘 나도 변을 아주 수월하게 보고 있다. 식생활을 바꾸면서 매일 거의 정확한 시간에 하루 한 번 황금색 변을 누고 있는 것이다. 배변의 고통을 가지고 있는 사람들은 이보다 더 부러운 말이 없겠으나 내 건강 상태 중 가장 자랑스러운 부분이기도 하다. 이 책을 읽고 황금색 변을 매일 하루 한 번 편안히 보고 싶은 사람은 나처럼 먹는 것을 바꾸면 간단히 해결될 것이다.

우리 가족의 생체실험은 매우 만족스러웠다. 아이의 알레르기가 일단 없어지기 시작했다. 피부도 깨끗해지고 꽃가루가 날리면 콧물을 흘리느라 정신을 못 차리던 아이가 약을 먹지 않고도 잘 지내게 되었다. 아이의 이런 변화는 내가 아토피 환자들을 대상으로 음식 변화를 시도하는 데 커다란 용기를 주었다. 나도 250을 넘나들던 콜레스테롤 수치와 단백뇨와 혈뇨가 나오던 IGA 신증의 증세가 정상에 가깝게 호전되기 시작했다. IGA 신증은 약이 없기 때문에 나는 전혀 약을 먹은 적이 없다. 시도 때도 없이 감기에 시달리던 아내와 아이의 증상도 나아졌다.

작은 성과였지만 내 가족의 생체실험은 식생활이 망가질 대로 망가진 아이도 부모가 노력하면 얼마든지 식습관을 바꿀 수 있고 그 결과는 우리가 기대하는 이상이란 희망을 갖게 해주었다. 나는 이 경험을 프로그램에서 실천해보기로 했다. 딸아이보다 더 어리고 동물성 음식에 빠져 사는 아이를 찾아 6개월간 변화를 시도해보기로 한 것이다. 그 대상자로 만나게 된 아이가 콜레스테롤 수치가 261이나 되는 초등학교 2학년생인 보규였다.

"보규는 태어나서 분유를 먹였고 아이를 튼튼하게 키운다고 분유

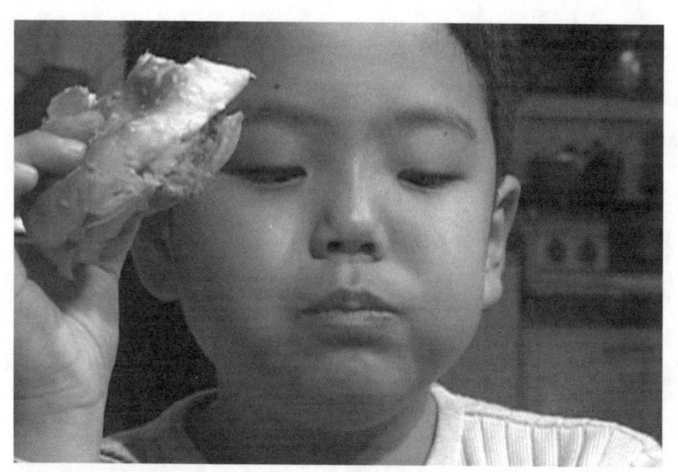

햄버거를 즐겨 먹던 보규.

에 곰국을 섞어 주기도 했어요." 보규 어머니는 요즘 세대의 다른 엄마들처럼 아이에 대한 애정 표현을 아이가 먹고 싶은 것은 뭐든지 다 해주는 것으로 대신하고 있었다. 보규는 패스트푸드와 고기, 햄, 소시지, 단 음식, 빵, 계란, 인스턴트 식품 등을 좋아하고 주로 그것들만 먹고 살았다. 물 대신 우유를 먹는 보규. 전형적인 요즘 아이들의 식습관이었다. 야채와 콩류, 잡곡 등은 거들떠보지도 않았다. 이런 보규의 식습관을 바꾸기로 한 것이다. 그것은 보규네가 한 번도 경험하지 못했던 시련의 연속이었다.

아무리 달래고 얼러도 보규의 저항은 나의 딸아이의 저항과는 비교가 안 될 정도로 강했다. 그러나 자신을 고통 속에 빠뜨린 취재진을 미워하는 보규를 달래가며, 매일 도시락을 싸서 공원에 데려가 점심을 먹이는 보규 엄마의 열성은 감동적이었다. 약간의 저지방 우유,

계란, 생선에다 콩으로 만든 햄과 잡곡밥, 야채, 나물, 콩 등이 보규가 먹게 된 주 메뉴였다. 6개월간의 전쟁 같았던 '보규네 식습관 바꾸기 투쟁사' 중 하이라이트는 보규를 청학동에 보낸 사건이었다. 보규에게 자연 속에서 집단 생활하며 반찬투정을 하지 않는 습관을 길러주기 위해서였다. 청학동의 메뉴는 비빔밥, 잡곡밥, 나물 등 보규가 싫어하는 음식들이 주류를 이룬다. 처음 입소한 날부터 밤마다 눈물을 흘리며 엄마를 찾던 보규. 그런데 입소 후 일주일이 지나자 그동안 거부감을 보이던 이런 음식들에 보규가 적응해가기 시작했다. 2주일간의 청학동 생활을 마치고 귀가할 때쯤에는 보규가 각종 나물이 들어간 비빔밥을 별 저항감 없이 먹는 모습을 볼 수 있었다.

6개월쯤 되어 다시 보규의 건강 검진을 해보았다. 콜레스테롤 수치는 172. 다시 정상으로 돌아온 것이다. 보규네 집을 방문했을 때 집안에는 환한 웃음꽃이 만발해 있었다. 아이가 드디어 음식을 가리지 않고 먹는다는 것이다. 저녁식사 시간. 보규는 내 눈앞에서 청국장, 상추, 오이 ,당근, 콩, 생두부, 된장 등은 말할 것도 없고 심지어 절인 마늘까지 먹었다. 하도 신기해 "보규야 청국장 잘먹어?" 하고 물으니 씩씩하게 "네" 하고 대답한다. 몸무게도 2kg이 빠졌고 무엇보다도 그렇게 산만하던 아이가 훨씬 의젓해진 듯했다.

보규가 이렇게 바뀐 데에는 보규 엄마의 지극 정성이 있었다. 보규 엄마는 음식에 대한 공부도 열심히 하고 환경정의시민연대의 '다음을 지키는 엄마들의 모임'에도 가입하는 등 아이의 건강을 되찾으려는 노력을 게을리하지 않았다. 그 결과가 희망으로 나타난 것이다. 보규네가 앞으로도 지속하기로 한 새로운 식생활은 이런 것이다. '패스트푸드와 고기 등 보규가 좋아하는 음식은 한 달에 일정한 날짜를 정해놓고 외식한다. 고기를 먹을 땐 야채를 많이 먹는다. 설탕, 인스턴트 가공식품은 최대한 절제한다. 물 대신 먹던 우유는 저지방 우유로 바꾸고 하루 200ml 정도 먹는다. 밥은 현미 잡곡밥을 먹는다.' 이 정도만 해도 얼마나 좋아진 것인가. 식생활이 망가진 그 어떤 아이도 보규네처럼 부모가 노력만 하면 희망의 불씨를 되살릴 수 있는 것이다. 그러나 사람들이 이런 노력을 하지 않는 것은 아이들의 망가진 식생활이 어떤 결과로 이어지는지를 자세히 모르기 때문이다.

요즘 아이들은 생일파티 때면 으레 기름진 패스트푸드와 탄산음료, 단 음식들을 먹는 것을 당연하게 생각한다. 학교를 마친 후 학원 스케줄에 쫓겨 하루에 단 한 끼도 정상적인 식사를 못하고 패스트푸드 등으로 때우고 사는 아이들도 많다. 이런 아이들의 몸은 점점 비만해지고 성격이 거칠어지며 편식에 길들어 각종 알레르기 질환과 감기에 시달리게 되는 것이다.

제3장

위기의 아이들

머리카락에 숨어 있는 위기의 징후

우리의 몸은 솔직하다. 몸은 우리가 먹는 대로 세포 단위부터 매일 새롭게 태어난다. 비록 우리가 느끼지 못할지언정 우리의 몸은 '건강'이라는 잣대로 매일 우리에게 경고한다. 잘못된 식생활을 하고 있는 사람이 건강한 삶을 유지하기란 하늘에서 별따기처럼 힘들다. 아이들은 이런 인과응보의 평범한 진리를 배우지도 느끼며 살지도 못한다는 사실이 문제이다.

딸아이의 친구 중에도 제대로 된 식습관을 가진 아이들은 거의 없었다. 아이들의 학교 급식 광경을 한 번이라도 본 사람이면 느낄 것이다. 아이들의 식습관이 얼마나 망가져 있는가를. 국적 불명의 퓨전 음식을 먹는 것까지는 그렇다 치더라도 김치 한 조각 나물 한 가닥도 입에 대지 않는 아이들이 얼마나 많은지…. 집에서 식사 교육을 제대로 받는 아이가 우리 주변에 몇 명이나 있을까. 딸아이의 친구 중에는 우리 집에 놀러와서 단 한순간도 가만히 있지 못하고 손과 발을 떨거나 이리 저리 옮겨다니며 불안해하는 아이들도 있다. 내눈엔 과잉행동증으로 보이는데 주변 사람들은 별 관심이 없는 것 같다.

아이들은 생일 파티 때면 으레 기름진 패스트푸드와 탄산음료, 단 음식들을 먹는 것을 당연하게 생각한다. 학교를 마친 후 학원 스케줄에 쫓기는 아이들 중에는 하루에 단 한 끼도 정상적인 식사를 못하고 사는 아이들이 많다. 무엇을 어떻게 먹고 살아야 하는지 전혀 교육받지 못한 아이들. 이 아이들의 몸은 점점 비만해지고 성격은 거칠어지며 편식에 길들어 각종 알레르기 질환과 감기에 시달리고 있다.

과거보다 몸은 커졌을지 모르지만 몸의 내부는 점점 부실해져가는 아이들. 그 중에는 뇌종양 같은 치명적 질환에 걸린 아이도 있는데 그 아이의 평소 식습관은 햄과 계란과 흰 쌀밥이 주식이었다. 유난히 똑똑했던 귀한 아들의 호된 병치레를 겪은 그 아이의 엄마는 인생관을 180도 바꾸어 유기농 모임에 가입하고 유기 농산물만 먹이는 엄마가 되어 나의 아내에게도 건강한 먹을거리에 대해 많은 정보를 주었다. 수술 후 그 아이는 부모의 눈물겨운 노력 덕분에 과거 수준으로 몸을 회복하였다. 그 과정을 옆에서 지켜본 나는 남의 이야기 같지 않았다. 물론 그 병의 원인이 100% 편식 습관 때문이었다고 말할 수는 없지만 아이들이 집안에 유전적 내력도 없는 이런 병들에 걸린다는 것은 심상치 않은 것이다. 원인 불명의 불치병을 접하게 되어 자연스레 과거를 되돌아보면서 그 부모가 내린 결론도 아이의 병의 원인이 식습관일지 모른다는 것이었다. 이 얘기를 현대 의학을 공부한 사람이 들으면 웃을지도 모르겠으나 나는 부모가 아이를 키우면서 겪은 경험론은 그 나름대로 충분한 근거가 있다고 생각한다. 그 병의 원인이 무엇이었든 간에 그 집은 아이의 식습관은 물론 그 집안 식구 모두의 식생활을 바꾸게 되었고 지금은 가족 모두가 건강하게 잘살고 있다.

과연 요즘 아이들의 건강 상태는 어느 정도일까. 제작진은 서구식 식생활과 가공식품에 파묻혀 사는 아이들의 몸 상태를 점검하는 계획을 세웠다. 일반 건강검사로는 나타나지 않는 중금속 오염 실태를 알아보기 위해 초등학생과 고등학생들의 모발을 분석하기로 했다. 아이들의 몸은 과연 어느 정도 중금속에 오염되어 있는지, 또 어떤 영양

미네랄이 부족한지를 알 수 있는 검사였다. 알루미늄 등 중금속이 기준치를 넘으면 몸에 안 좋은 것은 물론 정신 집중력과 기억력도 떨어진다. 아이들의 상태가 만약 심각하다면 음식 개선으로 상태가 개선될 수 있는가에 초점을 맞추기로 했다. 검사 비용이 수천만원이나 드는 대형 프로젝트라 모발검사 전문업체 사장을 수차례 만나 무료로 협조해줄 것을 간청해 허락을 받아냈다. 우선 서울 지역의 초등학생부터 검사에 들어갔다.

서울 지역 155명의 초등학생을 검사한 결과 예상치 못한 심각한 결과가 나왔다. 알루미늄 평균치가 무려 16.2(기준치 10)였다. 더 심각한 것은 검사한 학생 중 72.2%가 기준치를 초과했다는 사실이다. 결과가 너무 높게 나온 탓에 그 원인이 대기 오염일 수도 있다고 생각하여 같은 방법으로 농촌 지역을 조사하였다. 결과는 역시 예상 밖이었다. 원주 농촌 지역에서 검사한 62명 중 알루미늄 평균 수치가 17.4(기준치 10)로 서울과 별 차이가 없었던 것이다. 이곳 학생들도 75.8%의 학생이 기준치를 초과하고 있었다. 그렇다면 대기 오염이 아니고 먹는 것에 의한 결과일 가능성이 더 높아진 것이다.

서울 H고등학교 학생들의 모발검사.

서울 시내 초등학생 모발검사(155명)

중금속 종류	기준치	검사 평균치	평균초과 비율(기준초과 학생수)
알루미늄	〈 10	**16.1**	**72.2%(112명)**
수은	〈 1	0.7	18%(28명)
납	〈 4	2.0	25.8%(40명)

(검사기관:Medinex)

농촌 지역 초등학생 모발검사(62명)

중금속 종류	기준치	검사 평균치	평균초과 비율(기준초과 학생수)
알루미늄	〈 10	**17**	**75.8%(47명)**
수은	〈 1	0.7	22.6%(14명)
납	〈 4	2.0	37.1%(23명)

(검사기관:Medinex)

그렇다면 어린이들보다 식생활 습관이 좀 나은 편인 고등학생들은 어떨까. 서울 지역 고등학생 101명을 대상으로 한 조사에서는 알루미늄 수치가 평균 7.6(기준치 10), 그러나 기준치를 초과하는 학생들은 24%(24명)였다. 납은 좀더 심해 평균 0.9(기준치 1.0)이나 기준치를 넘는 학생이 37%(37명)나 됐다. 위 결과를 종합해 보면 일반적으로 학생들의 중금속 오염 실태가 심각한 지경에 이르고 있고 초등학생일수록 중금속에 더 오염되어 있다는 충격적인 사실이었다.

서울 H고등학교 학생 모발검사(101명)

중금속 종류	기준치	검사 평균치	평균초과 비율(기준초과 학생수)
알루미늄	〈 10	7.6	**24%(24명)**
수은	〈 1	0.9	**37%(37명)**

(검사기관: Medinex)

여러 명의 의사들에게 원인 분석을 의뢰한 결과 대기오염, 아이들이 먹는 식판, 식기, 알루미늄 캔 제품, 과자 봉지 안의 알루미늄 등이 원인이 아닌가 하는 광범위한 진단을 내렸다. 그러나 제작진은 아이들의 식생활 쪽에 더 혐의를 두었는데, 그 이유는 요즘같이 가공식품이 범람하는 환경에서는 먹는 음식 자체가 용기나 포장지보다 더 직접적인 원인이 될 것이라 판단했기 때문이다. 모발 분석을 무료로 협조해주는 메디넥스(Medinex) 김성현 사장에게 마지막으로 우리가 선정한 대조군에 대해 한 번만 더 조사해줄 것을 부탁했다. 내가 조사하고 싶었던 곳은 제 7안식일교를 믿어 아이들도 채식을 많이 한다는 삼육고등학교였다.

삼육고교에서 현미밥과 채식을 주로 먹는 학생 50명을 똑같은 방법으로 조사하였다. 삼육고 학생이라고 스낵류나 알루미늄 조리기에서 자유로울 수는 없지만 그래도 만약 아이들의 중금속 오염의 원인이 망가진 식생활이 주원인이라면 같은 서울 하늘 아래 살지만 일반 고등학생과 삼육고등 학생 간에 분명한 차이가 있어야 하는 것이다. 그리고 그것이 사실이라면 중금속 오염이 심각한 아이들이 삼육고교 아이들처럼 음식을 조절하면 중금속 수치를 떨어뜨릴 수도 있을 것이라는 생각이 들었다. 그래야 시청자들이 희망을 가질 수 있지 않겠는가. 이 과정을 프로그램으로 만들고 싶었다.

그런데 혹시나 하는 예상이 그대로 적중한 결과가 나왔다. 현미밥에 채식을 하는 학생들의 모발에서는 중금속 수치가 현격하게 낮게 나온 것이다. 알루미늄의 평균치가 5에 기준치를 넘는 학생들의 비율도 8%(4명)에 불과했다. 수은의 비율은 더 낮아 0.3(기준치 1.0)이었고 기준치를 넘는 학생도 2%(1명)에 불과했다.

삼육고등학교 학생 모발검사(50명)

중금속 종류	기준치	검사 평균치	평균초과 비율(기준초과 학생수)
알루미늄	〈10	5	**8%(4명)**
수은	〈1	0.3	**2%(1명)**

(검사기관: Medinex)

이 결과는 무엇을 말하는 것일까. 같은 서울 공기를 마시며 이처럼 다른 결과가 나왔다는 것은 기본적으로 야채 중심으로 식사를 하는 아이들이 오염된 음식에 접할 기회가 그만큼 적다는 사실과 현미, 야채 등에 많이 함유되어 있는 섬유질 등이 몸 속의 중금속을 흡착해서 배설한 결과라고 추정할 수 있다. 자료를 검색해보니 현미의 중금속 흡착 효과에 관한 박사학위 논문도 있었다. 삼육대학교의 최승남 교수는 현미와 백미를 먹인 쥐에 수은을 투여한 실험을 통해 현미를 먹인 쥐에 수은을 투여했을 때, 백미를 먹인 쥐보다 장기에 중금속이 훨씬 덜 남아 있다는 사실을 입증하였다. 그것은 쌀 껍질 쪽 부분에 많은 피트산이나 섬유질이 중금속을 흡착해 배출하는 능력이 뛰어나다는 것을 말한다. 이런 쥐 실험 결과를 볼 때 삼육고등학교 학생들의 낮은 중금속 오염도는 어쩌면 당연한 결과인 셈이다.

그후 인스턴트 식품과 패스트푸드, 육류 등을 좋아하는 일반 고등학생 4명을 선발해 현미밥과 야채를 많이 먹이고 인스턴트, 패스트푸드 등을 절제시켜 4개월 동안 식생활 개선 실험을 하였다. 점심도 도시락을 싸서 다니게 하였다. 한 달이 지나자 그 가운데 2명이 도저히 견디지 못하고 중도에 포기하고 말았다. 이유인즉 약속을 지키기에는 주변에 유혹이 너무 많다는 것이었다. 학교에서 집으로 가는 길에 각종 패스트푸드 업체들의 유혹이 도사리고 있었다. 제작진과 약속을 끝까지 지킨 2명의 아이를 포함해서 4명의 아이들의 모발검사를 4개월 후 다시 해보았다.

결과는, 중도에 포기한 학생들의 중금속 오염 수치는 계속 증가하고 있는 반면, 끝까지 식생활 개선 실험을 지속한 아이들의 중금속 수치는 조금씩 떨어지고 있다는 것이었다. 달라진 것은 중금속 수치만이 아니었다. 이 과정에서 현미밥, 청국장, 김치 등 우리 전통식품들을 입에 대지도 않던 아이들이 이런 우리의 식품을 자주 접하면서 누가 강요하지 않아도 잘먹게 되었을 뿐 아니라 피부 트러블도 눈에 띄게 없어졌다.

몸무게도 많이 줄어 끝까지 참가한 학생들은 물론 부모들도 매우 만족해했다. 그중 병윤이라는 학생은 친구들이 피부과 다니는 줄 알았다고 말할 정도로 얼굴이 깨끗해 진 것은 물론, 과거보다 훨씬 의젓해지고 성적도 쑥쑥 올라가 반에서 중간 넘던 성적이 요즘에는 10등 안에 들 정도로 일취월장하고 있다고 한다. 이 방송이 나간 후 현미의 수요가 폭발적으로 늘어났다는 소식을 들었다. 가뜩이나 쌀 판매가 감소하던 차에 사람들은 건강이 좋아지고 농민들은 돈도 벌게 되니 얼마나 다행스런 일인가.

당신은 식품첨가물을 1년에 4kg 먹고 있습니다

산업화 과정에서 축적된 거대한 기업의 자금력은 그 어떤 집단의 도전도 용납하지 않는다. 제품 안에 첨가하는 인공 화학첨가물들은 식품의약품 안전청에서 사용할 수 있도록 허가받은 제품들이다. 문제는 이런 인스턴트 식품의 주요 고객인 아이들은 하루에도 아주 여러 종류의 인스턴트 식품을 먹는다는 데 있다. 일본 교토 바이오 사이언스 연구소 소장인 65세의 니시오카 하지메 박사는 일본 기업들의 제품을 분석하여 공표하는 사람으로 유명하다. 그가 발표하는 것을 보고 정부기관이 따라올 정도로 그의 조사는 신뢰받고 있다. 2001년 6월 말 나는 그의 연구소를 찾아가 그를 만났다.

그런데 그가 들려준 첫 이야기는 매우 섬뜩한 괴담 같은 것이었다. "제 계산으로 우리는 하루에 80여 종의 식품첨가물을 먹고 있는데 그것들이 서로 섞여 반응하여 다른 물질이 되거나 유해물질이 될 수 있습니다. 한국과 일본의 사정이 비슷할 것으로 생각되는데, 하루에 11g 정도 됩니다. 11g이라면 2티스푼 정도의 식품첨가물을 몸에 넣는 셈이지요. 의사로부터 어쩌다 받는 약처럼 며칠만 먹는 것이 아닙니다. 중요한 것은 매일 먹는다는 겁니다. 그러면 1년에 4kg의 화학약품을 몸에 넣는 셈이고 50년이면 200kg이 됩니다. 200kg은 일본의 스모 선수 중에 가장 큰 사람의 무게입니다."

나는 무엇보다도 이런 반 기업적 활동을 하는 그가 아무 탈없이 살고 있다는 것이 신기했다.

"식품첨가물에 대해 나쁜 말을 하면 기업으로부터 항의를 받지는 않습니까?"

"저는 저의 연구 결과를 가지고 발언합니다. 직접 연구하여 논문을 써서 국제적인 잡지에 투고하고 발표하는 것이므로 근거가 있습니다. 이 식품 첨가물이 유해하다고 논문을 써서 발표하면 기업은 반론할 수 없습니다. 근거가 있기 때문이지요. 제가 연구하여 발표하면 후생성은 제 연구 결과를 바탕으로 사용을 금지한 예도 있을 정도입니다. 연구나 근거는 아주 중요한 것입니다."

"현대 사회에서 이런 첨가물을 어느 정도 먹는 것은 피할 수 없는 것 아닌가요?"

"일본 각지에 가서 강연을 하면 '선생님은 무엇을 드십니까?' 라는 질문을 꼭 받게 됩니다. 그러면 저는 여러분과 다른 특별한 것을 먹는 게 아니라고 답합니다. 슈퍼에서 사거나 여행갈 때는 역에서 파는 도시락을 사 먹습니다. 도시락에는 15, 16종류의 식품첨가물이 사용됩니다. 핑크색 어묵에는 색소 2호가 사용되었고, 쫀득쫀득한 것은 유화제나 결합제가 사용되었습니다. 모두 조사해보면 10여 종류가 사용됩니다. 단무지는 황색 4호로 염색된 것입니다. 원래의 단무지는 염색하지 않습니다. 색소로 일부러 염색한 겁니다. 우리 주변에는 뭐든지 색깔로 염색하고 방부제, 살균제, 살충제 등을 사용하여 오래도록 보존할 수 있게 만든 것이 많습니다. 식품첨가물은 음식이 썩어 반품되지 않도록 기업들을 위해 만들어진 것입니다."

소비자는 식품첨가물에 대한 정보를 알고 조심하려는 생각을 갖는 것이 우선 중요하다. 식품첨가물이 완전히 없는 곳에서 생활하는 것은 어차피 불가능하니까. 예를 들어 자동차의 배기가스는 좋지 않다는 것을 다 알고 있기 때문에 길을 건널 때 트럭, 버스 같은 디젤 엔진 차에서 까만 연기가 나오면 사람들은 순간적으로 숨을 멈춘다. 그런데 짧은 기간이 아니고 10~20년 동안 이렇게 조심하며 산 사람과 그렇지 않은 사람과는 큰 차이가 날 것이다. 식품첨가물도 마찬가지가 아닐까 생각한다. 그러나 나쁜 물질을 전혀 안 먹고 살 수 없을 바엔 차라리 우리가이런 이물질을 몸에서 배출하는 음식을 같이 먹으면 우리 몸은 나름대로의 균형을 이룰 수 있지 않을까 하는 생각이 들기 시작했다. 아이들의 중금속 오염 실태를 조사하면서 좀더 확신을 갖게 되었는데, 이런 생각으로 실험에 착수한 것이 이제부터 자세히 소개할 아토피 환자에 대한 6개월간의 실험이었다.

현대의 불치병 성인 아토피

주변에서 생식을 먹고 불치병이 나았다거가 녹즙을 먹고 간이 기적적으로 좋아졌다는 소식을 가끔 접한다. 과학적인 사고방식으로 따지자면 어림없는 얘기지만 과학으로 설명이 안 되는 생명의 메커니즘은 우리 인간의 머리로 모두 이해하기에는 벅찬 부분들을 아직도 많이 남겨놓고 있다. 자연의 축소판인 우리의 몸은 벗겨놓고 보면 단순하고 해부해 보면 체계를 다 알 수 있을 것 같지만 도저히 알 수 없는 수많은 수수께끼를 담고 있다. 내가 지난 수년 동안 인간의 몸에 얽힌 다큐멘터리를 해온 것도 '몸'이라는 게 작아 보이지만 그 안에 세상사 진리가 고스란히 담겨 있기 때문이었다.

나는 내가 제작하는 프로그램에서 이전까지 여러 사람들이 다루었던 '특별한 무엇을 먹으니 몸이 좋아졌다'에서 한 단계 더 나아가

'그냥 평범한 음식을 먹어도 몸이 좋아졌다'를 구현해 보기로 결심했다. 이것은 기존의 프로그램에서 다루지 않았던 첫 시도였고 모험이었다. '잘먹고 잘사는 법'에서 말하는 '우리 전통 음식으로 돌아가자'는 메시지에 힘을 실어줄 증거가 필요했던 것이다. 그 대상을 현대인의 불치병으로 불리는 성인 아토피로 정했다.

성인 아토피에 대해 잠시 설명하자면, 아토피의 대부분은 음식을 조절하거나 시간이 지나면서 자연스레 없어지기도 한다. 이런 상황이 장기간 악화되거나 유년기에 발생하는 아토피 질환이 10년 이상 혹은 평생 지속되는 경우도 있는데 이런 아토피를 성인 아토피라고 부른다. 이 성인 아토피 질환은 전체 아토피의 약 1% 정도를 차지한다. 최근 들어 이 병이 급속히 증가하는 추세인데 현대 의학적 치료 방법으로는 스테로이드성 약물을 포함하여 각종 약물치료(아토피 부위별로 성분이 각기 다른 약을 쓴다), 자외선 치료 등을 병행하면서 가려움증을 완화시켜 주고 증세의 악화를 막는다. 이때 약물을 과다하게 쓰거나 장기간 사용하게 되면 부작용이 발생해 더 이상 약도 듣지 않고 가려움을 참지 못해 온몸을 긁어대서 피부에 온통 붉은 반점과 상처로 뒤덮이게 되는 것은 물론 잠도 잘 못 이루고 심하면 심한 우울증에도 빠지게 된다. 성인 아토피는 외출도 제대로 못하는 환자 본인뿐 아니라 가족들에게도 이루 말할 수 없는 고통을 안겨주는 병이다.

나는 먼저 일본을 취재하기로 했다. 우리 나라에도 유명한 의사들이 많지만 구태여 일본을 찾아간 것은 일본이 우리보다 20년 정도 앞서서 아토피가 유행하기 시작했기 때문이다. 일본에서는 과거에는 흔하지 않던 아토피가 사회 문제가 될 정도로 만연하고 있다. 아토피에 대한 사전 취재를 하러 일본의 미야케 다케시라는 아토피 치료로 유명한 소아과 의사를 찾아갔다. 우리 나라에도 요즘 아토피가 만연하여 방송 후 아토피에 관해 문의하는 사람들이 많았기 때문에 그와의 인터뷰를 자세히 옮겨 보겠다.

"아토피가 무엇인가요?"

"아토피성 진단은 증상 진단이라고 하는데 피부가 가렵고, 반점이 생기며, 만성으로 지속되는 3가지 조건을 갖추었을 때 아토피성 피부염이라고 정의합니다. 아토피성 피부염이 가장 많이 나타나는 연령층은 역시 한 살입니다. 다음이 두 살, 그 다음이 세 살입니다. 태어나 얼마 되지 않은 아이들에게 나타나는 것이 대부분입니다. 엄마에게 이 아이가 언제부터 발진이 생겨 가려워했는지 물어보면 특히 생후 2, 3개월이 가장 많습니다. 2세 아이 100명을 대상으로 아토피성 피부염이라고 진단받은 적이 있냐고 물어보면 일본에서는 약 20% 정도가 증상의 차이는 있지만 앓은 적이 있다고 대답합니다. 아이들 사이에서는 흔한 병입니다.

일본에서는 혈액검사나 피부검사를 통해 그 원인을 찾는데 그 중에 한 살짜리 아이들은 대개 음식이 원인입니다. 2세 반 정도의 아이들은 음식물이 원인이 아닌 경우가 70% 정도예요. 2~4세 나이가 되면서 음식에 의한 알레르기 비율이 점점 줄어드는 대신 일본에서는 집진드기, 먼지의 원인이 점점 증가합니다. 4세를 넘기면 집먼지, 진드기가 알레르기 원인인 경우가 80% 정도 됩니다. 이렇게 원인이 나이와 함께 바뀝니다. 한 살짜리 아이를 검사해 보면 알레르기의 빈도가 가장 높은 음식은 달걀입니다. 일본에서 1, 2세 아이의 알레르기를 조사해 보면 아토피의 1위는 달걀, 2위가 우유, 3위가 밀가루 순입니다. 특히 달걀이 매우 높습니다. 그런데 나이를 먹으면서 원인이 바뀌어 어른 아토피에는 먼지가 가장 큰 원인이라고 생각합니다."

3대 알레르기 반응 식품 (생후 0~6개월)

식품 종류	알레르기 반응률
계란	53%
우유	34%
밀가루	21%

(미야케 소아과 조사)

"모유 먹는 아이들은 아토피가 없나요?"

"달걀은 알레르기를 일으키는 힘이 아주 강한데, 엄마들은 수유 중에 배가 고프면 우유를 마시거나 케이크나 과자를 먹기도 합니다. 그런데 그 성분이 거의 모유로 나옵니다. 모유를 먹은 아이들과 우유로만 자란 아이들 중에 아토피가 된 아이를 조사했을 때 모유로 자란 아이가 약간 높습니다. 이것은 세계적으로 인정된 사실입니다. 왜냐하면 엄마들은 여러 종류의 음식을 가리지 않고 먹기 때문입니다. 그로 인해 모유에 함유되어 있는 단백질의 종류가 매우 많아집니다. 엄마가 먹은 것이 모두 아이에게 나타납니다. 한 번도 달걀을 먹지 않은 아이를 조사해 보면 달걀 알레르기가 나옵니다."

"최근에 왜 아토피가 갑자기 늘어났습니까?"

"40~50년 사이에 달걀 소비량도 많이 늘었지만 가장 많이 증가한 것은 밀가루입니다. 일본 식사는 서양화되어 밀가루를 많이 먹습니다. 메밀국수, 우동, 라면 등 면류를 자주 먹습니다. 밀가루가 주식이 되면서 빵, 케이크, 과자의 소비량이 늘어난 반면 쌀 소비량은 현저하게 줄었습니다. 밀가루를 사용하는 음식은 당연히 달걀을 사용하고 우유도 사용하지요. 달걀, 우유, 밀가루 소비가 늘어나 일본 식생활의 중심을 이루었습니다. 이로 인해 아토피도 20~30년 사이 많이 늘었습니다. 특히 어린아이들의 아토피가 늘었습니다. 그 배경에는 일본 사람들의 식생활 변화가 있지 않나 생각합니다. 원래 알레르기 체질을 가지고 있었는데 식생활 변화로 알레르기가 밖으로 나타난 것이지요."

"아토피 어린이들의 치료 방법으로 가장 효과적인 것은 무엇인가요?"

" 연령에 따라 치료법이 다릅니다. 만약 모유를 먹이는 엄마일 경우 젖을 먹이는 동안 엄마가 달걀을 먹지 않도록 권합니다. 저는 주로 어린아이, 2~7세의 아이들을 치료하고 있으므로 어린아이인 경우에는 어떤 이유식을 먹일 것인지 정하고, 유치원 다닐 정도가 되면 피부관리에 신경쓰고 애완동물을 기르지 말도록 한다든지 하는 식으로 넓은 범위에서 지도합니다. 추가로 스테로이드제 또는 비 스테로이드제의 연고를 사용하기도 하는데 이것은 어디까지나 보조수단입니다."

"요즘 흔히 쓰는 카펫이 아토피에 영향을 주나요?"

"가장 많은 영향을 미치는 경우는 다다미 위에 카펫을 까는 것입니다. 그 다음이 카펫, 그 다음 다다미입니다. 요즘 아파트에서 사는 사람들은 카펫을 깔거나, 다다미 위에 카펫을 까는데 먼지와 진드기의 온상이 됩니다."

"부모가 아토피이면 유전이 되나요?"

"유전됩니다. 부모가 아토피 피부염이나 천식이 있으면 아이도 그렇게 될 가능성이 높습니다. 이것은 분명합니다."

미야케 다케시 선생의 말은 현대 의학에서 파악하고 있는 아토피에 대한 생각이다. 현대 의학이 진단하는 아토피는, 부모로부터 대물림되는 유전적 질환이며 음식에 의한 발병 요인은 18% 정도로 알려진 병이다. 병원에서는 피부 반응 검사, 음식 유발 검사를 통해 알레르기를 일으키는 음식물을 정확히 찾은 다음에 그것을 피하는 방법을 쓰는데 그것이 현대 의학적 음식 조절이다. 아토피 피부염은 일반적으로 여름철보다는 겨울철에 악화되는 경우가 많다고 알려져 있다. 악화시키는 요인으로 집먼지 진드기 등 실내 항원, 정신적 긴장이나 스트레스가 작용할 수도 있다. 그런데 이런 병을 방송에서, 전통 곡식과 채식 위주(곡류와 채소만 먹는 것이 아니라 그것을 위주로 먹는다는 것)의 식사로 고친다고 주장하면 비과학적 사고를 부추기고 병을 악화시킨다고 비난받을 소지가 다분히 있었다.

그런데 도시에 사는 성인이 어떻게 알레르기를 일으키는 음식, 먼

지 진드기 등을 완전히 피하고 살 수 있단 말인가. 다른 사람은 괜찮은데 나만 어떤 특정 음식이나 먼지에 알레르기를 보인다는 것은 무슨 의미인가. 내 몸 안의 면역질서가 무너져 있다는 의미는 아닐까. 그래서 내 몸이 뭔지 모를 성분에 이상 반응을 보이는 것으로 나타나는 것이다.

나는 온갖 방법을 다 써 봤지만 그래도 아토피가 낫지 않는 사람들을 찾아내어 음식을 통해 근본적으로 몸 안의 면역력을 강화시켜 아토피를 극복하는 과정을 보여주고 싶었다. 이 과정을 통해 만약 만성적으로 심한 아토피를 앓고 있는 사람이 치료가 된다면 절망을 안고 사는 성인 아토피 환자들에게 매우 희망적인 결과를 가져다 주는 셈이다. 그리고 동시에 과거에 우리가 주로 먹고 살았지만 지금은 맛없다고 버린 음식들이 얼마나 우리 몸에 맞는 신토불이 음식이었는가를 입증해 주는 결과가 될 것이다. 나는 우리 음식의 효과를 꼭 확인하고 싶었다.

나는 동물성 음식을 최대한 절제하고 유기농 야채 중심의 전통 식단으로 이 고질병을 호전시켜 보기로 했다. 작가진이 석 달 동안 인터넷을 통해 천여 통의 메일을 보내 증세가 가장 심한 3명의 대학생을 섭외하는 데 어렵사리 성공했다. 나는 이들의 변화 과정을 6개월 정도 추적하기로 계획을 세웠다. 이들 중 단 한 명이라도 좋아질 수 있다면 그것은 매우 획기적인 사건이었다. '한 명이라도 호전시켜 보자. 그리고 설혹 낫지 않는다고 해도 좋은 음식을 먹는데 현재보다 더 나빠질 것은 없지 않은가.' 만약 몸 상태가 악화될 조짐이 보이면 다시 약을 쓰거나 병원에 다니면 그만이었다. 피부병으로 당장 사람의 목숨이 어떻게 되는 게 아니었기 때문이다. 우리가 과거에 먹던 우리 음식을 되찾는 것이 어떤 의미가 있는가를 눈으로 확인시켜줄 '아토피 대학생' 들과 그 가족들은 우리의 취지에 공감해 주었다.

불확실성에 대한 도전

아토피를 우리 음식으로 치료하겠다는 나의 신념의 바탕에는, 과거에는 이런 질환이 거의 없던 병이라는 점과 니시오카 하지메 박사 말대로 우리가 미량으로 허가된 각종 식품첨가물을 하루에 80여 종, 일년에 무려 4kg이나 먹고 산다는 충격적인 사실, 그리고 이런 음식 환경은 우리 몸에 그 어떤 환경 공해보다 강력한 이물질이라는 생각이 깔려 있었다. 또한 소아과 의사 미야케 다케시를 비롯한 일본의 아토피 단체인 '아토피 아이 지구의 아이' 네트워크 관계자의 조언, 각종 서적, 국내외 의사들의 말 등을 종합해볼 때 우리가 예전에 먹던 음식과 매우 다른 음식을 최근 들어 갑자기 먹기 시작했다는 것이 아토피가 유행하게 된 주요 원인 가운데 하나가 아닌가 생각했기 때문이다.

그래서 남보다 예민한 몸을 가지고 태어난 이런 환자들에게는 기존의 의학이 제시하는 처방인 '특정 음식을 못 먹게 하고 약을 투여하여 피부의 증상을 완화시키는 치료법' 보다는 몸 안의 나쁜 물질이 잘 배출되도록 적극적으로 도와주고 가능하면 그런 음식들을 근본적으로 멀리하는 것이 현명하다는 판단을 하게 된 것이다. 그래야 그들이 몸을 회복한 뒤에도 정상적인 생활을 할 수 있기 때문이다.

그들을 치료하는 비방 아닌 비방은 다름 아닌 도정하지 않은 쌀인 현미(현미는 백미보다 알레르기 유발이 더 심하다고 알려져 있다)와 유기농 야채들이 갖고 있는 섬유질을 섭취하는 것이었다. 이런 음식에 다량 함유된 섬유질과 피트산이 우리 몸의 독소를 빨아들여 배설하는 역할을 한다는 것은 앞에서 설명한 대로다. 이 섬유질이 풍부한 식사를 하면서 그들의 몸을 괴롭히는 극미량의 어떤 물질들을 제거하여 그들의 몸을 정화시키기로 한 것이다.

이 실험에 기꺼이 응해준 세 학생들의 경우를 살펴보면 다음과 같다.

대학 2학년생인 K양(21세)

갓난아기 때의 태열부터 시작해서 20년간 아토피를 앓아왔다. 평생 깨끗한 피부를 한 번도 가져본 적이 없는 K양은 좋다는 약과 치료는 다 해봤다고 울먹였다.

"태어날 때부터 볼이 빨갛고 태열기가 있었대요. 어린 시절 잠자면서 막 긁어대는 바람에 속옷에 피가 묻어나고, 자고 일어나면 딱지가 다 떨어져 있고, 그 자리를 긁어서 또 피가 나는 증상이 반복되었어요. 초등학교, 중학교 때는 입 주위랑 눈 주위가 굉장히 빨갰어요. 피부과도 많이 다녔고, 바르면 다음날 하얗게 되는 스테로이드 연고를 중학교 때부터 많이 발랐어요. 그러다가 고등학교 1학년, 겨울방학에 아주 심해졌어요. 너무 심해져 진물도 나고…."

K는 복받치는 울음을 삼키며 말을 이었다.

자꾸 심해져서 올 4월 초에 학교를 휴학했어요. 그때도 대학병원은 물론 동네 피부과도 다녔어요. 대학병원에서 약을 너무 많이 지어

줬는지, 약 먹고 나서 얼굴이 심하게 붓기도 했어요. 눈도 쪼그라들고 상상할 수 없을 정도로 너무 심하게 퉁퉁 부어서 문 밖에 나갈 수조차 없었죠. 안되겠다 싶어 휴학을 했어요. 약 먹고 부작용도 경험했어요."

어떤 부작용이냐고 묻자 이렇게 대답했다.

"나는 겨울에서 봄이 되는 환절기 때 증상이 심해지는데 약을 아무리 먹어도 몸에 내성이 생겨 낫지 않아요. 약을 먹으면 계속 잠만 오고, 밥맛은 당기는데, 입술이 바짝 바짝 타고…." 약 먹고 밥 먹고 자고, 약 먹고 밥 먹고 자고…. 나른해지고 무기력해졌죠. 나는 대학병원에서 자외선 치료도 하고, 햇빛에 견디는 검사도 하고 안 해본 것 없이 다 해봤어요."

한창 데이트를 할 꽃다운 스물한 살의 나이에 온몸이 아토피로 점령당한 K양. 내 앞에서 울면서도 그녀는 한 손으로 계속 팔과 다리를 긁고 있었다.

대학병원에서는 K양에게 약간의 돼지고기, 닭고기 알레르기가 있으나 아토피의 주 원인은 집먼지 진드기, 곰팡이 등이라고 진단했다.

대학 3학년생인 C군

C군의 경우는 친가쪽(아버지쪽) 병력에 아토피가 있었다.

태어나서부터 분유를 먹었고 초등학교 6학년 때까지 대학병원에 다니며 치료를 받았다. 그러다가 6학년 때부터 스테로이드 부작용으로 양약을 끊고 한약이 나 건강 보조식품으로 살아왔다. 대학 3년간 시내 유명 피부과를 다녔다.

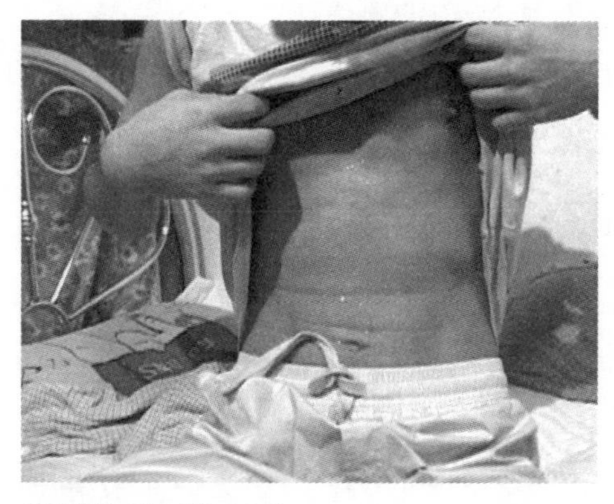
온몸이 아토피로 얼룩진 C군.

C군의 알레르기 반응 음식에는 닭고기, 우유, 돼지고기, 피망, 고등어, 토마토, 복숭아, 밀가루 음식, 꽃가루, 진드기, 먼지(약간 덜함), 계란 흰자, 율무 등이 있다.

C군은 현재 집안 곳곳에 피부과 연고, 소독약, 생식, 건강 보조제 등의 약들에 둘러싸여 있는 상황이다. 냉장고에는 민간요법에 의해 처방받은 환약이 들어 있는데 이 환약은 C군의 어머니와 C군에게 마지막 보루로 하다하다 안 되면 이 약을 들고 산에 들어가 살아볼 생각이라고 했다. C군의 식사는 보통 집에서 먹는 한식 밥상으로 단, C군에게 알레르기를 일으키는 음식은 철저히 가려먹는다.

C군은 어려서 잡지 표지 모델을 할 만큼 수려한 용모로 남들의 부러움을 한몸에 받는 아이였다. 그러나 C군의 아토피로 인해 집안의 가세는 기울기 시작했다. 학교에서 근무하는 아버지의 월급으로는 한 달에 70~80만원이나 되는 약값을 감당하기가 힘들었기 때문이다. 그래도 어머니는 장남 C군에게 세상에서 좋다는 약과 건강 보조식품은 빠뜨리지 않고 해다 먹이셨다고 한다. C군의 방에는 공기청

정기는 물론이고 침대 밑에 숯 매트까지 깔려 있었다.

"요즘은 생식도 하고 있어요."

그의 말소리에는 어두운 그림자가 드리워져 있었다. 팔과 다리는 온통 아토피로 굳은살이 박여 있고 얼굴은 주변의 조그만 변화에도 벌개졌다. 게다가 아토피로 인한 각질과 가려움 증세가 밤낮으로 그의 영혼에 상처를 내고 있었다.

C군의 어머니는 거의 자포자기 심정으로 산다고 하면서 아들 때문에 우울증과 불면증으로 몇 년을 고생했다고 한다. 나는 그가 먹는 밥상을 구경했다. C군을 제외한 가족들은 돼지고기를 먹고 C군은 아토피와 상관없다는 소고기를 따로 먹고 있었다.

나는 C군에게 "몸이 낫는다면 어느 정도까지 됐으면 좋겠어?" 하고 조심스레 물어봤다. 잠시 뜸을 들이더니 그가 눈물을 삼키며 말했다.

"솔직히 저도 완치는 불가능하다고 생각하거든요, 그냥 조금만 나았으면…. 아이들이랑 놀러 다니지는 못하더라도 그냥 반 팔 입고 다닐 정도만 되면 좋겠어요."

대학 2학년생인 P군

P군도 C군과 비슷한 경우이다. P군은 C군보다 증세가 좀더 심했는데 특히 가려움증 때문에 불면증에 시달린다는 것이다. 그의 방에 들어서자 온통 방안을 꽉 채우고 있는 각종 아토피 약들이 눈에 들어왔다. 그도 한 달에 약값으로만 60여만원을 쓴다고 했다. P군을 가장

괴롭히는 것은 가려움증. 심지어 그는 목 부분을 잘라낸 페트병을 양팔에 끼고 잔다고 했다. 긁으면 상처가 나고 다시 그곳이 덧나기 때문이다.

가려움증 때문에 무의식적으로 긁는 것을 막기 위해 팔에 페트병을 끼고 자야 하는 P군.

난 이들에게 우선 난생 처음 익숙하지 않은 식생활에 적응하는 시간과 훈련이 필요하다고 판단했다. 자극성 없는 곡류, 채식, 과일 등으로 식사를 제공하는 경기도 남양주의 에덴 요양원에 이들을 2주간 입원시켰다. 자연식을 먹는 습관에 익숙해지게 하고 음식 만드는 법도 배워 퇴원 후에도 스스로 만들어 먹을 수 있도록 하기 위해서였다. 그곳의 식단은 철저한 유기농 야채와 견과류, 과일, 유기농 현미 잡곡밥이 주식이다. 김치도 고춧가루가 거의 들어가지 않게 만들고 짜지도 않다. 인공적 양념을 일체 배제한 자연식에 가까운 음식이다. 고기, 계란, 우유, 생선도 없다. 된장국도 우리가 일상적으로 먹는 된장국보다 훨씬 싱겁다. 이런 식사를 처음 대한 대학생 3명은 매우 당황스러워했다.

"무슨 맛인지 모르겠어요. 맛 자체를 못 느끼겠어요. 그냥 뭔가를 먹고 있다는 느낌 뿐이에요" 하며 불평을 했다. 하긴 현미밥도 처음 먹는다는데 이런 식사가 낯설지 않으면 오히려 이상할 것이다. 학생들은 꾹 참고 익숙해질 때까지 견뎌보기로 했다.

그들이 앞으로 할 일은 그저 우리 조상들이 즐겨 먹던 음식들을 잘 씹어 먹는 것이다. 이들이 치료에 도전한 것은 나에게도 프로그램의 생명을 거는 일대의 모험이었다. 만약 낫지 않으면 프로그램 1년 농사를 망치게 되는 것이다. 그들이 요양원에서 먹었던 음식은 현미 잡곡밥, 브로콜리 · 상추 · 깻잎 · 겨자채 · 치코리 · 당근 · 오이 등 각종 야채와 견과류, 고구마, 감자, 과일, 된장, 해조류 등의 전통 자연식이었다. 물은 지하수였는데 이들은 물을 자주 마셨다.

2주 후 학생들이 퇴원하는 날. 나는 K양과 C군의 어머니와 함께 차에 올랐다. 요양원까지 가는 동안 두 분은 내게 아이들의 병치레 때문에 노심초사하며 살아왔다고 하소연하며 눈시울을 붉혔다.

'무슨 말이 이분들에게 위로가 될까. 내가 혹은 내 아이가 성인 아토피에 걸렸다면 나는 어떤 기분일까?'

아이들의 우울한 모습이 떠올라 기대에 차 있던 차 안은 금세 숙연해졌다. 우리는 혹시나 하는 일말의 희망을 걸고 요양원에 도착했다. 마당에 아이들이 마중 나와 있었다. 엄마를 본 K양이 먼저 울음을 터뜨렸다. 이어 C군 어머니가 아들의 상태를 보고 통곡에 가까운 울음을 터뜨렸다. C군이나 K양, P군이 모두 입원하기 전과 별 차도가 없었고 특히 C군은 상태가 더 심해졌기 때문이다. 아이들은 매우 낙담하는 표정이었다. 일주일만 더 있자고 하는 C군 어머니의 제의에 C군이 나서서 반대했다.

"차도도 없는데 더 있으면 뭐해요."

C군은 그나마 심리적으로 좀 안정을 찾아가려는데 다시 상태가

악화된 게 더 실망스러운 눈치였다. 좋게 생각하면 아이들에게 명현반응(호전반응이라고도 하는데 서양의학에는 없는 개념으로 오랫동안 나빠졌던 건강이 호전되면서 일시적으로 악화되는 듯한 현상)이 나타나고 있었다.

나는 평생을 앓아온 아토피가 2주 안에 차도가 있을 수 있겠느냐며 학생들을 다독였다.

"이제부터가 시작이야. 각자 집으로 가서 여기서 익숙해진 식생활을 최대한 계속 유지하기로 하자."

2주 동안 낯선 음식과 증세의 악화 때문에 정신적으로 지칠 대로 지친 아이들이 다시 힘없이 각자 집으로 발걸음을 돌렸다. K양과 C군은 계속해서 유기농 곡식과 야채를 사서 먹기로 했고 P군은 그냥 시중에서 파는 곡식과 채소를 먹기로 했다. 그리고 평소 먹던 음식들을 가급적 절제하기로 했다. 그런데 집으로 돌아간 지 한 달이 지나도 학생들에게서 이렇다할 소식이 들려오지 않았다.

'과연 내가 무모한 짓을 하고 있는 것인가.'

기적 아닌 기적

음식을 바꾼 지 두 달째 접어든 9월의 어느 날 학수고대하던 반가운 소식이 K양으로부터 날아왔다. 최근 들어 가려움증이 덜하고 얼굴의 각질도 많이 없어졌다는 것이다. 제작진이 군산에 있는 그녀의 집으로 급히 달려갔을 때, K양은 정말 예전보다 좋아져 있었다. 팔과 다리는 별 차도가 없었지만 얼굴이 과거보다 좀더 깨끗해졌고 특히 가려움이 덜하다고 했다. 그래서인지 두 달 전만 해도 우울한 모습이던 K양은 매우 들떠 있었다. K양은 부엌에서 엄마와 함께 저녁식사를 만들고 있었는데, 이제는 유기농 자연 음식을 스스로 만들어 먹는다며 자랑했다.

"호박 볶을 때도 기름 안 넣고 물로 볶아요. 볶은 천일염으로 간을 하고요."

K양은 야채 샐러드에 넣을 소스도 직접 만들고, 가족들과 같이 식사할 때도 현미 잡곡밥에 묵, 콩자반, 상추 샐러드, 김 등을 상 한쪽에 따로 차려놓고 먹었다.

"생선은 안 먹니?" 하고 물었더니 "가끔 먹어요" 라고 대답한다.

무엇보다도 K양은 점점 자신감을 가지는 것 같았다. K양 때문에 우울했던 집안 분위기도 많이 달라졌다고 한다.

그러나 P군과 C군은 두 달이 지나도 별 차도가 없었다. 공기 좋은 요양원에서 2주간 생활하는 동안 오히려 상태가 더 악화되었던 C군에게 "별 차도 없니?" 하고 물으면, "그저 그래요" 하는 실망에 찬 대답뿐이었다. P군은 약간 '좋아졌다 나빠졌다' 를 계속 반복하고 있었는데 두 달이 넘어서면서 밤마다 괴롭히던 가려움증만 좀 덜하다고 했다. 석 달을 넘어서자 제작진의 분위기도 점점 실망하는 쪽으로 변해갔다. C군과 P군은 물론 K양의 변화도 더 이상 뚜렷하게 나타나지 않았기 때문이다. 조연출자가 수시로 아이들의 상태를 점검하다가 표정이 어두워져 묻곤 했다.

"너무 무리한 시도였을까요?"

"조금 더 기다려 보자고, 곧 좋아질 거야. 최소한 한 명이라도 좋아질 거야. 결과 나오는 대로, 있는 그대로 방송하는 거지 뭐."

나는 말은 그렇게 했지만 만약 한 사람도 기대한 것만큼 좋아지지 않는다면 이번 계획은 물론 프로그램 전체가 매우 심각한 타격을 받게 될 것이라는 사실을 알고 있었다. 처음부터 좋은 결과가 보장되지 않는 모험이었음을 인정하면서도 내심으로는 실망이 이만저만이 아니었다. 스태프진과 대책회의를 해봐야 별 뚜렷한 대책이 나올 리 없었다.

"가려움증만이라도 덜한 게 어딘가. 아이들에게 소신을 갖고 조금 더 해보자고 하자." 이렇게 말하는 것이 최선이었다.

오히려 학생들은 그나마 가려움이 좀 덜하고 K양은 얼굴이 좀 좋아지는 것 같다며 제작진보다 더 열성이었다. 그들에겐 이 계획이 마지막 희망의 끈이었던 것이다. 십수년 동안 그들의 영혼까지 갉아먹어온 천형 같은 아토피. 겪어보지 않은 사람은 그 고통을 상상하기조차 힘들 것이다.

다시 지루하고 초조한 한 달이 흘렀다. 그러니까 식생활을 바꾸기로 한 지 넉 달 가까이 지났을 때였다. 먼저 K양한테서 흥분된 목소리로 전화가 걸려 왔다.

"제 피부가 변하기 시작한 것 같아요. 그 동안 확신을 못해서 연락을 안 드렸는데 얼굴은 물론 팔과 다리의 딱지도 떨어지고 가려움증도 거의 없어졌어요."

우리는 서둘러 K양에게로 달려갔다. 좋은 일이 있으면 웃음을 참지 못하는 K양이 얼굴을 활짝 펴고 제작진을 맞았다. 팔과 다리에는 아직도 약간의 흔적이 남아 있었다. 그러나 얼굴은 몰라보게 변해 있었다. 4개월 전 내 앞에서 온통 각질과 딱지투성이의 얼굴로 밖에도 못 나간다고 눈물을 뚝뚝 떨구던 과거의 K양이 아니었다.

"K야, 과거에도 상태가 호전되었을 때가 있었니?"

난 이 점이 가장 궁금했다.

"아니오, 한 번도 없었어요."

자신조차 못 느낄 정도로 천천히 나타난 변화였다. K양도 자신이 몹시 대견스러운 모양이었다. K양과 가족들 모두 매우 들떠 있었다.

다시 며칠 후, K양이 친구와 만날 약속이 있는 날이었다. 요양원에서 알게 된 친구를 대학로에서 만나기로 했다는 것이다. 우리는 K양네 집을 다시 방문했다. 그런데 K양이 화장대 거울 앞에 앉아 있는 것이 아닌가.

"K야, 너 화장해도 되니? 아무 문제 없어?"

"전에는 뭘 바르면 얼굴에 난리가 났는데요, 요즘은 괜찮아요."

K양은 매우 자신감에 차 있었다. 옅은 기초화장을 하고 눈썹을 그리고 입술을 바르고…. 거울 안의 K양은 새롭게 태어나고 있었다.

"야, 너 참 예쁘게 생겼구나. 미처 몰랐는 걸."

"저 원래 괜찮은 아이예요. 호호."

얼굴뿐 아니라 K양의 목소리도 마음도 함께 변하고 있었다.

대학로에서 만난 K양의 친구는 K양의 변한 모습에 제작진보다 더 놀란 눈치였다.

"야, 너 달라졌네, 죽인다. 몰라보겠는데?"

"호호호…."

"어디 팔 좀 보자, 정말 다 나았네."

"많이 좋아졌지, 나?"

지나가는 사람들의 시선도 아랑곳하지 않고 친구는 팔 소매를 올려보며 K양의 변신에 감탄하고 있었다. 둘은 햄버거 가게로 자리를 옮겼다. 친구가 햄버거를 먹는 사이 K양은 가방에서 생수 한 병과 삶은 고구마를 꺼냈다. 약간은 어색해 하면서도 K양은 햄버거 가게에서 자랑스럽게 고구마 껍질을 벗겨가며 시간가는 줄 모르고 실컷 수다를 떨었다. 실로 얼마 만에 다시 찾은 자유인가. 늦가을 대학로의 젊음을 만끽하며 20대 초반의 K양은 햇살 속에서 눈부시게 빛났다. 잠시 후 둘은 즉석 스티커 사진기 포장 속으로 뛰어들어갔다.

"이 순간을 기념하며 찰칵."

인쇄되어 나온 자신의 깨끗한 얼굴 사진을 바라보는 K양의 눈에 눈물이 그렁그렁했다.

막바지 취재가 한창이던 지난해 겨울, 요양원에서 가장 상태가 나빠졌던 C군한테서도 기다리던 연락이 왔다. 가려움증도 얼굴에 남아 있던 벌건 반점과 각질도 거의 사라졌다는 믿기 어려운 소식이었다. 우리가 4개월 전 C군의 집을 처음 찾았을 때 골목 입구로 마중 나온 C군의 첫인상은 모자를 깊이 눌러쓰고 얼굴에 그늘이 가득한 청년이었다. 그러던 그가 4개월이 조금 더 지나 해바라기처럼 환한 얼굴로 제작진을 맞이했다. 그리고 정작 C군보다도 얼굴이 더 핀 사람은 C군의 어머니였다. 아들 때문에 우울증까지 앓았다는 어머니가 좋아

어찌할 바를 모르는 표정으로 우리를 맞이하셨다.

"SBS 덕분에 우리 아들이 이렇게 좋아졌어요."

C군의 방을 가득 채우고 있던 약과 아토피에 좋다는 건강 보조식품들은 이미 모두 박스에 싸서 건넌방으로 옮겨놓은 상태였다.

한 달 전부터 서서히 좋아지더니 어느 날부턴가 몰라보게 달라진 아들을 발견했다는 것이다. 어머니는 그동안 아들을 위해 따로 준비해 먹이던 C군의 전용 냉장고를 우리에게 보여주었다. 그 안은 각종 견과류와 유기농 곡식과 채소들로 가득 차 있었다.

"동네 사람들이 이렇게 먹이다 애 잡는다고 얼마나 말렸는지 몰라요. 그래도 한 번 하는 데까지 해보자 하는 심정으로 참았죠. 그런데 언제부턴가 좋아졌어요. 지금도 좋아지고 있고…."

어머니는 말을 다 잇지 못하고 눈시울을 적셨다.

"이렇게 하면 좋아지는 걸, 그 고생을 시키고 괜한 데 돈 쓰며 산 생각을 하면…. 그래도 지금 이 만큼이나마 좋아진 게 다 SBS 덕이에요. 고마워요."

어머니는 감정이 복받치는지 말을 채 잇지 못했다.

"전 이젠 일 나갈 거예요. 그동안 얘 치료비 대느라 집안이 쪼들렸지만 이 아이 돌보느라 일하러 나가지도 못했어요. 이젠 맘놓고 일하러 다닐 거예요."

어머니는 연신 눈물을 닦았다.

무엇보다도 우리를 기쁘게 한 건 늘 그늘을 달고 살던 C군의 표정이 몰라보게 밝아졌다는 것이다. 얼굴과 피부뿐 아니라 성격도 밝아지고 이젠 남들과 얘기도 잘한다고 했다. 게다가 과거에는 바깥에서 친구들과 어울려 알레르기를 일으키던 음식을 조금만 먹어도 금방 얼굴이 시뻘겋게 달아올라 일주일 동안 그 상태가 지속되었는데 요즘은 하루 정도 잠깐 얼굴에 영향을 주다가 곧 없어진다는 아주 희망적 이야기도 들려주었다. 이러 현상은 K양도 마찬가지였다.

어떻게 C군과 K양에게 이런 변화가 일어날 수 있었을까. 약 없이는 한 번도 경험하지 못했던 깨끗한 얼굴. 우리는 일단 두 사람의 호전반응들이 일시적인 현상이 아닌지 두 달을 더 지켜보고 방송을 하기로 했다. 만약 아토피가 심해진다는 겨울철에 다시 몸이 안 좋아진다면 지금의 상황이 별 의미가 없기 때문이었다.

한편 P군에게서는 별 다른 좋은 소식이 없었다. 가려움증이 좀 덜한 대신 기대만큼 차도가 없었던 것이다. 온몸은 과거처럼 아토피 상태가 그대로였고 가슴 쪽에 반점도 새로 생겼다는 것이다. P군의 심리 상태도 매우 불안정해 보였다. 바깥 출입도 포기한 채 집안에 머물고 있는 P군의 모습이 우리를 우울하게 했다. 냉장고에서 음식을 꺼내는 그의 손에 힘이 없어 보였다. 그렇지만 어쩌랴. 친구들이 좋아졌다는데 여기서 그만 포기할 수도 없는 상황이 된 것이다.

"학교 단짝 친구가 있는데 빨리 학교 가서 그 친구를 보고싶어요."

P군의 힘없는 말이 우리의 귓전에 맴돌았다.

다시 한 달 후. 그동안 K양과 C군의 상태는 날이 갈수록 좋아지고 있다는 소식이 들려왔지만 P군에게서는 별다른 소식이 없었다. 그런데 P군이 상태가 호전되어 학교에 다시 나가기 시작했다는 연락이 왔다. 방송 2주 전이었다. 학교에 찾아간 우리 앞에 그는 자신을 축하해주는 친구들 틈에 끼여 C군이나 K양보다는 못하지만 상태가 좋아진 얼굴로 웃고 있었다.

"마스크 쓰고 모자 푹 눌러 쓰는 것이 P의 트레이드 마크였는데…."

친구의 말에 P군이 황당해 하며 웃었다.

"그동안 내가 그랬단 말이야? 하하하…."

그날 캠퍼스 안의 P군은 오랫동안 친구들과 웃고 있었다. P군이 이렇게 밝게 웃는 모습을 본 것은 지난 6개월 만에 처음이었다.

K양과 C군은 6개월이 지나 한겨울을 지내는 동안에도 상태가 점점 더 좋아져갔다. C군은 다시 대학로에 농구하러 다닐 정도로 몸과 성격이 빠른 속도로 정상을 되찾아갔다. K양도 백화점 아르바이트, 꽃집 아르바이트를 시작했다. 여기까지가 시청자들의 폭발적 관심을 불러온 지난 1월 중순까지의 아토피 환자 3인에 관한 이야기이다. 그런데 지난 겨울 P군은 간에 좋다는 중국산 편자황을 먹은 후 다시 몸에 피부염이 생기는 등 상태가 안 좋아져 호전되었다 악화되었다 하는 상황이 반복되고 있었다. 그런데 최근에는 다시 뚜렷한 호전상태를 보이고 있다고 전해왔다(2002년 9월 말 현재. 본인의 표현으론 "다시 용됐다"고 한다). P군은 K양이나 C군보다 알레르기 유발 음식이 유난히 많아 고생이 심했는데, P군의 현재 상태가 지속되기를 기원한다.

K양과 C군은 최근 또 반가운 소식을 전해왔다. C군은 여자 친구를 사귀게 되었고 K양은 열심히 아르바이트를 하면서 남자 친구도 사귀었다고 한다. 1년이 다 되어가는 현재 그들은 과거에 아토피 환자였는지 모를 정도로 아주 건강하게 잘 지내고 있다. 이후에도 이들의 몸에 어떤 문제가 생기는지 계속 관심을 가지고 경과를 지켜볼 생각

이다. 특히 성인병이나 아토피 같이 생활습관과 밀접하게 연관되어 있는 병들은 좋아졌다고 해서 방심하면 다시 재발하는 특성을 갖고 있다.

아토피 전문가도 아닌 내가 무모하면서도 비과학적으로 보일 만큼 맹신을 갖고 식생활 개선을 밀어붙였던 이유는 한 가지이다. 조상들이 앓지 않았던 질병을 요즘 아이들이 자주 걸리는 것은 공기, 주거환경 등의 탓도 있겠지만 근본적으로 입으로 매일 들어가는 음식이 달라졌기 때문이라고 생각한 것이다. 그리고 그냥 과거 우리 조상들이 즐겨 먹던 섬유질 풍부한 무공해 식품으로 자연스레 치료를 시도한 것이다. 어떻게 음식이 이런 결과를 만들어냈는지는 나도 정확히 알 수 없다. 아직 세상에는 우리의 좁은 머리로 이해되지 않고 규명되지 않은 진실들이 너무 많다. 현대 의학의 치료법을 불신하는 건 아니지만 우리 조상들이 먹던 무공해 음식들이 이들을 낫게 했다는 것은 오늘날 시사하는 바가 크다.

이것은 기적이라고 할 수 없다. 오히려 너무나 당연한 사실을 우리가 잊고 산 결과가 아닐까. 그렇다고 모든 아토피 환자가 이들처럼 하면 모두 말끔히 치료된다고 이야기하는 것은 아니다. 모든 병이 그렇듯 한 가지 방법이 모두에게 통용되는 것은 아니기 때문이다. 그러나 나는 그 동안 맛없다고 천대해온 우리의 순수한 자연음식이 얼마나 좋은 음식인지 이들을 통해 직접 확인할 수 있었다.

이들 외에도 프로그램에 소개됐던 사람들 중에는 고혈압 환자(46세, 남)의 이야기도 있었다. 그의 아버지와 형은 고혈압으로 이미 세상을 떠났으며 그도 세 번이나 쓰러진 경험을 갖고 있었다. 결론부터 이야기하면, 20년 동안 고혈압을 앓아온 그가 제작진을 만나 식생활을 개선하기로 결심한지 단 4개월 후 그는 정상적인 삶으로 돌아갈 수 있었다. 비결은 의외로 간단한데, 고기와 짜고 매운 음식을 즐겨 먹던 습관을 버리고 저염식과 야채 위주의 자연식(각종 야채, 현미, 멸치, 약간동물성 단백질 등)을 천천히 씹어먹고 가벼운 운동(매일은 못했지만 그는 줄넘기를 했다)을 하는 생활로 바꾼 것이다. 그리고 4개월 만에 혈압이 114/217에서 90/140으로 떨어졌고 1년이 지난 지금도 이를 유지하고 있다. 군살도 5kg 이상 빠졌다. 그는 식생활 개선을 시작하기 전에 혈압약을 하루 두 알씩 먹었는데 지금은 한 알만 먹고 있다. 지금 추세대로만 가면 조만간 그는 약에서 자유로워질 수도 있을 것이다. 물론 앞으로의 가능성은 전적으로 그가 바뀐 생활을 지속하느냐에 달려 있다. 당뇨병이 걸린 사람에게도 현미와 야채 위주의 식사는 매우 효과적이었다. 그것은 우리가 일상 속에 당연시하며 맛있게 먹는 음식들, 즉 고지방 · 고단백질 · 고칼로리 식품, 흰 쌀밥, 각종 첨가물이 들어 있는 가공식품들을 과용하는 것이 결코 잘사는 것이 아니라는 것을 입증하는 것이다. 항간에 몸이 좋아진 사람만 방송에 내보내고 악화된 사람 얘기는 제외시켰을 거라고 생각하는 사람도 있다고 들었으나 그것은 사실이 아니며 있는 그대로 방송했음을 밝힌다.

잘못 먹으면 범죄자가 된다

미국인들의 식생활이 우리의 삶 깊숙이 파고들면서 인스턴트 식품과 탄산음료가 범람하고 있다. 자료를 조사하면서 발견한 한 가지 흥미로운 사실은 동서양의 학자들이 인스턴트 식품, 패스트푸드를 자주 먹는 아이들이 그렇지 않은 아이들보다 범죄율이 높다는 연구를 발표했다는 것이다.

난 이 분야의 연구로 유명한 오사와 히로시(72세) 박사를 도쿄 근교의 자택으로 찾아갔다. 그의 서재에는 '범죄와 영양' 을 주제로 한 책들로 가득 차 있었다. 청소년 범죄와 음식이 상호 연관 관계가 있다는 것 자체가 우리에겐 매우 생소한 것이다. 과연 아이들의 식생활이 아이들의 몸뿐 아니라 성품에도 영향을 주는가. 만약 그렇다면 요즘의 학교 폭력 같은 비상식적인 현상들이 이해될 것 같았다. 아이를 키우는 나 같은 학부모들을 위해 그와의 인터뷰 내용을 자세히 소개하려 한다.

"식생활과 범죄와의 관계에 대해 관심을 가지게 된 계기가 있으시다면?"

"20년 전부터 중학생들이 심하게 거칠어졌습니다. 그리고 교내 폭력이란 말이 생겨났습니다. 저는 오래 전부터 심리학이나 카운슬링, 비행소년과의 상담에 대해 공부했는데 학생들의 폭력이 갑자기 늘어난 것에 대해 이해할 수 없었습니다. 그 대답을 찾기 위해 고민하던

끝에 잘못된 식사가 원인이 아닐까 하는 가설이 떠올랐습니다.

"범죄와 식사가 관련이 있다는 연구 결과가 나왔나요?"

"실제로 교내 폭력으로 소년원에 수용된 아이들을 만나 소년원에 들어가기 전에 대략 어떤 식사를 했는지 물어보았습니다. 아침, 점심, 저녁, 간식에 대해서 조사를 했죠. 그 결과 아이들이 탄산음료 등을 아주 많이 마신 것을 알았습니다. 또한 인스턴트 라면, 과자, 캐러멜 등을 많이 먹었고 식사에는 야채가 부족했습니다. 나중에 소년원의 100

명 전원에 대해 조사했는데 결과가 비슷했습니다. 청량음료를 가장 많이 마신 아이의 경우 하루에 무려 5리터를 마셨습니다."

"범죄가 어느 정도 식사에 영향을 받는다고 생각하시는지요?"

"근본적인 원인의 하나라고 생각합니다. 그런 식사를 하였다고 해서 금방 나쁜 짓을 하는 것이 아니라 집중하여 일을 할 수 없게 되어 공부도 못하게 되고 생활이 흐트러지면 그런 소년들끼리 모이게 되지요. 그러면 돈이 필요하게 되므로 뭔가 하게 되는 것입니다. 또 나쁜 식사는 화를 잘 내고 조그만 스트레스에도 참지 못하는 경향을 유발합니다. 좀더 확실한 데이터를 갖고 싶어 소년원 아이들의 모발을 분석했습니다. 이미 미국의 연구자가 연구한 것으로 알고 있는데 모발의 미네랄을 분석하면 뭔가 나오지 않을까 해서 시도한 것입니다. 그랬더니 알루미늄이 많이 나왔습니다. 범죄 소년에겐 알루미늄이 가장 많고 납, 카드뮴이 그 다음으로 많이 검출되었습니다. 반면 영양소인 칼륨, 망간이 적었습니다. 몸에 필요한 영양 미네랄은 적고 몸에 해로운 중금속이 많은 것입니다. 식사와 생활의 영향 때문이라고 생각합니다."

내가 국내에서 조사한 모발검사 결과도 아이들의 몸이 알루미늄 등 중금속에 지나치게 오염되어 있었다. 이것은 우리가 최근의 교실 붕괴와 청소년 범죄의 원인을 잘못된 교육이나 물질 만능주의 등 사회 병리 현상에서만 찾을 게 아니라 아이들을 충동적이고 공격적으로 만드는 음식에서도 찾아야 한다는 것을 암시하는 것이다.

"왜 탄산음료가 범죄에 영향을 미친다고 생각하십니까?"

"그것을 많이 마시면 밥을 잘 먹지 않게 됩니다. 탄산음료에는 비타민이 없어요. 비타민이 없으면 당분이 에너지로 변하지 못하므로 몸 안의 비타민을 자꾸 쓰게 됩니다. 그래서 비타민 부족이 되기 쉽습니다. 칼슘도 소모합니다. 결국 몸 안의 비타민이나 미네랄을 잃어버리게 되는 것입니다. 또 하나 무서운 것은 당분이 많은 것입니다. 탄산음료 안의 고 당분이 순간적으로는 혈당을 올리지만 인슐린이 분비되어 혈당을 갑자기 끌어내리게 됩니다. 그러면 혈중에 오히려 당이 줄어드는 현상이 일어납니다. 그러면 저 혈당 상태가 되어 뇌의 조절 기능을 잃게 됩니다. 신경질이 자주 나면서 공부도 안 되고 기분이 우울해지거나 불쑥 화가 나기도 하죠. 뇌의 에너지원은 포도당뿐이어서 뇌는 포도당 없이는 움직일 수 없습니다. 따라서 이런 상태가 되면 몸은 혈당을 올리기 위해 부신피질에서 아드레날린을 많이 방출하는데, 이 호르몬은 공격 호르몬이라고도 불리는 호르몬으로 심장을 활발하게 합니다. 즉 화가 나게 하는 생리학적인 요인이 되는 것입니다."

뇌는 쉬고 있을 때도 몸 전체 에너지의 18%를 사용한다고 한다. 머리를 쓸 때는 더 많은 양의 포도당이 사용된다. 머리를 많이 쓰는 사람은 앉아서 일하거나 공부하는 직업을 갖고 있어도 몸이 비만해지는 경향이 덜하다. 그런데 포도당이 에너지로 변할 때는 비타민 B_1을 필요로 한다. 또한 에너지가 만들어지기 위해서는 산소가 필요하고 산소가 이동될 때는 철분이 필요하다. 이처럼 뇌는 여러 가지 영양소를 많이 사용한다. 뇌에 포도당이 충분히 공급되지 않으면 뇌세포가 움직이지 않고 몇 시간 동안 포도당이 뇌에 공급되지 않으면 뇌세포는 죽는 것이다. 미국에는 10년 동안 살인범의 뇌가 포도당을 어떻게 사용하는가에 대한 연구 논문도 있다. 충동적인 살인을 하는 사람은 확실히 뇌의 포도당 활용이 좋지 않다는 것이다.

10년 전 일본에서는 중학교 2학년생이 집에서 자신의 할아버지, 할머니, 엄마를 잔혹하게 죽인 사건이 있었다. 이 아이의 정신감정을 했더니 중증의 뇌위축이 있었다고 하는데 신문에는 이런 기사가 실렸다. '아이의 엄마가 죽기 며칠 전 친구에게, "아들 방에 들어가 보고 놀랐다. 캔 깡통이 산을 이루고 있었다"고 말했다고 한다. 그리고 얼마 지나지 않아 아들에게 살해당했다.' 할머니가 귀여운 손자를 위해 항상 냉장고에 탄산음료를 준비해 두었다는 것이다. 오사와 씨는 이에 대해 탄산음료 깡통이 산을 이룰 정도로 많이 마셨다면 저혈당이 반복되어 뇌가 위축되는 것은 당연하다고 말한다. 그렇다면 아이들이 많이 먹는 인스턴트 식품은 영향이 없을까.

"인스턴트 음식을 배제하고 자연식품을 주면 범죄가 준다고 생각하십니까?"

"통계학적으로는 그렇습니다. 일본에서는 이미 이바라기현의 경찰본부 소년범죄과와 쓰쿠바 대학의 연구자가 함께 조사한 예가 있습니다. 비행소년과 비행소년이 아닌 아이들의 식사를 조사해 보았더니 비행소년의 식사에는 컵라면과 청량음료가 많았습니다."

"인스턴트 음식을 만드는 회사는 첨가물에 대해 기준치를 지

키면 몸에 해롭지 않다고 말하지 않습니까?"

"음식은 물론 독성 실험을 마친 것입니다. 그런데 신경에 대한 실험은 하지 않습니다. 신경독성, 즉 행동에 어떤 영향을 줄 것인가, 특히 뇌의 중추신경에 어떤 영향을 주는가에 대해선 아무 검사도 하지 않습니다. 제조자들은 아주 미량이고 곧 배출되어 해가 없다고 합니다. 물론 미량이지만 그들은 자신들이 만든 제품만 이야기하는 것입니다. 먹는 사람은 여러 가지 식품을 통해 많이 먹습니다. 따라서 적은 양은 별 문제가 되지 않지만 잘못된 식사를 하는 사람은 이런 저런 첨가물을 넣은 식품을 많이 섭취하게 되는 것입니다. 상승효과를 고려해야 합니다."

"몸에 좋지 않은 것을 식사에서 제외한 결과 아이들의 행동이 좋아졌습니까?"

"알렉산더 사우스 박사는 아이들에게 식욕이 없으면 아연을 주고, 머리가 나쁘면 철분을 주고, 기억이 나지 않으면 비타민 B_1을 주어 눈에 띄게 달라졌다고 말하고 있습니다. 훌륭하게 성공한 예도 있습니다. 설탕을 줄이는 것만으로도 많이 달라집니다. 미국에는 이에 관한 실험 결과도 있습니다. 소년원에 있는 수천 명을 대상으로 지금까지 섭취한 설탕의 양을 줄이자 날뛰던 아이가 확 줄었습니다. 반항, 자학 행위, 싸움 등이 줄었죠. 그 이유는 저혈당이 일어나지 않고 비타민 B_1을 소모하지 않으며 칼슘 결핍도 방지할 수 있어서입니다."

"일본 소년들이 폭력적으로 된 것은 식사와 관련이 있다고 믿

으시나요?"

"전 그렇게 생각합니다. 그것만이 원인은 아니지만 올바른 식사를 하지 않으면 뇌 활동이 저하된다는 것을 알아야 합니다. 몇 십 년 전에는 과자의 소비가 쌀 소비의 반 이하였습니다. 점점 그 수치가 늘어나 1987년경에는 과자쪽이 많아졌습니다. 그 뒤 점점 차이가 벌어졌습니다. 쌀을 버리고 과자를 구입하는 것입니다. 이렇게 하여 건강해질 수 있을까요? 신경은 괜찮을까요?"

1979~80년 탄산음료의 소비가 폭발적으로 증가했는데 이때가 일본에서 교내 폭력이 시작된 시기이다.

그는 한 장의 그래프를 보여주었다.

"자, 이 그래프는 탄산음료, 커피, 코코아, 주스의 소비량을 나타낸 것입니다. 이것을 보세요. 탄산음료 구입액이 1년에 배 이상 늘었습니다. 이 표를 보고 내가 놀란 것은 바로 이 시기가 일본에서 교내 폭력이 시작한 시기라는 겁니다. 교내 폭력을 휘두른 아이들은 탄산음료를 많이 마셨습니다. 마시고 곧바로 폭력을 휘두르는 것은 아닙니다. 많이 마시면 신경질이 나는 것은 당연한 것입니다. 안 마시고는 살 수 없는 아이들이 늘었고, 어떤 곳에서는 학교 내에서 팔고 있습니다. 제가 조사한 바로는 폭력을 휘두르기 시작한 비행소년은 대개 탄산음료, 인스턴트 라면을 먹는 경향이 나타났습니다."

"그렇다면 청소년들이 어떤 식사를 하는 것이 좋은가요?"

"그 민족이 옛날부터 먹어온 음식을 따르는 것입니다. 일본의 경우 된장국과 반찬은 적어도 3가지를 먹는, 밥을 중심으로 한 식사입니다. 고기도 좋지만 생선이 더 좋겠지요. 선조가 옛날부터 먹어온 식사가 가장 좋습니다. 서양화된 식사가 큰 문제입니다. 젊은이들로 하여금 예전의 맛을 잃어버리게 하는 것이 패스트푸드 회사의 전략입니다. 어느 햄버거 기업의 간부는 방송에서 '일본 아이들을 된장이나 간장의 맛으로부터 멀어지게 하는 것이 저희들의 전략입니다' 라고 당당하게 말했습니다. 그런 상업 선전에 소비자들이 휘말리고 있습니다."

오사와 히로시 박사가 언급한 범죄 심리학자인 알렉산더 사우스 박사를 만나러 미국의 시애틀 근처의 다코타시를 찾아갔다. 범죄와 영양과의 관계에 대해 독보적인 업적을 이루었으며 현재 미국 의학 연구회라는 단체를 운영하는 그는 현대의 가공식품 산업을 이렇게 표현했다.

"음식을 가공한다는 것은 우리가 남의 지갑에서 30달러를 빼앗아 6달러만 도로 주면서 당신을 부자로 만들어 주었다고 말하는 것과 같습니다. 예를 들어, 제가 농부한테 직접 사면 밀 한 포대를 3달러에 살 수 있지만, 그것을 가공해서 갖가지 모양을 만들고 색소를 첨가한 시리얼로 만들어 팔면 200달러에 팔 수 있습니다. 따라서 많이 가공할수록 생산자는 더 이익이 남지만 소비자는 더 적은 양의 영양분을 얻게 됩니다. 만약 밀을 흰 빵으로 가공하려면 겉껍질을 벗겨내야 하는데 거기에는 비타민과 미네랄이 많이 들어 있습니다. 또한 가공하는 과정에서 소독을 하는데 그때 비타민 E와 비타민 A 같은 지용성 비타민이 씻겨나가게 됩니다. 결국 남은 것은 녹말이며 거기에는 영양분이 거의 없습니다. 거기에는 뇌의 기능을 도와주는 비타민, 미네랄이 없습니다. 그래서 이런 가공업체들은 정부로부터 비타민과 미네랄을 첨가하도록 강요받게 됩니다. 그것이 바로 식품을 가공하는 것이며 영양분을 일부러 채워넣는 것입니다."

가공식품의 실체를 말하는 그의 목소리가 점점 높아졌다.

자연의 성분을 제거하고 인공적으로 채워넣는 영양소들이 천연식품에 함유된 성분들처럼 우리 몸 안에서 동일한 작용을 하는지는 알려진 바가 없다. 사우스 박사는 특히 불모지와 다름없던 영양소와 뇌의 작용에 대해 선구자적으로 연구해온 사람이다. 그는 평생 동안 영양의학에 관해 연구해왔고 11권의 책과 150여 개의 논문을 발표했다. 그의 이론은 각종 논문과 서적에 인용되어 있다.

"박사님은 어린이 영양과 행동의 관계에 관한 연구에 조예가 깊은 것으로 알고 있습니다. 어떤 동기가 있었나요?"

"30년 전에 집행유예의 시험감독관으로 뉴멕시코에서 일하고 있었습니다. 전 어린이들의 영양과 행동이 어떻게 연관되어 있는지 궁금했죠. 사우스다코타와 워싱턴에서 연구를 계속한 결과 비행소년들은 매우 부적절한 영양 섭취를 하고 있었습니다. 아이들이 먹는 음식들에는 미네랄과 비타민의 함유량은 낮은 반면, 칼로리와 지방질은 높았죠. 어린이들의 성장에 필요한 영양분이 제대로 공급되지 않고 있었습니다. 많은 어린이들이 음식에 대한 알레르기를 가지고 있었고 중금속 위험에도 노출되어 있었습니다. 그래서 아이들을 치료하기 시작하였는데 상당히 만족할 만한 결과를 얻을 수 있었습니다. 이렇게 시작한 것이 어린이와 음식물에 관한 연구이며, 지난 30년 동안 이 일을 계속해왔습니다."

"연구하신 결과에 대해 좀더 자세히 이야기해 주십시오"

"라이너스 폴링 박사와 1978년에 책을 함께 썼는데, 그것은 아이들을 다루는 일종의 지침서 같은 책이었습니다. 그 책 제목은 '범죄인을 위한 분자생물학적 치료' 였죠. 그리고 2년 후에 음식과 범죄의 관계에 대해서도 썼습니다. 그 책들은 많은 대학에서 교재로 쓰였습니다. 결론은 이런 어린이들이 영양적으로 결핍된 음식을 먹고 있으며, 준 임상학적으로 볼 때 어린이들이 보이는 영양결핍의 첫째 증상은 그들의 행동으로 나타날 수 있다는 것입니다. 어떤 어린이가 학교에서 학습장애를 일으키거나 집안에서 이상한 행동을 보이면 그 어린이가 적절한 영양이 함유된 음식을 먹고 있는지 확인해야 합니다.

오늘날 과학적으로 확실하게 뒷받침되는 연구 결과들이 있습니다. 어떤 아이가 매우 산만하고 학습능력이 떨어진다고 했을 때 올바른 영양 공급을 받는다면 그 어린이의 뇌는 모든 문제에 훨씬 더 잘 대처하게 된다는 것입니다. 그로 인해 행동은 더 좋아집니다. 그런 결과들을 많이 경험했습니다. 그러나 완전하게 이 분야가 정복된 것은 결코 아닙니다. 미국에서는 많은 의사들이 어린이들의 행동 향상을 위해 약을 투여합니다. 이런 약은 상당히 위험한 약이어서 111가지의 부작용을 초래할 수 있습니다. 그러나 약 처방을 받은 한 어린이를 우리가 다른 방식으로 치료했을 때 더 이상 약이 필요치 않았습니다. 아이들이 먹고 있는 약들은 우리가 알고 있는 작용 외에 어떤 다른 화학적인 작용을 할지 모릅니다. 그래서 저는 화학약품 대신 음식을 공급함으로써 이러한 문제들을 해결하려고 합니다. 약물투입보다는 적절히 음식을 통제하는 식이요법을 통해 치료할 수 있다고 믿고 있습니다.

제가 처음 범죄와 음식이 연관되어 있다고 주장했을 때는 심리학자들이나 제 동료들로부터 많은 비난을 받았습니다. 많은 사람들이 제가 미쳤다고 생각했습니다. 그 당시엔 아무도 음식의 영양과 범죄의 관계를 생각하지 않았습니다. 그러나 오늘날에는 많은 의학 잡지에서도 발표되고 있지만, 비행이나 범죄를 영양학적인 식습관의 변화를 통해 상당 부분 감소시킬 수 있다는 것이 증명되었습니다. 이제까지 영양학적인 식이요법이 행동과 전혀 관계가 없다는 것을 증명한 연구는 없었습니다. 그건 상당히 놀랄 만한 일입니다."

"구체적으로 어떤 메커니즘으로 치료한다는 것인가요?"

"몸에 필요한 비타민과 미네랄이 충분히 공급될수록 뇌의 기능은 더 좋아집니다. 일반적인 성인의 뇌세포들은 덴드라이(연결 부분)라는 것으로 연결되어 있습니다. 이러한 연결부분들을 통해 신호를 서로 주고받는데 여기에는 화학물질들이 작용합니다. 뇌는 이렇게 복잡한 기관입니다. 우주의 별들보다 더 많은 연결고리들은 영양분이 잘 공급되어야 제대로 작동됩니다. 올바른 음식을 먹지 않고 이런 복잡한 화학물질을 제대로 만들어낼 수 있다고 생각하십니까? 결론적으로

학생들에게 질 좋은 점심식사를 제공하는 미국의 학교 점심 프로그램.

말하면, 저의 의도는 우리 몸에 충분한 영양을 공급해서 각 뇌세포들이 제대로 작동해 정신적으로 올바른 판단을 할 수 있게 하려는 겁니다."

"영양 결핍이 초래하는 한 가지 예를 들어주시겠습니까?"

"예를 들어 철분 결핍증이라는 게 있습니다. 15~80% 정도의 미국인들이 철분 결핍증을 보입니다. 철분은 지각 능력을 좌우하는 중요한 영양소입니다. 계산능력 등 수학적 사고와 새로운 언어를 습득하는 데 중요한 역할을 합니다. 학교에서 좋은 성적을 내기 위한 필수적인 미네랄입니다. 저는 공부 못한다고 아이에게 약을 먹이기 전에 철분 함량 수준을 조사하는 것이 우선되어야 한다고 생각합니다. 철분을 제대로 섭취하면 수학과 언어면에서 탁월한 학습능력을 발휘할 것입니다. 필요하면 철분 보조제를 주는 것도 좋습니다. 그러나 음식으로 해결할 수 있으면 그렇게 하기를 권합니다. 중요한 것은 증상이 호전되면 반드시 음식보조제를 끊어야 한다는 것입니다. 집에서 식사로 좋은 영양을 공급해야 합니다. 지금 우리는 매우 심각한 식생활 위기상황에 처해 있습니다."

그의 말에 따르면 아연은 100여 가지, 마그네슘은 300여 가지 이상이 뇌기능에 필요한 중요한 역할을 수행하는데, 1900년대 미국인들의 하루 마그네슘 섭취는 550mg 정도였는 데 비해 현재는 120mg 정도밖에 안 된다고 한다. 이유는 가공 음식을 많이 먹기 때문이라는 것이다.

영양 개선이 아이들 학습에 영향을 주었다는 구체적인 연구결과 하나를 소개하겠다. 1979년 미국 뉴욕에서 대규모로 영양학적 연구가 진행되었다. 803개의 공립학교를 대상으로 아이들에게 아침식사와 점심식사에 비타민과 미네랄이 풍부한 음식을 공급하고 콜라나 사이다 같은 설탕이 많은 탄산음료를 가급적 먹지 않게 하였다. 그런데 4년 후 실험에 참가한 학교 전체의 전국 석차가 평균 10%나 상승한 것이다. 미국 역사상 유례 없는 결과였다. 이 연구로 미국인들은 학생들에게 좋은 영양을 공급하는 것이 학습능력 발달에 중요한 영향을 미친다는 것을 알게 되었다. 뉴욕에서 실시된 것 외에 다른 지역의 100여 개 학교에서도 같은 결과를 보고하기 시작했다. 지금 미국에서는 캘리포니아 주에서만 1년에 16억 달러(2조원)의 예산을 투입해 학생들에게 질 좋은 점심식사를 제공하는 '학교 점심 프로그램(National School Lunch Program)' 을 운영하고 있다.

나는 새크라멘토의 주 교육청을 방문하여 그곳의 점심 프로그램 운영자인 캐롤린 브라운을 만났다. 그녀는 주 정부가 학생들의 음식에 얼마나 신경 쓰고 있는지 한 가지 예를 들었다.

"이 프로그램을 직접 감독하는 사람들은 학생들의 지방 섭취율을

30% 미만으로 줄이기 위해 어떻게 하면 감자튀김을 좋아하는 아이들에게 맛은 똑같으면서 지방이 적은 감자튀김은 줄 수 있는가를 연구합니다. 그래서 얇게 썬 감자를 살짝 기름칠해 오븐에서 구워 만드는 방법을 고안해 냈습니다. 그 감자튀김을 여전히 맛있고 바삭바삭하지만 지방 수치가 낮은 식품으로 바뀌었습니다. 현재 많은 학교에서 기름에 튀기기보다 이 방법을 많이 쓰고 있습니다. 햄버거도 고기를 구운 다음 씻어서 지방 수치를 낮춥니다. 씻겨진 고기들은 지방 수치가 낮아지지요. 스파게티 같은 요리에도 이런 방법을 씁니다. 현재까지는 매우 성공적입니다. 전 미국 지역에서 신경 쓰는 또 다른 문제는 탄산음료입니다. 학생들의 소비를 줄이기 위해 교내 자판기 숫자를 줄이려고 노력하고 있습니다."

30년간 청소년 범죄와 영양에 대해 연구해온 알렉산더 사우스 박사의 이야기나 미국의 학교 점심 프로그램이 우리에게 무엇을 시사하는가. 우리는 그동안 학교 교실의 붕괴를 잘못된 교육제도에서만 찾아왔다. 그러나 아무리 입시제도가 잘못되었더라도 요즘 아이들의 산만함과 공격성, 학교 폭력 등은 그 어떤 이론으로도 속시원히 설명되지 않았다. 요즘 아이들의 교실에 몇 시간만 있어보면 아이들의 분주함에 정신을 차릴 수 없을 지경이다. 아이들의 행동에 음식물이 영향을 미치고 있다는 증거는 속속 드러나고 있다.

미국의 페인골드 협회(Feingold Association)는 아이들의 과동증(과잉행동증)이 식품첨가물로부터 큰 영향을 받는다는 각종 연구와 사례를 보고함으로써 현대의 가공식품, 인스턴트 식품의 폐해를 미국 사회에 널리 알리고 있는 단체이다. 지금은 작고했지만 페인골드 박사는 과동증이 있는 아이들의 음식에서 살리실산(SALICYLATE)을 없애자 과잉행동장애라고 알려진 병과 관련된 증상들이 완화되었다는 사실을 발견했다. 이런 경험을 토대로 세워진 페인골드 협회는 지난 25년 동안 25만 명의 미국인에게 도움을 주었다고 한다.

이 협회는 특히 인공 색소와 감미료, BHA, BHT, TBHQ 등 세 가지 방부제가 문제되고 있으며, 현재 황색 5호 색소에 대해서도 강한 의문을 제기하고 있다. 이들의 문제 제기에 미국 식약청(FDA)이 황색 5호의 안전성에 대해 조사를 벌이고 있다고 한다. 나는 뉴욕 근처에 살고 있는 캐스린 브래트비(Cathleen Bratby) 미국 페인골드 협회장을 찾아갔다. 과연 아이들의 행동에 음식이 영향을 주는가를 확인하고 싶었기 때문이다.

"미국의 학교 폭력이 미국의 식습관 때문이라고 주장하는 사람들도 있는데 이 의견에 동의하시는지요?"

"식습관과 행동 · 학습 · 건강의 관계에서 볼 때, 우리가 먹는 음식에 들어 있는 일부 첨가제가 특정 증상들을 자극하는 등 문제가 된다고 생각합니다. 그 증상 중 일부는 폭력성을 갖고 있는데 공격적이고 충동적인 행동은 결국 폭력으로 이어질 수도 있습니다. 시중에서 구할 수 있는 패스트푸드와 과자에는 이러한 물질들을 함유하고 있는 것이 있습니다. 당분도 문제를 일으킵니다. 당분, 인공 색소, 감미료, 방부제 등 첨가물들이 문제를 일으킬 수 있습니다. 부모들은 이러한 정보를 알고 있어야 합니다. 이런 정보를 공급받을 수 있는 루트가 필요하고 그 정보를 적용할 수 있는 방법을 알아야 합니다. 페인골드 협회가 이런 일을 하고 있습니다."

페인골드 협회가 지적하는 식품첨가물은 우리 몸의 입장에서 보면 이물질이어서 이를 제거하는 데 비타민, 미네랄을 소비할 뿐 아니라 일부는 직접적으로 아이들의 행동에까지 영향을 준다는 것이다. 식품첨가물, 당분 등은 요즘 아이들이 많이 먹는 탄산음료, 과자 등에 들어 있는 것들이다. 요즘 아이들에게 과자, 음료수를 사주지 않고 배겨낼 부모가 어디 있겠는가. 문제는 아이들에게 이런 가공식품들을 과용하면 몸에도 좋지 않을 뿐 아니라 공부에도 결코 도움이 되지 않는다는 것을 가르치는 방법밖에는 도리가 없는 것 같다.

우리 집 식생활 개선을 하면서 맨 먼저 나는 그동안 집안에 항상 비치되어 있던 각종 과자, 유리병에 가득하던 사탕, 탄산음료를 치울 것을 제안했다. 처음에 아이는 "뭘 먹고 살라는 말이에요"라며 강하게 저항했지만 결국 나의 끈질긴 세뇌공작에 지고 말았다. 그렇다고 아이에게 과자나 음료수를 사주지 않는 것을 결코 아니다. 중요한 것은 그런 음식을 많이 먹는 것이 좋지 않다는 것을 깨닫게 하고 양도 과거보다 훨씬 적게 먹도록 하는 것이다. 다른 집 아이들이 보면 측은해 보이겠지만 딸아이의 가공식품 절제 교육은 현재로선 매우 성공적이다.

요즘 아이들은 설탕에 파묻혀 산다고 해도 과언이 아닐 정도로 단 것을 많이 먹는다. 학교 선생님이 교실에 사탕을 봉지째 갖다놓고 숙제를 잘했거나 말 잘 듣는 아이들에게 상으로 한 개씩 주는 게 우리의 현실이다. 오죽 아이들 다루기가 어려우면 이런 방법까지 쓰랴 싶지만 이런 교육은 자칫 아이들에게 '사탕은 장한 일을 했을 때 선생님이 주시는 좋은 음식' 이라는 생각을 갖게 할 우려가 있다. 아이들의 치아 건강을 위해서라도 이런 관행은 없어지는 게 좋을 것 같다. 이제 아이들이 가장 좋아하는 단 음식에 관한 이야기로 넘어가자.

백설탕은 독인가

아이가 자라면서 부모들을 가장 고민하게 하는 음식이 설탕과 관련된 음식일 것이다. 이를 썩게 하는 원흉일뿐더러, 단 음식에 길들여진 아이들은 밥을 잘 먹지 않기 때문이다. 설탕은 직접 먹는 것보다 다른 음식에 첨가되어 주로 섭취하게 되는데 부모들도 아이들이 얼마나 많은 양의 설탕을 먹고 사는지 잘 모르는 것 같다. 요즘은 발렌타인 데이다, 화이트 데이다 하여 집중적으로 단 것을 많이 먹는 날까지 생겨나고 있다. 각종 빵이나 과자류, 초콜릿, 탄산음료 등을 통해 아이들이 매일 먹는 설탕의 양은 우리의 상상을 초월한다. 일본 오사카 의대의 명예 교수이며 병원장인 코다 미쓰오(76세) 박사는 백설탕에 관한 연구로 유명하다. 인스턴트 식품의 범람으로 최근 아이들의 설탕 섭취가 급격히 늘어나고 있는 문제에 대해 조언을 구하러 오사카로 그를 찾아갔다. 그는 설탕, 특히 백설탕의 폐해가 매우 심각함을 경고했다.

"저는 대학에서 공부하면서 백설탕을 많이 먹으면 건강에 해롭다는 걸 알게 되었습니다. 체중 60kg인 사람은 하루에 30g 정도 먹으면 한계에 이릅니다. 가능하면 매일 30g 이하로 유지해야 합니다. 그런데 최근에 한국과, 일본에서는 백설탕 소비가 계속 늘고 있습니다. 여기서 문제가 되는 것은 비타민 B_1이 결핍된 상태에서 설탕만 먹으면 몸은 산성으로 변한다는 겁니다. 몸 속은 산성이 되면 안 되기 때문에 뼈에 있는 칼슘을 동원하여 산성을 중화합니다. 그러면 몸 안에 칼슘이 결핍됩니다. 이것을 매일 반복하면 뼈가 파삭파삭하게 되고 신경질이 나고 참을성이 없어집니다. 쉽게 피로해지거나 칼슘 부족으로 인한 여러 가지 폐해가 나타납니다.

만약 여덟 살짜리 아이가 체중이 20kg이라고 하면 6g 이하로 먹어야 하는데, 6g이면 각설탕 한 개 정도의 양입니다. 각설탕 한 개 이상을 먹으면 칼슘을 뺏기게 됩니다. 그러면 가정 내 폭력이라든지 감정을 폭발시키는 일이 일어날 수 있습니다. 더 큰 문제는 혈액순환이 상당히 나빠진다는 것입니다. 차가운 물에 들어가면 체온을 밖으로 뺏기지 않기 위해 급격하게 우리 몸의 표면 혈관이 수축합니다. 혈관이 수축되면 혈액은 우회로(bypass)를 따라 심장으로 돌아옵니다. 그런데 설탕을 많이 먹으면 그 우회로가 녹아 버립니다. 우회 혈관은 칼슘, 콜라겐, 비타민 C 등으로 만들어지므로 칼슘이 부족하면 그 혈관이 녹아 버립니다. 그러면 심근경색, 뇌경색, 백내장 등 여러 가지 병이 나타납니다. 당분을 섭취할 때는 현미나 통밀빵 등을 먹어 비타민 B_1도 섭취하도록 해야 분해가 자연스럽게 진행됩니다. 그런데 비타민 B_1을 섭취하지 않고 설탕만 먹으면 칼슘 결핍으로 여러 가지 병이 생깁니다. 이것이 문제입니다. 비타민 B_1의 섭취를 잊어서는 안 됩니다."

"설탕을 많이 먹는 아이들에게 어떤 대안이 있을까요?"

"백설탕을 많이 먹으면 혈당치가 올라갑니다. 그러면 인슐린이 많이 분비되어 혈당치가 한꺼번에 떨어집니다. 그러면 더 안정이 안 되어 또 먹게 됩니다. 이것을 반복하는 거죠. 애히메 대학 오쿠다 시로미쓰 선생님이 한 실험인데, 건강한 사람에게 백설탕 75g을 먹이고 30분 이내에 인슐린을 측정했더니 7배로 늘었습니다. 이번엔 흑설탕 75g을 먹였더니 인슐린이 2배밖에 되지 않았습니다. 흑설탕 안에 있는 검은 물질이 페닐글루코시드인데 이것이 포도당의 급격한 흡수를 늦추는 작용을 합니다. 따라서 흑설탕을 사용하면 훨씬 낫습니다. 흑설탕은 백설탕의 3배 정도는 먹어도 됩니다."

그런데 설탕을 생산하는 기업들은 설탕이 당뇨병 등 성인병과 직접적으로 무관하다고 주장하고 있다. 그렇다면 앞서 소개한 전문가들의 이야기와 상충되는 것이다. 이런 상황이라면 중간에 끼인 소비자들은 어느 쪽 얘기가 진실인지 판단할 수 없다. 여기서 잠시 설탕에 관한 연구로 유명한 마리온 네슬 뉴욕 대학 영양학과 교수(그녀의 이야기는 우유 부분에서 본격적으로 할 예정이다)의 이야기도 들어보자.

"당분을 많이 섭취하는 사람들은 나쁜 식습관을 갖고 있는 경우가 많아서 당분 하나만 따로 식사 전체에서 분리해 내는 것은 어려운 일입니다. 그래서 설탕 제조 업계는 설탕이 질병들과 직접적인 관련이 있다는 근거는 없다고 주장하는 것입니다. 물론 관계가 없다는 그들의 주장은 맞습니다. 전체 식습관과 운동, 흡연, 음주를 얼마나 하는지 등의 요소들이 복합적으로 작용합니다. 당분에 대해서 확실히 말할 수 있는 것은 당분은 높은 칼로리를 갖고 있고 유익한 영양분은 없으며 아주 나쁜 식습관을 통해 우리 몸에 유입된다는 것입니다. 당분은 어떠한 영양학자도 권하지 않을 음식에 많이 들어 있습니다."

"그럼 당분이 병의 원인이 되는 요소들 가운데 일부라고 보십니까?"

"그렇습니다. 일부입니다. 많은 사람들이 암, 골다공증, 심장질환이나 당뇨 등이 당분에 의해 일어나는 질병이라고 생각하고 있지만 현재 알려진 연구로는 당분이 이러한 질병들에 직접적인 원인이 된다고 하기는 어렵습니다. 당분은 발병에 기여하는 요소 정도는 될 것입니다."

"당분의 과다한 섭취가 과다한 인슐린 호르몬 생성을 유도하여 췌장에 무리를 준다는 것은 사실인가요?"

"사람들이 당분이 당뇨와 관련이 있다고 생각하는 이유는 과다한 당분 섭취로 췌장이 많은 양의 인슐린을 생성하기 때문이라고 하지만 칼로리가 높은 식사도 마찬가지 결과를 보입니다. 당분의 양이 문제가 되는 것이지요. 적은 양의 당분은 췌장에 그리 나쁜 영향을 미치지 않지만 과도한 양의 당분이나 몸이 제대로 작동하기에는 너무 칼로리가 높은 음식에 당분이 들어간 경우는 문제가 됩니다. 그렇기 때문에 한 가지를 분리해내는 것은 어려운 일이지만 한 잔에 30~

40g의 당분이 들어 있는 탄산음료를 하루 종일 마신다면 췌장이 제대로 작동하기에는 과도한 양이 됩니다. 이것은 결코 건강한 식생활이 아니며 탄산음료 대신 물을 마시는 것이 더 현명하다고 생각합니다. 탄산음료에는 당분 외에 어떤 영양소나 섬유질이 없기 때문에 한번에 30~40g의 당분을 계속 먹는다는 것은 혈액에 당분을 쏟아붓는 것과 같은 것입니다. 가끔씩은 상관없지만 자주 마시는 것은 과다한 칼로리 섭취입니다."

앞에 소개한 전문가들의 이야기를 종합해 보면, 당분은 뇌가 필요로 하는 연료와 같은 것이기 때문에 필수적이지만, 과다한 양을 섭취하면 혈관에 남아 조직에 흡수되지 않는다는 문제가 있다는 사실을 알 수 있다. 그러나 당분은 쌀 같은 탄수화물이나 지방, 단백질에서도 얻을 수 있다. 왜냐하면 지방과 단백질도 분해 과정에서 당을 생성하기 때문이다. 그러므로 뇌의 연료인 포도당을 공급하기 위해 당분 자체를 섭취할 필요는 없는 것이다. 인체는 어떤 음식을 먹든지 몸에 필요한 충분한 양의 당분을 흡수하도록 설계되어 있는 것이다.

당분이 당뇨와 직접적인 관련이 없다고 생각하는 사람들이 많지만 '직접적' 이라는 표현에 어폐가 있기 때문이다. 설탕은 고칼로리를 만드는 성분이기 때문에 칼로리가 과다한 식사가 당뇨에 영향을 준다는 것은 누구나 인정하는 바이다. 과다한 칼로리로 비만이 되는 경우 의심의 여지없이 당뇨로 이어질 위험이 있는 것이다. 문제는 무엇이 비만을 만드느냐인데, 비만의 주원인은 고칼로리이며 칼로리가 높은 음식들에는 당분이 많이 있고 당분을 좋아하는 사람들은 자꾸 더 많이 먹게 되는 것이다. 그러나 과일에 들어 있는 당분은 좋은 당분이다. 당근, 사과, 토마토에 당분이 많으니 먹지 말라고 하는 사람은 아무도 없다. 이런 음식들은 먹어서 도움을 주는 건강한 식품들이다. 제한해야 하는 음식은 비만을 야기하는 탄산음료와 고지방 식품들이다.

따라서 자신의 자녀를 건강하고 정서적으로 안정된 아이로 키우고 싶은 부모라면 빵(10~30%의 설탕 함유), 아이스크림(20~30% 설탕 함유), 탄산음료(10~20% 설탕 함유), 케첩(25% 내외 설탕 함유), 무가당 주스를 포함한 각종 혼합음료(10% 내외의 포도당 과당 함유) 등의 섭취를 절제시켜야 한다. 일본 아이들 중에는 하루 200g 이상의 설탕(과당, 포도당 포함)을 먹는 아이들이 기하급적으로 늘고 있다고 한다. 우리 주변을 돌아보면 이것이 남의 이야기만은 아니라는 데 문제의 심각성이 있다.

아침을 먹으면 성적이 오른다

아침식사는 하루의 영양을 결정하는 데 중요할 뿐 이니라 사람의 행동과 사고에도 큰 영향을 미친다고 한다. 살을 빼려고 아침식사를 하지 않는 사람들이 점점 늘고 있는데 같은 에너지를 섭취해도 아침식사는 그날 활동하는 데 필요한 에너지로 사용된다. 그러나 점심을 먹지 않는 사람은 저녁에 배가 고프므로 저녁을 많이 먹어 비만이 될 가능성이 높아진다. 저녁 이후에는 활동을 하지 않는데도 많이 먹게 되면 영양분이 몸에 저장되어 비만으로 이어지는 것이다.

일본 여자 영양 대학 학장인 가가와 야스오 박사. 그는 특히 아침식사의 중요성에 대해 오랫동안 연구해온 사람이다. 그에게 지난 30년간 급격히 변해온 일본인들의 식생활 전반에 대한 이야기를 듣기 위해 그의 연구실을 찾아갔다. 일본인들의 생활 습관과 건강의 문제는 소득 수준이 올라가고 있는 우리에게 곧 닥칠 문제이기 때문이다.

"아침식사의 중요성에 대해서 강조해 오셨습니다. 그 이유가 무엇입니까? 그리고 일본의 젊은이들은 어느 정도 아침을 먹지 않나요?"

"국민조사를 통해 매년 발표되는데 정도의 차이는 있지만 전혀 먹지 않는 사람이 30% 정도입니다. 가끔 안 먹는 사람을 포함하여 1주일 동안 조사해 보면 50%를 넘습니다. 매우 심각한 문제입니다. 우리 몸 속의 혈당이 저하되면 뇌 활동도 떨어집니다. 본인은 잘 모르지만 지능 테스트를 해보면 정말 떨어집니다. 아침을 먹는 아이는 성적이 올라갑니다. 이것은 정신과 전문의들이 만든 테스트를 통해 미국 잡지에 발표된 것입니다. 미국은 아침식사가 아주 중요하다고 생각하고 학교에서 아침 급식을 전국적으로 실시하고 있습니다. 처음에는 쓸데없는 데 국가 예산을 낭비한다는 비판이 많았습니다만, 여러 조사를 통해 아이들의 성적이 오르고 비행소년이 줄어들며 활동력이 증가한다는 것을 객관적으로 밝혀내어 아침 급식을 계속하고 있습니다.

아침을 먹으면 성적이 좋아지는 원리는 이렇습니다. 뇌의 에너지원은 다른 조직과 달리 포도당이 중심을 이루고 있습니다. 그런데 사람의 몸은 당질을 오래 저장할 수 없습니다. 당의 원료인 글리코겐이 간에 있는 시간은 약 10일 정도밖에 안 됩니다. 혈당이 떨어지면 뇌 기능도 떨어지게 되어 우리 몸은 뇌를 살리려고 단백질을 부수어 당을 만듭니다. 그것은 몸에 해를 주게 됩니다. 그래서 아침에 포도당 공급을 해주어야 합니다. 또 한 가지는 아침식사를 통해 당분만 섭취하는 것이 아니라 여러 가지 다른 필수 영양소들을 얻는다는 점이 중요합니다. 뇌 활동에는 비타민이나 아미노산, 미네랄 등이 필요합니다. 뇌 활동에 필요한 영양소들이 아침에 공급되면 하루의 활동이 원활해집니다. 여러 종류의 미네랄이나 비타민이 부족하면 뇌신경 활동에 지장을 받습니다. 그만큼 균형잡힌 아침식사가 중요합니다."

최근 들어 한국에는 서양식으로 아침을 먹는 풍습이 빠른 속도로 번지고 있다. 빵 한두 조각에 우유 한잔 마시는 사람들은 그나마 낫다. 아침 대신 우아하게 커피 한잔으로 때우는 사람도 많다. 독신자들도 늘어나는 추세이고 그 중에는 직접 식사를 만들어 먹는 사람들이 많지 않다고 한다. 혈당을 만드는 간 기능이 약한 사람은 혈당량 저하가 심하고 혈당량이 줄수록 뇌세포가 죽는다고 한다. 그래서 노인들은 치매를 막기 위해서라도 가능한 아침을 먹는 게 좋다. 일부의 견해를 빼고는 아침밥과 건강의 관계는 매우 중요하다고 학자들은 이구동성으로 말한다.

최근 현대인의 생활에서 가장 큰 변화는 사람들의 활동량이 근본적으로 줄어들었다는 것이다. 식생활에서 칼로리 섭취는 늘고 운동은 덜하게 된 것이다. 과거에 육체노동을 해야 했던 노동자들도 지금은 여자 고등학생이 소모하는 칼로리와 거의 같은 열량을 소비한다. 자동화 시스템 덕분에 의자에 앉아 단추만 누를 뿐이다. 컴퓨터 보급이 확대되면서 하루종일 모니터 앞에 앉아서 일하는 사람도 늘고 있다. 그래서 현재의 지적 노동 시대에서는 과거의 활동량이 많았던 시절처럼 먹고 살다간 큰일이 나는 것이다. 그것이 성인병이라고 불리는 '생활 습관병'의 출발점이다.

우리 집도 식생활 개선을 하면서 생긴 가장 큰 변화는 아침을 꼬박꼬박 먹게 된 점이다. 그 전에는 밥상을 차려놓아도 아이가 잘 먹지 않아 아이의 식성에 맞추어 제과점 빵과 주스 한잔으로 아침을 대신했다. 그런데 요즘은 전날밤에 현미 잡곡을 물에 담가 불렸다가 아침에 압력 밥솥으로 조리해서 아침을 꼭 챙겨 먹는다. 딸아이도 현미 잡곡밥과 된장국을 잘 먹은 덕분인지 과거보다 건강해지고 공부도 잘한다. 나도 그 전에는 오전 11시만 되면 허기를 느껴 시계를 쳐다보곤 했는데, 이제는 12시가 넘어도 그다지 배고픈 걸 못 느끼고 오전 시간 일의 집중력도 높아졌다. 도정하지 않은 잡곡밥이 몸 안에서 당질을 서서히 소화 흡수되게 조절하여 허기를 덜 느끼게 하고 혈당의 안정에도 도움을 주기 때문이다. 현미 잡곡밥으로 아침식사를 하는 것은 우리 부부처럼 게으른 사람들도 마음만 먹으면 쉽게 할 수 있는 건강을 위한 가장 기본적인 투자이다. 나에겐 결혼생활 13년 동안 상상도 하지 못했던 식생활의 대변혁이 일어난 것이다.

엄청난 수의 가축들이 좁은 축사에 갇혀 빠른 시간 안에 살찌우기 위해 투여되는 과량의 곡물 사료를 먹으며 사육된다. 이런 가축 사육 환경이 될 수밖에 없는 이유는 육류 소비가 갈수록 늘어나고 사람들은 더 많은 돈을 벌고 싶어하기 때문이다. 죽는 순간까지 인간의 식탐과 돈벌이를 위해 모든 걸 헌신하는 가축들의 처절한 삶을 그들의 당연한 운명이라고만 생각한다면 인간은 너무나 잔인한 동물이다.

제4장

가축의 비극

지옥에서 도살장으로

내가 우리 나라 목장이나 가축 사육 실태에 관심을 갖게 된 것은 사실 꽤 오래 전의 일이다. 앞에 기술한 '꽃등심 목장의 충격'은 그 이전부터 내 의식 속에 잠재해 있던 관심사의 표출이었다. 아무튼 난 농촌에 진동하는 가축의 배설물 냄새와 주인이 아무리 위생적으로 관리해도 좁은 축사에서 밀집 사육되는 가축들이 더럽게 살 수밖에 없는 환경이 싫었다. 내가 가축의 생리에 대해 잘 몰랐을 때는 가축들을 시멘트 바닥에 키우는 것이 청소하기 편리해 위생상 더 좋고, 보다 현대화된 방법이라고 생각하기도 했으나 그게 아니었다. 딱딱한 시멘트 바닥에 발굽을 딛고 그 육중한 몸을 지탱하다 보면 발에 병이 자주 생기고 동물에겐 더 고통스럽다.

좁은 축사에 과밀하게 사육되는 가축의 숫자도 큰 문제였다. 개체 수가 많으면 부대끼며 서로에게 스트레스를 줄 수밖에 없다. 또한 빠른 시간 안에 살찌게 하기 위해 과도하게 투여하는 곡물을 먹고 쏟아내는 엄청난 양의 배설물은 과밀한 축사의 환경뿐 아니라 주변의 환경까지 오염시킨다. 적절하게 가축의 숫자를 제한하고 자연 상태의 땅 위에 부드러운 톱밥 같은 것을 깔아놓아 자주 치워주면 냄새도 안 나고 가축도 좋아해 병도 덜 걸린다. 물론 우리 나라에도 이런 곳이 많이 있지만 이런 기본 조건이 지켜지지 않는 이유는 육류 소비가 갈수록 늘어나기 때문이고, 사람들은 더 많은 돈을 벌고 싶어하기 때문이다. 현재의 생육 환경은 인간에게는 돈을 벌어다 주지만 동물들에게는 그야말로 지옥이다.

서양의 문명은 동시대를 살고 있는 같은 피조물인 동물들, 특히 가축의 생명을 약탈하면서 번성해 왔다. 사람들은 25년을 사는 소를 2년 만에 도살하고 계속 늘어가는 수요를 충족시키기 위해서 인공 수정법 등의 인공 생산 방식을 발달시켜 왔다. 부드러운 살코기를 식탁에 올리기 위해 30년을 살 수 있는 닭은 태어난 지 35일 만에 도살된다. 이 닭들은 태어나서 죽을 때까지 단 한 번도 따뜻한 어미의 품을 느껴보지 못하고 죽는다. 평생 좁은 철망 안에서 몸조차 제대로 움직이지 못한 채 24시간 밝은 백열등 아래서 알 낳는 기계로 전락한 산란용 닭들은 더 이상 살아 있는 생명체의 모습이 아니다. 기독교에서 묘사하듯이 지옥의 유황불 아래서 절규하는 마귀들의 모습처럼 닭들은 엄청난

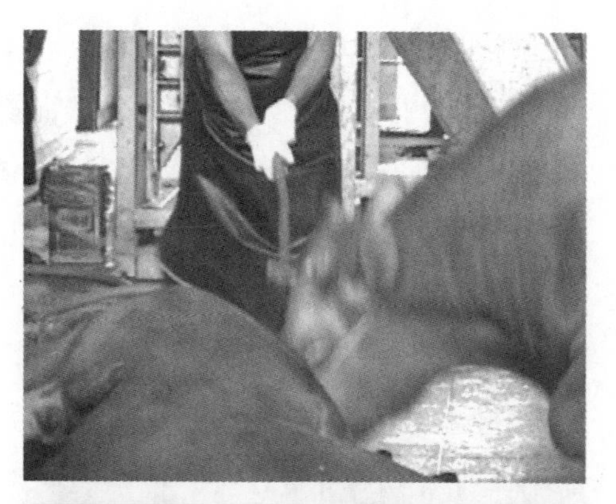

위 | 재래식 도살장에서 해머로 머리를 맞는 소.
아래 | 수송차에 실려가며 절규하는 닭.

스트레스를 주는 환경에서 절규한다. 그들이 태어나서 먹게 되는 사료에는 고성장에 필요한 각종 비타민과 열악한 환경에서 발생하는 질병을 이겨내도록 항생제가 첨가된다. 우리는 그들이 낳은 달걀을 매일 먹는다. 도계장으로 수송할 닭장 차가 양계장에 도착하면 인부들은 쓰레기 쑤셔박듯이 닭들을 닭장에 처박는다. 닭장 차가 도착한 가공 공장에서는 닭장을 통째로 기울여 닭들을 쏟아내고 패닉 상태가 된 닭들은 컨베이어 벨트에 놓여 하나 둘씩 거꾸로 매달려 날카로운 메스에 목의 반이 잘린다.

피를 쏟으며 발버둥치기를 한참. 한 단계 한 단계 공정을 거치며 털이 뽑히고 발이 잘리고 목이 잘리고 내장이 뽑혀나온 다음 세척되어 포장된다. 이것이 우리가 먹는 닭의 일생이다. 그나마 닭들은 몸집이 작고 우리 인간처럼 포유류가 아니어서인지 비참한 느낌이 소, 돼지보다는 덜하다. 소, 돼지 도살장에서 벌어지는 잔인한 동물학대의 현장을 본 사람이면 누구나 고기 먹는 것을 다시 생각할 것이다.

최근 서양에서 도입된 HACCP 도살처리 방법은 그나마 죽음에 처한 동물들의 스트레스를 줄이고 더러운 오물을 씻기 위해 도살 전 샤워를 시키고 죽고 난 후 샘플을 채취해 세균이나 항생제 잔류 검사 등을 강화하고 있다. 그러나 아직도 국내 164개 도축장의 18%(2001년 말 기준) 정도만이 이 시설을 갖추고 있을 뿐이다. 그렇지 못한 재래식 도살장에서는 아직도 소를 질질 끌고 들어가 뾰족한 해머로 머리를 내리친다. 내가 본 도살장의 잔인한 모습은 글로 자세히 표현하기 민망할 정도이다. 도살하는 장소 바로 옆에서 대기하고 있던 소들의 눈가에는 정말로 눈물을 흘린 자국들이 선명하다. 순서가 되면 사람

의 손에 이끌려 들어가 쇠망치에 머리를 맞고 구멍난 골 사이로 철사를 끼워 신경을 절단당하기까지 소들은 극도의 공포에 시달린다. 소위 '골깐다, 골깬다, 골쑤신다'는 속어들이 모두 도살장에서 나온 말이라는 것을 알고 난 몹시 씁쓸했다.

도살장에 실려온 동물들의 처량한 모습과 목에서 피가 쏟아지는 장면이 1년이 지난 지금까지도 기억에 선명하다. 도살 라인에서 벗어나려는 돼지에게 가해지는 무차별 폭력은 차마 입에 담기조차 끔찍하다. 한 재래식 도살장을 방문했을 때 마침 돼지를 가득 실은 트럭

이 들어왔다. 돼지들도 본능적으로 이곳이 위험한 곳이라는 것을 알았는지 아무도 내리려 하지 않았다. 한 사람이 차 뒤로 다가오더니 쇠꼬챙이로 돼지들을 내리라고 찌르기 시작했다. 차에서 내린 돼지들을 한쪽 우리로 몰아넣는데 우리로 들어가지 않으려는 돼지 세 마리에게 사람들이 달려들어 꼬챙이로 눈을 찌르고 때리기 시작했다. 이때 다른 한쪽에서는 전기 충격이 가해지는 컨베이어 벨트 쪽으로 들어가지 않으려고 버티는 돼지 두 마리가 커다란 쇠파이프로 머리를 맞아 그 자리에서 두개골이 깨져 즉사하고 말았다. 돼지들의 한 맺힌 비명 소리가 도살장에 가득 울려퍼졌다.

컨베이어 벨트 한쪽 끝에서는 돼지들의 목에 전기 충격이 가해지고 곧이어 목 동맥이 절개되었다. 그러면 돼지들은 한 깡통 가득 피를 쏟으며 몸부림쳤다. 곧이어 쇠사슬에 발목이 채워지고 거의 혼절 상태에서 거꾸로 매달려 피를 쏟는 돼지들이 줄지어 뜨거운 물통으로 들어갔다. 이런 동물들에게도 아픔을 감지할 수 있는 감각 기관들이 있고 그 고통이 뇌를 거쳐 몸에 전달될 것이다. 눈에 보이지 않는 공포와 고통을 고스란히 몸에 담고 있는 고기, 이것이 우리가 맛있게 먹는 고기들의 실체이다.

이런 곳에서는 일하는 노동자들 또한 매우 위험한 작업환경에 처해 있다. 한 재래식 도살장을 방문했을 때 소를 죽여 가죽을 벗기는 과정에서 거꾸로 매달린 소 발목을 감고 있던 쇠사슬이 풀려 밑에서 일하던 사람 위로 소가 떨어지는 것을 목격한 적도 있다. 다행히 소가 사람 몸에 정면으로 떨어지지 않아 많이 다치지는 않았지만 도살장에서 칼을 들고 일하는 사람들은 항상 안전 재해의 위험에 노출되어 있다. 미국 같은 선진국에서도 도살장의 안전 문제가 항상 도마에 오를 정도로 이들에 대한 처우와 작업환경이 매우 열악한 상태이다.

어차피 가축을 도살할 수밖에 없을 바에는 좀더 인간적인 환경을 만들어야 한다. 가축이 죽기 직전에 받는 스트레스를 줄이려는 학문적 연구는 극도의 스트레스가 고기의 질을 떨어뜨리기 때문에 고기의 등급을 잘 받기 위한 목적으로만 진행될 뿐이다. 죽는 순간까지 인간의 돈벌이를 위해 모든 걸 헌신하는 가축들의 처절한 삶을 그들의 당연한 운명이라고만 생각한다면 인간은 너무나 잔인한 동물이다.

가축이 잘살아야 인간도 잘산다

도살장 광경을 이 정도만 설명해도 독자들은 나를 육식을 혐오하는 채식주의자로 볼지 모르겠다. 그러나 나는 특정 종교인도 아니고 채식주의자도 아니며, 채식주의자가 될 만큼 그렇게 의지력이 강한 사람도 아니다. 나같이 의지력이 약하고 직장 생활마저 불규칙한 사람이 채식만 한다는 것은 우리 나라에서 불가능에 가깝다. 내 직장 주변에는 채식할 수 있는 곳이 한 군데도 없다. 그리고 채식주의자가 되려면 먼저 음식에 대한 공부를 많이 해야 한다. 그냥 야채 좀 먹고 고기 먹지 않는다고 채식주의자가 되는 것이 아니다. 각 음식마다 어떤 영양소가 풍부하고 부족한지를 아는 것은 기본이고, 채식만 할 경우 부족하기 쉬운 영양소를 어떤 방법으로 보강할 수 있는가에 대한 복안도 가지고 있어야 한다. 그러나 내가 채식주의자들을 존경하는 데에는 두 가지 이유가 있다. 그 하나는 그들 대부분이 동물에 대해 남다른 애정을 가지고 있다는 점이고, 다른 하나는 환경에 대해 일반 사람들보다 염려를 많이 한다는 점이다.

한편에서는 동물만 생명이고 식물은 생명이 없는가라고 항변하는 사람도 있을 것이다. 그러나 자연계의 법칙은 먹이사슬이 먼 개체를 섭취하는 것이 더 안전하다는 데 이론의 여지가 없다. 먹이사슬의 윗부분에 있는 동물은 아무래도 인간과 비슷한 유전자도 많고 성장 호르몬 등도 비슷하다. 이런 동물들을 많이 잡아먹지 않고도 인간은 건강하게 살 수 있는 동물이다. 그런데도 다른 동물의 몸을 너무 탐하는 것은 자연계의 질서에도 위배되는 행위가 아닐까 생각한다.

자연계에서 인간이 유익하다고 취하는 각종 성분들은 거의가 식물에서 나온 것들이라는 점을 우리는 잊지 말아야 한다. 약을 구성하는 각종 신비한 성분들, 우리 몸에 필수 불가결한 각종 영양소들을 비롯해 인간에 유익한 것들은 대개가 식물에서 채취한 것들이다. 이 부분은 나중에 더 자세히 언급하겠지만 오래 전부터 음식으로 만들어 먹어온 식물성 재료들은 좀 과식을 해도 별 탈이 없다. 대개 사람이 배탈이 나거나 다른 질병을 만드는 음식은 동물성 성분들이 대부분인데 이것만 보더라도 인간은 식물성 음식을 많이 먹고 살아야 건강할 수 있는 것이다. 동물성 음식을 먹을 때는 반드시 과식하지 않도록 그 양을 잘 절제해야 한다.

이것이 인간이 여태까지 생존해온 기본 원리이다. 그러나 최근 백년 사이 서양을 중심으로 인간의 신체 질서를 무너뜨리는 음식문화가 발달해왔다. 의료기술은 하루가 다르게 발달하는데 듣도 보도 못한 질병들이 늘어만 가고 있다. 그런데 잘못된 서양의 식문화가 만들어 내는 이런 재앙이 이제 우리에게도 서서히 몰려오고 있는 것이다. 그렇다고 어찌 눈 멀쩡하게 뜨고 앉아서 당하고만 있을 수 있단 말인가. 나에겐 생경한 음식 분야에 대해 취재를 결심한 것도 이제 누군가가 나서지 않으면 안 된다는 절박한 심정이 들었기 때문이다.

취재를 하면서 사실을 알면 알수록 난 더 허탈감에 빠질 수밖에 없었다. 대규모 목장은 고사하고 야트막한 동네 야산, 좀 깊다 싶은 계곡에 자리잡은 가축의 축사에서 나오는 분뇨와 오물로 인해 국토가 몸살을 앓고 있는 현장을 수없이 목격한 것이다. 가축이 풀 위에 배설을 하면 미생물이 달려들어 분해하고 자연 퇴비가 되어 땅을 기름지게 하는 자연의 순리는 인공적 축사 시스템하에서는 더 이상 존재할 수 없었다.

그렇다고 축산업에 종사하는 사람들이 부유하게 사느냐 하면 그렇지도 못한 게 현실이다. 시도 때도 없이 각종 가축 질병이 만연하고 정부의 부실한 축산정책으로 고기 값은 들쭉날쭉하여 빚에 허덕이기 십상이다. 그 고기는 주로 대도시 소비자들이 먹게 되는데 미국의 햄버거 고기를 대기 위해 아마존 밀림이 점점 줄어들고 남미의 가난한 국가가 황폐화되는 현실과 다를 바가 없는 것이다. 영세 축산 농가들의 빚은 갈수록 쌓여가고 국토는 황폐해지고 대도시 소비자는 질병에 시달리고 있는 것이다. 이것이 요즘 골목마다 고깃집이 들어선 대한민국의 현주소이다. 동물성 단백질의 과소비 시대인 요즘의 음식

문화를 근본적으로 바꾸기 전에는 이런 비극적 상황은 앞으로 더 악화될 것이다.

동물의 기본권을 보호해주고 친 환경적인 생산방식으로 생산되는 고기는 보통 고기보다 훨씬 비싸게 받을 수 있는 가격정책을 세워야 한다. 그러나 우리 정부는 유기(有機) 축산을 한다고 말만 하고 지금까지도 뚜렷한 실천을 못하고 있다. 그러다가 전염병이라도 돌라치면 멀쩡한 동물들을 집단 살육해야 하고 고기 소비가 급격히 떨어지는데도 축산 농민들은 어디다 하소연할 데도 없다. 더 심각한 것은 이런 환경에서 살고 있는 가축들이 시도 때도 없이 병에 걸리는 것인데, 이것을 예방하기 위해 아예 항생제를 투입한 사료를 먹이는데도 별 대책이 없다는 것이다.

1700여 종의 각종 항생제가 사용 가능한 약품으로 허가되어 있으며, 약을 사다가 가축에게 마음껏 주사하고 항생제가 섞인 사료를 내 마음껏 먹일 수 있는 나라가 우리 나라이다. 그런데 정부는 말한다. "정부 기관에서 철저히 검사하기 때문에 실제 기준치를 초과하는 항생제가 검출된 가축은 극소수에 불과하며 이런 가축은 폐기 처분하고 축사는 향후 3개월간 철저히 감시한다"고 말한다. 물론 그 말은 어느 정도 맞는 말이긴 하지만, 그 검사라는 게 소수의 샘플 검사이기 때문에 이 엉성한 그물망을 통과한 것들은 그대로 식탁에 오르고 있다.

항생제는 한꺼번에 다량으로 우리의 인체에 축적되는 물질이 아니라 아주 미량으로 서서히 우리의 몸에서 항생제 내성을 키운다. 미국의 '환경을 걱정하는 과학자 협회(UCS ; Unions of Concerned

Scientist)' 는 2001년 미국 항생제 생산량 중 약 70%가 가축에게 투여되고 있다는 충격적 사실을 발표하였다. 이것은 인간에게 투여되는 항생제 양의 8배에 해당되는 양으로 주로 사료에 포함되어 동물의 몸으로 들어가게 된다. 이런 상황은 평생 지속되는 상황이기 때문에 아무리 가축들이 소량을 먹는다 해도 몸 안에서 항생제 저항 박테리아를 만드는 최적의 환경을 이루게 된다는 것이다.

미국이 이런 상황인데 훨씬 더 비위생적인 환경에 노출되어 있는 우리 나라의 상황은 더 설명이 필요치 않다. 통계에 따르면 최근 4년간(1996~2000년) 주요 사료 첨가용 항생제의 판매량이 2~4배 늘어났으며 특히 어떤 특정 항생제는 매년 100%씩 느는 것도 있다고 한다. 물론, 우리 나라에도 환경을 생각하고 가축을 가족처럼 아껴 약을 안 쓰는 사람들도 있다. 그러나 대부분의 경우는 정도의 차이는 있지만 항생제 사용으로부터 자유롭지 못한 게 현실이다. 이런 고기를 오랜 기간 먹는 사람들의 몸은 어떻게 되는가. 정작 몸이 아파 항생제를 써야 할 때 항생제가 듣지 않아 여러 가지 문제를 일으킬 수 있는 것이다.

요즘엔 가축에서 분리한 포도상구균에 페니실린을 주사해도 대부분의 균이 죽지 않는다고 한다. 이것은 항생제에 죽지 않는 슈퍼 박테리아가 사람의 몸에 그대로 옮겨갈 수 있다는 것을 의미한다. 쉽게 설명하면 이렇다. 항생제가 첨가된 사료를 먹은 가축의 고기에서 살모넬라(식중독균) 내성균이 발견되고 이 고기를 먹은 사람은 살모넬라 식중독을 일으킨다는 것이다. 이 얼마나 끔찍한 결과인가. 최근엔 감기 한 번 걸리면 항생제를 아무리 처방해도 기침이 낫지 않고 한두

달 동안 계속 앓는 사람들이 늘고 있다. 이런 현상이 우리의 먹을거리 환경과 관계가 없다고 말할 수 있는가.

이런 우려를 증명이나 하듯 한국의 소비자 보호원은 올해 7월 놀라운 사실을 발표했다. 현재 시판중인 각종 식품에서 발견한 대장균 중에 항생제 내성을 가진 대장균이 무려 92.9%나 된다는 것이다. 식중독균인 황색포도상구균은 전체의 27.8%에서 검출됐고 항생제 내성균의 비율은 94.8%였다. 비브리오균은 8%의 식품에서 내성균 비율은 100%였으며 살모네라균은 3.8%의 식품에서 내성균은 94.9%에 달했다. 항생제 내성균이 많아지면 어떤 항생제로도 치료가 안 되는 슈퍼 박테리아가 생기고 불특정 다수의 건강을 심각하게 위협할 수 있다. 소비자보호원의 발표가 있고 얼마 지나지 않아 병원에서 어떤 항세제에도 죽지 않는 슈퍼 박테리아가 발견되었다는 뉴스가 뒤를 이었다. 이제 비극의 파도가 우리 발밑까지 와 있는 것이다.

일리노이 주립 대학 교수인 사무엘 입스타인 교수는 환경과 음식에 관한 여러 저서를 남겼으며 전세계를 다니며 강연을 하는 사람이다. 그에게 취재 요청을 했더니 다행히 한국에도 방문할 계획이 있다는 연락이 왔다.

지난해 가을 서울의 한 호텔에서 그를 만나 인터뷰를 하던 중 가축들의 열악한 생육 환경을 개선할 묘안이 있는가를 물어 보았다. 그러자 그는 아주 단호하게 다음과 같이 말했다.

"정부가 규제를 하는 겁니다. 모든 농장에서 가축을 사육하는 과정을 면밀히 살펴 1~5등급까지 등급을 매기는 겁니다. 1등급이 가장 좋은 환경에서 자란 것이고 5등급이 제일 안 좋은 등급이라고 합시다. 상품에 등급 표시가 되면 소비자들은 5등급 고기를 사지 않을 것입니다. 설령 풀을 먹여 키운 소라 하더라도 생육 환경이 나쁘면 등급을 떨어뜨리는 겁니다. 그러면 시장에선 무슨 일이 일어날까요. 5등급 생산자는 자신이 부도가 날 것이라는 것을 알기 때문에 좋은 환경을 만들기 위해 당장 변화를 시도할 것입니다."

명쾌한 답변이었다. 정부가 어떤 정책을 세우고 관리하는가에 따라 모든 것이 빠른 시간 안에 변화될 것이 분명해 보였다. 좋은 등급일수록 가격이 높아야 함은 물론이다. 그래야 친 환경적 축산을 하는 사람들이 신나게 살 것 아닌가.

얼마 전까지만 해도 돼지 콜레라와 구제역이 발생했다고 뉴스마다 난리였다. 구제역이다, 콜레라다 하는 가축 전염병이 돌 때마다 우리 축산 농가들은 일순간 마치 폭탄 맞은 상황이 된다. 애써 키운 가축을 모두 땅에 파묻어야 한다.

전염병이 아예 생기지 않게 할 수는 없겠지만 반복되는 상황이 가슴 아프다. 여러 가지 원인이 있지만 가축들이 웬만한 질병에 저항력을 발휘하지 못할 정도로 약해져 있는 것도 한 가지 이유일 것이다. 가축들이 아프지 않는 환경을 만드는 것이 인간이 안전하게 사는 길이다. 지구상 모든 생명체는 서로 연결되어 있다는 사실을 잊지 말아야 한다.

잘먹는 것은 음식의 질뿐 아니라 음식을 먹는 방법도 의미한다. 몸에 좋은 음식을 천천히 오랫동안 씹어 먹으면 영양섭취에도 좋을 뿐 아니라 뇌세포를 활성화시켜 건강한 삶을 유지하게 해준다.

제5장

잘 씹어야 잘산다

입안에서 벌어지는 경이

음식이 입에 들어가면 혀로 맛을 음미하고 치아로 보내져 치아는 이것들을 잘게 부순다. 치아는 음식을 잘게 부수는 역할뿐 아니라 치아의 운동신경을 다시 뇌로 전달하는 복잡한 상호작용을 거치면서 뇌를 활성화시킨다. 이와 동시에 입에 들어온 음식은 침샘을 자극하는데 하루에 생산되는 침의 양은 약 1.5~1.8리터나 된다.

니시오카 하지메 박사. 그는 식품첨가물 분야뿐 아니라 침이 활성 산소를 차단하는 효과에 대한 연구로도 유명한 사람이다. 음식에 자극받아 분비되는 침에는 평소 말할 때 분비되는 침에 없는 성분들이 들어 있다고 한다. 이 침들이 음식과 섞이면서 탄수화물을 소화시키고 효소가 나와 우리 몸의 세포에 노화와 암의 성장을 촉진하는 활성 산소에 대항하는 항산화제의 역할도 하는 것이다. 그는 이것만 봐도 인간의 몸이 얼마나 잘 만들어졌는지 알 수 있다고 말한다.

나는 실험실에서 그와 직접 김치 냄새로 생겨난 침을 몸에 이로운 균에 섞고 여기에다 몸에 해로운 활성 산소를 넣은 A(타액+이로운 균+활성 산소)와 여기서 타액만 뺀 B(이로운 균+활성 산소)를 하루 동안 배양시켰다. 결과는 A에서는 활성 산소가 침에 의해 차단되어 몸에 이로운 균이 정상적으로 번식했지만 타액을 넣지 않은 B에서는 활성 산소가 이로운 균의 번식을 막았던 것이다. 이렇듯 타액은 활성 산소를 무력화시키는 효과를 보여준다. 우리가 음식을 입에 넣고 오래 씹으면 씹을수록 성인병을 비롯한 각종 질병에 걸릴 가능성이 그만큼 줄어든다.

나는 먼저 인간의 씹는 행위가 인간의 역사를 바꾸었다고 주장하는 '뇌' 연구의 대가 오시마 기요시(76세) 박사를 도쿄로 찾아갔다. 오시마 박사의 서재에는 온갖 해골 모형과 책들이 어지럽게 쌓여 있었다. 그 가운데 그가 직접 쓴 책은 무려 129권. 그는 1년에 5권 정도를 꾸준히 집필해온 왕성한 정력의 소유자이다.

고령의 나이에도 꾸준히 집필 활동을 하고 있는 오시마 기요시 박사.

고령의 나이에 어떻게 이런 일을 해낼 수 있었을까. 그에게 비결을 물었더니 그는 한마디로 "몸에 좋은 음식을 천천히 씹어 먹으며 꾸준한 운동을 하는 것이 뇌세포의 활동을 왕성하게 하는 비결"이라고 귀뜸해 주었다. 한나절을 그의 집에 머무르면서 그의 하루 일과를 자세히 관찰할 수 있었다. 그는 하루에 수영(일주일에 서너 번)과 자전거 타기(매일)를 각각 한 시간씩 한다. 그의 집은 언덕이 매우 가파른 산꼭대기에 자리잡고 있는데 그는 기어도 없는 옛날 자전거로 끄떡없이 그 언덕을 오르내렸다.

저녁식사 시간이 다가오자 그는 부인과 부엌에 들어가 함께 음식을 장만하기 시작했다. 연두부와 생선구이, 야채 샐러드와 된장국 그리고 한잔의 맥주가 그의 소박한 식단이었다. 그의 식사시간은 거의 한 시간 가까이 이어졌는데, 천천히 식사를 마친 그가 입을 열었다.

그는 옛날 조상의 두개골을 가리키며 그의 가설을 설명했다.

"이것은 400만 년 전에 두 다리로 선 20대 여자의 두뇌입니다. 현대 남자의 뇌가 1400g, 여자가 1200g으로 체중의 약 2%입니다. 그런데 인류가 직립할 때의 두뇌는 400g이었습니다. 작죠? 무려 1000g이나 차이가 납니다. 그들은 단지 두 다리로 섰을 뿐 말도 제대로 하지 못했고 먹는 것도 거의 씹지 않고 삼켰습니다. 그 결과 400만 년 중에 300만 년 동안은 두뇌가 거의 자라지 않았습니다. 그런데 어느 용기 있는 선조 중 한 명이 불타고 남은 숲 근처로 갔습니다. 지금으로부터 100만 년 전이었죠.

용기있는 그가 막대기를 가지고 불타고 있는 물체의 안을 찔러 보았습니다. 막대기에 붙은 짐승 고기의 맛은 그 전까지 먹었던 맛과 천지차이였어요. 그때까지는 고기를 먹더라도 대충 씹어 삼켰어요. 그런데 막대기 끝에 꽂아 구우니까 잘 씹을 수 있고 고기즙이 나와 맛있었던 거죠. 300만 년 동안 인류는 바보처럼 살았던 겁니다. 그 이후 30만 년 만에 두뇌가 1000g이 되었습니다. 많이 씹음으로써 두뇌가 그렇게 커진 겁니다. 두뇌가 1000g이 되면서 그때까지는 소리만 질렀지만 그후부터 제대로 된 말로 의사를 표현하게 되고 다른 부락과 커뮤니케이션을 할 수 있게 되었습니다. 많이 씹으면서 현대인이 탄생한 것입니다. 이것은 엄청난 사건이었습니다. 그후로 사람의 뇌는 점점 커져 현대인의 1400g으로 되었습니다."

공상 소설 같은 흥미로운 이야기였다. 인간의 뇌가 씹는 것으로 발달했다면 왜 씹으면 뇌가 커지는 것일까.

"왜 씹는 것이 뇌의 발달에 좋은가요?"

"뇌를 발달시키는 요인에는 크게 두 가지가 있습니다.

턱의 정보가 뇌로 전달되는 모습.

하나는 오감(五感)의 자극입니다. 눈으로 보고 귀로 듣고 코로 냄새를 맡고 입으로 맛을 보고 피부로 느끼는 감각, 이것을 오감이라 합니다. 그러나 요즘 아이들이 사용하는 감각은 아마 주로 시각일 것입니다. 눈으로 보는 것, 텔레비전이나 게임 같은 것들 말입니다. 그렇게 해서는 균형 잡힌 자극이 뇌에 전달되지 않습니다. 뇌신경 회로는 균형을 잃게 됩니다.

다른 하나는 운동 자극입니다. 사람은 두 다리로 서게 되면서 다리에 체중을 싣고 걷게 되었죠. 발바닥 전체에 체중을 싣지 않으면 뇌에 정보가 전달되지 않습니다. 굽이 높은 신발을 신은 젊은 여자들의 경우 그들의 정보는 뇌까지 가지 않습니다. 따라서 굽이 높은 신발을 신는 사람은 그만큼 뇌발달에 손해를 보는 것입니다. 발바닥 전체에 체중을 제대로 싣고 똑바로 걷는 것이 가장 중요합니다. 그 정보는 뇌로 갑니다.

다른 정보의 루트는 손입니다. 두 다리로 걷게 되면서 손이 해방되었습니다. 우리는 손으로 많은 것을 만들어 왔습니다. 서예, 그림 그리기, 국수 뽑기… 손에 의한 정보가 매우 중요합니다. 그런데 전자 기기가 범람하는 현대는 겨우 손가락 한두 개만을 사용할 뿐입니다. 톡, 톡, 톡. 이것은 안 됩니다. 손으로부터의 정보가 제대로 뇌까지 가지 않습니다.

마지막 운동 정보는 턱의 정보입니다. 입의 압력은 대단합니다. 절벽에서 떨어지는 사람에게 로프를 잡게 하고 입으로 당겨 사람을 끌어올릴 수 있을 정도로 턱의 힘은 강합니다. 뭔가를 씹어 부술 때 뇌에 좋은 정보가 들어갑니다. 25%는 팔, 25%는 다리가 전해 주는 것이지만 나머지 50%는 우리의 턱이 전해주는 것입니다. 인간이 좀더 일찍 턱 운동에 열심히 몰두했다면 지난 300만 년을 허비하지 않았을 것입니다. 인간 뇌의 용적은 턱의 움직임, 즉 씹는 운동이 활발해지면서 변화가 오기 시작했지요."

인간이 다른 영장류와 다르게 음식을 오래 씹어 먹게 되면서 뇌가 발달했다는 것이다. 매우 그럴듯한 논리였다.

"씹는 것으로 병을 예방할 수 있다고 하던데요?"

"씹을 때 생기는 침에는 면역물질이 많이 들어 있습니다. 꼭꼭 씹는 아이들은 O157균이 들어와도 발병하지 않는다는 것을 알았습니다. 그만큼 침은 중요합니다. 요즘 아이들은 밥을 먹는데 오래 씹지 않고 삼킵니다. 이것은 식사가 아니라 사료를 먹는 것입니다. 동물이 사료를 먹는 것처럼 식사를 하는 한 뇌가 절대로 발달하지 않습니다. 딱딱한 음식을 먹으라고 말하는 것이 아닙니다. 부드러운 음식도 씹다 보면 맛이 변합니다. 맛이 변한다는 것은 음식과 침이 상호작용한다는 증거입니다. 침에는 면역물질만 있는 것이 아니라 음식의 맛을 바꾸는 기능도 있습니다. 그냥 달고 매운 것이 아니라 말로 표현할 수 없는 맛을 만들어 냅니다. 이처럼 맛이 바뀌는 것을 알게 되면 그냥 음식을 삼키는 식사는 없어질 것입니다. 그런 습관을 어릴 때부터 들이는 것이 중요합니다.

사람의 뇌신경은 열 살에 완성됩니다. 지금 일본을 뒤흔들고 있는 청소년 살인은 이 소프트웨어가 완전하게 발달하지 못하여 일어나고 있다고 생각합니다. 열 살까지 어느 정도 뇌를 완성시키기 위해선 어릴 때부터 운동 정보와 오감 정보를 뇌에 전달하는 것이 가장 중요하다고 생각합니다. 뇌는 아무리 나이를 먹어도 자극을 주는 한 반응을 보입니다. 열 살 때처럼 빠른 반응은 불가능하지만 시간을 들여 매일매일 자극을 주면 뇌는 반드시 반응을 보입니다. 80세, 90세 되는 사람도 꼭꼭 씹는 사람은 신체가 건강하고 활동도 열심히 합니다. 요즘 젊은이들은 잘 씹지 않습니다. 편의점에서 샌드위치를 사서 청량음료와 꿀꺽 삼키는 일이 많아요. 음식을 많이 씹지 않는 젊은층에서 설암(舌癌)이 유행한다는 의학 정보가 얼마 전에 있었습니다."

"선생님이 건강을 유지하는 비결은 무엇인가요?"

"항상 뇌를 젊게 유지하는 것입니다. 그렇게 하기 위해서는 뇌에 감각 자극, 운동 자극을 끊임없이 줍니다. 오늘도 8km를 자전거로 갔다 왔어요. 아침, 점심, 저녁은 꼭 현미로 먹습니다. 그리고 제일 좋은 음식은 역시 제철 식품입니다. 한국, 일본에는 춘하추동 4계절이 있잖아요. 4계절에 따라 바다에서는 여러 가지 생선이 나오고 밭에서는 계절 야채가 열립니다. 그런 것을 기본적으로 먹습니다. 육류를 반드시 먹을 필요는 없지만 가끔은 먹습니다. 일본은 바다에 둘러싸여 있으므로 생선을 먹으면 됩니다. 계절에 따라 여러 종류의 생선이 있지 않습니까?"

"식사할 때 꼭 신경을 쓰는 것이 있다면 어떤 점입니까?"

"식사는 시간을 정해놓고 1시간 가량 아주 천천히 먹습니다. 이야기를 하면서 꼭꼭 씹어먹고 시간을 들여서 먹는 것이 중요합니다. 5분 만에 빨리 먹어치우고 먹자마자 바로 일하지 않습니다. 시간을 들여 정보가 뇌에 전달되게 합니다. 생선도 씹다 보면 점점 단맛이 나고 좋은 냄새가 나기도 하므로 그것 또한 즐거움입니다. 식사를 하는 행위는 함께 먹는 사람과의 교감입니다. 가족들이나 마음이 맞는 사람들과 함께 먹으므로 즐겁습니다. 가족의 커뮤니케이션에 식사가 매우 중요합니다. 저는 가족이 함께 식사하는 문화를 부활시켜야 한다고 생각합니다."

필자도 식생활 개선을 하면서 가장 효과를 본 것이 씹는 즐거움을 찾게 된 것이라 할 수 있다. 뇌를 활성화시키는 효과는 눈에 보이지 않아 솔직히 잘 모르겠지만 오래 씹으면 음식의 맛이 그렇게 달라질 수가 없다. 그 전에는 대충 씹어 그냥 습관적으로 삼키던 음식도 오래 씹다 보니 맛이 완전히 달라지는 것이다. 잡곡이든 채소든 멸치든 씹다 보면 '자연식이 이렇게 맛있는 것이구나' 하는 말이 절로 나온다. 게다가 말썽을 자주 일으키던 위장도 매우 편해졌다.

"인생을 잘사는 방법이 무엇이라고 생각하시는지요?"

뜬금없이 추상적인 질문을 던지자 그가 얼굴에 미소를 지었다.

"잘사는 것이라…. 인생에는 산도 있고 강도 있고 비가 오는 날이 있으면 태풍이 부는 날도 있습니다. 어떤 일이 닥쳐도 좌절하지 말고 마음에 담아두지 않는 게 좋습니다. 뒤를 돌아보는 대신 앞을 보고 사는 겁니다. 청춘이란 것은 꼭 나이가 젊은 것만을 의미하는 것은 아닙니다. 자기 마음 속에 여러 가지 감각을 불어넣으면 80, 90이 되어도 그 사람은 청춘입니다. 나이가 들어서 이젠 안 된다는 침울한 생각이 뇌를 해칩니다. 나이가 들어도 청춘처럼 사는 것, 그것이 잘 사는 방법이라고 할 수 있지 않을까요? 허허허…."

욕심을 버린 듯한 노 교수의 소탈한 웃음에 삶의 향기가 물씬 배어 나왔다. 어쩌면 인생은 그렇게 복잡한 것이 아닐지도 모른다. 밝은 면을 보고 사느냐 어두운 면을 보고 사느냐에 따라 이렇게 인생이 달라지는 것이다. 오시마 교수처럼 씹는 습관 하나 바꾸는 것만으로도 인생은 얼마든지 즐겁고 건강하게 살 수 있는 것 아닐까.

빨리 먹는 습관이 목숨을 재촉한다

씹는 이야기가 나온 김에 좀더 깊이 있는 연구에 대해 소개하려 한다. 일본은 세계적으로 저작(詛嚼)에 관한 연구가 발달했다. 특히 기후 대학의 저작학회를 중심으로 씹는 행위가 기억을 담당하는 뇌의 해마에 어떤 영향을 주는가에 관한 연구가 활발히 진행되고 있다.

2001년 6월 말 내가 기후 대학 연구소를 찾아갔을 때 후지타 마사후미 박사 팀은 FMRI 기계 앞에서 한창 연구를 진행하고 있었다. 피실험자가 FMRI 기계에 누워 눈앞에 순간적으로 지나가는 FMRI 영상을 기억해 내는 정도를 측정하고 다시 2분간 음식을 씹은 후 같은 방법으로 측정하여, 씹는 행위가 기억력에 미치는 영향과 FMRI를 통해 뇌의 해마 부위가 어떻게 반응하는가에 관한 실험이었다.

나의 눈으로 직접 확인한 그날의 실험 결과는 놀랍게도 음식을 씹은 후가 평상시 상태보다 30%나 정답률에서 향상을 보였으며 뇌의 해마 부분이 훨씬 활성화되었다(씹기 전의 정답률은 56.25%이고 씹고 난 다음에는 87.5%였다). 이 결과는 2분간 씹는 것으로도 기억력이 상승한다는 것을 의미하는 것이다.

장소를 다시 기후 대학 동물 실험실로 옮겼다. 그곳에서는 치아가 정상적으로 있는 쥐와 치아를 제거한 쥐에 관한 실험이 진행되고 있었다. 실험을 주도하는 와타나베 가즈코 박사는 나에게, "사람의 이를 일부러 깎거나 뽑을 수 없으므로 동물을 대상으로 치아 상태가 나빠졌을 때와 정상인 상태에서 공간 인지 능력에 어떤 차이가 생기는지를 보는 것입니다. 우리가 궁극적으로 연구하는 것은 사람이 치매에 걸리는 현상을 어떻게 예방할 수 있는지에 관한 것입니다"라고 실험 목적을 설명해 주었다. 실험 결과 치아를 제거한 쥐의 공간 기억력이 정상 쥐보다 훨씬 떨어지는 모습을 목격할 수 있었다. 이것은

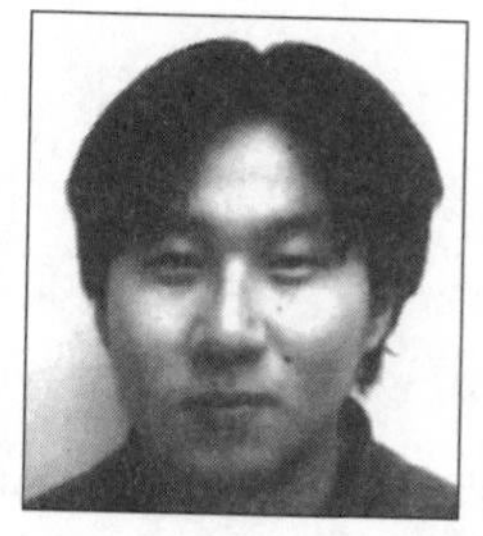

고대인 · 현대인 · 미래인의 얼굴 변화 모습 고대인은 턱이 발달되어 있는 반면, 미래인으로 갈수록 턱이 길어지고 눈 주변의 뼈 각도가 깊어진다. 교토대학 쯔쯔미 사다미 교수의 시뮬레이션

치아가 성치 못한 사람이 치매에 걸릴 가능성이 더 높다는 사실을 반증한다. 씹지 않으면 뇌도 퇴화하는 것이다.

나는 내친 김에 저작학회 사이토 시게루 회장을 앞세우고 교토로 향했다. 교토 대학의 쯔쯔미 사다미 교수. 그는 인간의 얼굴 형상의 변화가 씹는 행위에 영향을 받아왔으며 근시가 늘어나는 한 원인으로 과거보다 부드러운 음식을 선호해온 결과라는 연구를 발표했다. 그는 3차원 시뮬레이션으로 고대, 현대, 미래인의 얼굴 변화 모습을 보여주었는데 사진에서 보듯이 특히 턱 부분과 눈 주변의 변화가 두드러진다. 고대인은 턱이 발달되어 있고 미래인으로 갈수록 턱이 길어지고 눈 주변의 뼈 각도가 깊어지는 것이다.

"씹는 힘이 약해져 안면의 뼈 발달이 저하됩니다. 턱 주변만 그런 게 아니고 눈의 크기에 비해 눈의 깊이가 깊어졌습니다. 따라서 근시가 되기 쉽다고 저희들은 해석하고 있습니다. 고대인은 딱딱한 것을 먹었으므로 현대인보다 1.5배 강한 힘으로 씹었다고 생각합니다. 미래인들의 씹는 힘은 지금보다도 3분의 2로 약해질 것입니다. 씹는 힘이 약한 미래인들은 근시가 되기 쉽습니다."

씹는 것이 근시와도 관계가 있다는 그의 설명에 요즘 대부분의 아이들이 안경을 끼고 있다는 사실이 떠올랐다. 다른 여러 요인을 감안해도 한 반에 절반 이상의 학생들이 안경을 낀다는 것은 무엇으로 설명할 수 있을까. 컴퓨터를 많이 해서일까, 공부를 많이 해서일까, 아니면 쯔쯔미 교수 말처럼 씹지 않아서일까?

음식의 변화도 눈에 영향을 미친다는 가장 최신의 연구 하나를 소개할까 한다. 미 콜로라도 대학의 로렌 코데인 박사 팀이 연구 발표한 논문을 보면 정제된 밀가루나 시리얼, 설탕 등이 급격히 인슐린 수치를 올리고 안구의 발달에 영향을 주어 원시나 근시의 원인이 된다는 것이다. 그는 남태평양 섬 사람들을 대상으로 연구를 했는데 한 세대 안에서도 급격한 식습관의 변화가 근시의 원인이 될 수 있다고 경고하고 근시율이 과거 1%도 안 되던 이들 나라의 근시율이 50%에 육박하고 있다는 연구 결과를 발표했다. 덜 씹게 만드는 부드러운 음식과 이런 음식의 특징인 과다한 당분 함량 등이 몸의 질서를 어지럽혀 눈에 영향을 준다는 주장은 요즘 아이들의 눈의 상태를 보면 매우 설득력 있는 이야기이다.

일본은 이런 학문적 성과를 현실에 옮기고 있었다. 도쿄 스미나구의 한 보육원. 대학교수를 초빙하여 아이들에게 씹는 훈련을 시키는 곳이다. 푹푹 찌는 한여름에 아이들은 땀을 뻘뻘 흘리며 저작학회 여교수의 구령에 맞추어 한 번에 서른 번씩 껌으로 씹는 연습을 하고 있었다. 어려서부터 아이들에게 음식을 먹는 기본 교육을 시키면 그 습관이 죽을 때까지 간다는 설명이다. 이렇게 일본 사람들이 씹는 교육에 관심을 갖게 된 데에는 저작학회의 공로가 컸다. 저작학회 회원들은 왜 학회까지 만들며 씹는 행위에 관심을 가지게 되었을까. 사이토 시게루 저작학회장의 이야기를 직접 들어보자.

"저희는 지금까지 전혀 관심을 기울이지 않았던 씹는 행위가 건강하고 오래 살기 위해서 아주 중요한 행동이라는 것을 알게 되었습니다. 이런 문제를 학회에서 다루게 된 것은 1989년부터인데 일본인들의 씹는 횟수가 점점 줄어드는 경향이 있어 조사를 해봤습니다. 먼저 약 2000년 전 일본의 야요이 시대 사람들이 무엇을 먹었는지에 대한 기록이 중국 잡지에 나와 있어 그 음식물을 재현해 보았습니다. 한 끼를 먹는 데 약 4천 번 씹는 횟수를 기록했습니다. 그런데 현재의 일본 젊은이들은 햄버거, 스파게티 등을 620번 씹어 먹습니다. 야요이 시대의 2배 이상의 칼로리를 짧은 시간에 먹어 버리는 것입니다. 약 50년 전만 해도 대개 1400~1500번 정도 씹었는데 겨우 반세기 만에 씹는 횟수가 반으로 줄어든 것입니다. 도대체 이런 현상이 몸에 어떤 영향을 미치는지가 궁금해졌죠. 치과학, 의학, 공학, 식품화학 등 여러 분야에서 약 1천 명의 전문가가 모여 씹는 것이 인체에 미치는 영향에 대해 집중 조사하게 되었습니다."

"씹는 횟수가 줄고 있는 이유가 단지 음식이 변해서인가요?"

"크게 보면 일본의 사회구조의 변화, 즉 일본 경제의 급속한 발전이 일본 가정문화를 바꾸었습니다. 부부가 모두 밖에서 일을 하다 보니 과거처럼 가족이 단란하게 식사하는 기회가 점점 줄었습니다. 올

바로 먹는 방법에 대한 가정에서의 교육이 사라진 거죠. 또 하나는 음식문화의 서구화입니다. 편의점에서 이미 만들어진 것을 금방 먹을 수 있게 되었죠. 그런 음식은 맛이 없으면 팔리지 않습니다. 당연히 부드럽고 맛있는 음식을 만들게 되고 사람들은 이런 음식을 잘 씹지 않아도 많이 먹을 수 있게 되었습니다. 그것도 고칼로리 음식을 말입니다.

1994년 미국의 비뇨기과 잡지(*Journal of Urology*)에 나온 논문인데, 쥐의 타액을 없애면 수컷은 정자 수가 20~25% 줄고 운동량이 70% 정도 감소하며 임신시킬 수 있는 능력이 3분의 1로 떨어진다고 합니다. 씹어서 타액을 내는 것과 생식 능력은 밀접한 관계가 있다는 것입니다. 정자 수가 줄고 움직임도 활발하지 못하다는 것입니다. 씹는 것을 소홀히 해서는 안 됩니다. 경제적으로 윤택해진 나라에서 일어나고 있는 현상은 부드럽고 맛있는 것을 추구하는 것입니다. 그러나 그것은 매우 위험한 일입니다. 이런 식의 생활 습관은 병에 걸리기 쉽게 하고 노후의 건강에 위험을 초래하며 치매에 걸리기 쉬운 방향으로 가는 것입니다. 역시 옛날처럼 열심히 씹어 먹는 것이 건강의 기본이라고 생각합니다."

씹는 것은 단지 음식물을 잘게 부수어 넘기는 것이 아니라 몸의 세포와 신경을 활성화하는 데 매우 필요한 것이다. 각국의 음식 가운데는 많이 씹어야 하는 것들이 있다. 우리에겐 각종 나물과 김치, 김 등 여러 가지 식물섬유들을 씹는 문화가 있다. 이런 음식은 단순히 영양 섭취에만 관련된 것이 아니라 중추신경을 포함하여 몸 전체의 기능을 활성화시키는 것과 관련이 있는 것이다.

또 한 가지 중요한 것은 잘 씹지 않으면 음식의 섭취량을 조절하는, 즉 포만감을 느끼게 하는 뇌의 중추가 자극을 받지 않아 아무리 많이 먹어도 자꾸 먹고 싶어진다는 것이다. 그래서 씹지 않으면 많이 먹을 수 있어 비만으로 이어진다는 것을 잘 알고 이용한 사람들이 일본의 스모 선수이다. 그런데 스모 선수처럼 운동도 하지 않으면서 이런 식으로 먹는 요즘 아이들에게 비만 문제가 생기는 것을 당연한 일이다.

또한 입에서 어떤 과정을 거쳤는가에 따라 위에 들어온 음식이 현격히 달라진다. 소화의 측면에서도 잘 씹으면 음식이 아주 작은 조각으로 분쇄되어 소화하기에 좋은 상태가 되고 비교적 짧은 시간에 소화가 끝나게 된다.

그러나 음식을 잘 씹지 않고 큰 덩어리로 넘기면 음식을 소화시키기 위해 위가 계속 움직여야 한다. 그 과정에서 자신이 먹은 음식만 소화되는 것이 아니고 위에도 심한 자극을 주게 된다. 특히 빠른 군대식 식사에 익숙해진 한국 성인 남자들의 식습관은 그야말로 위장에 치명적인 식습관이다.

그리고 대충 씹고 빨리 먹는 사람들은 자신도 모르게 쩝쩝 소리를 내는 바람에 같이 식사하는 사람을 몹시 당황스럽게 하기 일쑤이다. 아무리 학식과 교양이 넘치는 사람이라도 밥 먹는 소리가 크면 남들에게 좋은 이미지를 줄 수 없다는 점을 명심하고 자신의 식탁예절을 점검해 봐야 한다.

음식이 몸 안으로 본격적으로 들어오기도 전에 우리 몸의 입구인

입에서만도 이처럼 복잡한 일들이 동시다발적으로 일어난다. 잘먹는 것은 음식의 질뿐 아니라 음식을 먹는 방법도 중요함을 의미한다. 사람의 운명은 어쩌면 음식을 집어넣는 입안에서부터 이미 결정되는지도 모른다.

요즘 사람들은 밥맛을 좋게 하려고 10번 깎은 쌀을 먹는다.
도정 과정을 10번 거친 쌀에는 무엇이 남아 있을까?
실망스럽게도 우리가 먹는 백미는 우리 몸에 중요한
비타민, 미네랄, 섬유질 등이 거의 소실된 녹말 덩어리이다.
부드러운 맛에 취해 중요한 물질을 다 제거한 쌀을 매일
주식으로 먹는 것은 자기 꾀에 자기가 넘어간 인간의
우매함을 드러내는 일이다.

제6장

잘먹는 지름길, 콩과 섬유질

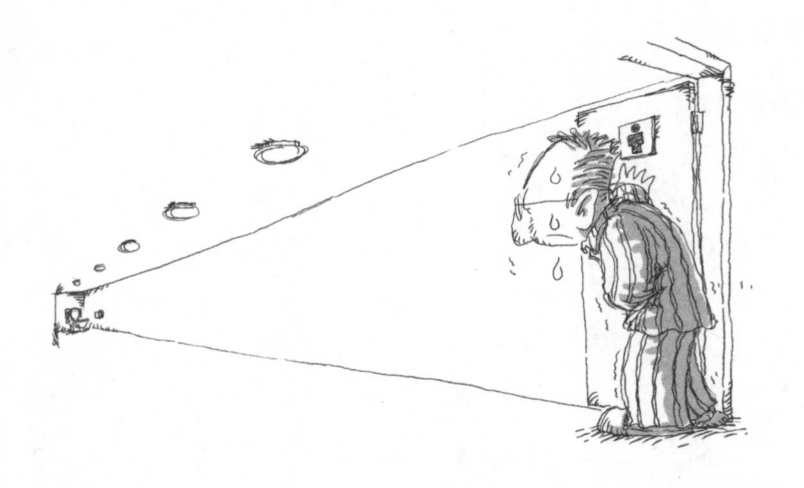

변비의 해결사 '콩'

우리가 입에 들어가는 음식의 맛에만 탐닉해 있는 사이 대장은 찬밥 대우를 받아왔다. 음식이 똥으로 변해 밖으로 나오기 전에 잠시 머무는 곳쯤으로 알려진 대장은 사실 제2의 뇌라는 별명을 가진 매우 똑똑하고 중요한 기관이다. 배설은 소화와 흡수 못지않게 인간의 신체에서 매우 중요한 기능을 한다. 배설을 잘하는 것이야말로 잘사는 법의 기본 중의 기본이다.

사실 취재 당시 배변 문제로 고통받는 사람들이 주변에 너무 많기 때문에 20년간 변비로 고생하는 사람의 사례를 취재한 바 있다. 시간상 그 사례를 부득이 뺄 수밖에 없었지만 이제 지면을 통해 소개하려 한다. 모 대학의 김교수는 20년간 변비로 고생해왔다. 배변은 일주일에 한 번 정도, 그것도 술을 먹어야 일주일 동안 쌓인 배설물이 설사가 되어 한꺼번에 나온다. 그래서 그는 적어도 일주일에 꼭 한 번은 삼겹살에 소주를 마신다. 그러면 그 다음날은 여지없이 설사. 그 동안 쌓인 배변 양도 엄청나다. 이런 생활을 20년 동안 반복해온 그에게 생 청국장을 권했다. 생 청국장은 호서 대학의 김한복 교수가 실험실에서 만든 것으로 일본의 낫도(納豆)와 비슷하다. 콩에 유익한 균을 주입해 발효시킨 청국장을 날것 그대로 먹는 것이다. 집안에서도 자연 발효시켜 만들 수 있다. 김교수에게 식사할 때마다 생 청국장을 큰 숟가락으로 한 번씩 떠먹게 했다. 생 청국장의 콩에는 5%의 섬유질과 각종 유익한 균들이 수백억 마리 들어 있는데 이것들이 장의 정장 작용을 한다. 변비 환자에게는 변을 나오게 해주고 설사 환자에게는 변을 좋게 해준다. 이 자연식품의 효과를 기대하면서 몸에 변화가 오면 곧 연락을 달라고 당부했다.

그런데 일주일이 못 되어 김교수에게서 연락이 왔다. 변이 잘 나온다는 것이다. 나는 일주일을 더 지켜보다가 계속 변이 잘 나오면 취재하기로 마음먹고 다시 일주일을 기다렸다. 일주일 후 김교수에게서 연락이 왔다. 변이 계속 잘 나온다고 했다. 20년간 고생해온 변비를 일주일 만에 해소하는 콩의 위력. 그 힘은 바로 콩 안에 있는 섬유질과 청국장의 발효균들에 있었다.

일본의 식문화 연구가이며 낫도 전문가인 나가야마 와키사와 씨(68세). 그는 일본이 전통적으로 콩을 많이 먹어온 민족이며 최근에 콩의 효능에 대해 사람들이 다시 주목하고 있다고 말했다. 일본에서 콩 소비의 상징적 위치를 차지하고 있는 것이 낫도이다. 낫도를 만드는 것은 청국장을 띄우는 방법과 비슷한데, 콩을 삶거나 쪄서 볏짚으로 싸 발효시켜 만든다. 낫도는 밥 위에 올려서 그대로 먹기 때문에 유익한 균이 그대로 살아 있다. 그는 일본인들이 세계에서 가장 오래 사는 비결 중의 하나가 바로 낫도를 먹는 데 있다고 말했다.

"일본인의 평균 수명은 남자가 77세, 여자가 84세입니다. 이 중 100세 이상인 사람만 1만 3천 명이 넘는데 낫도를 먹는 전통적인 식문화를 소중하게 여겨온 덕분이라 생각합니다. 그런데 전통 발효식품을 먹을 때는 지혜가 필요합니다. 일본에는 이런 속담이 있습니다. '된장국에 들어가는 재료가 익으면 얼른 불을 꺼라.'

이 말은 된장을 넣은 다음엔 끓이면 안 된다는 말입니다. 된장에 들어 있는 미생물을 가능한 죽이지 않고 먹으려는 조상들의 지혜입니다. 이렇게 하면 요구르트처럼 살아 있는 유산균이 몸 속에 들어가 건강에 좋습니다. 특히 장을 건강하게 합니다. 요즘 사람들은 요리를 할 때 처음부터 된장을 넣고 끓여 버립니다. 그러나 효소는 살아 있는 것이므로 열에 약합니다. 끓이면 균도 향기도 날아가 버립니다. 콩 발효식품이 가지고 있는 좋은 점을 잃게 되는 것입니다. 그래서 옛날 분들은 국이 펄펄 끓으면 된장을 넣고 얼른 불을 끕니다."

특히 낫도 안에는 바실러스균 등 각종 유익한 균과 식물성 호르몬이라고 불리는 이소플라본, 섬유질, 사포닌, 올리고당이라는 다양한 성분이 들어 있다. 고혈압, 당뇨병, 비만, 변비 환자에게 낫도를 먹여 환자 상태가 좋아졌다는 결과도 보고되고 있다. 나이를 먹으면 혈관 속에 혈전이 만들어지기 쉬운데 심장에 혈전이 생기면 심근경색이 되고, 뇌에 혈전이 생기면 뇌경색이 되는데 낫도 안에 있는 낫도키나제라는 효소가 그 혈전을 녹이는 역할을 한다. 혈전은 주로 잠자는 동안에 만들어지는데 혈전을 방지하려면 낫도를 저녁에 먹는 게 좋다고 나가야마 씨는 일러주었다.

채식주의자나 콩 예찬론자들은 콩에는 약 35%의 단백질이 있는데 고기 대신 콩만 먹어도 충분한 단백질 섭취가 가능하다고 말한다. 특히 어린이나 청소년처럼 세포 분열이 활발한 세대라면 몰라도 나이 지긋한 사람들은 구태여 소화도 잘 안 되는 고기를 먹을 필요가 없다는 것이다. 치아가 약해지는 것이 노화의 결과이긴 하지만 딱딱한 음식이나 소화하기 어려운 육식은 이제 그만 먹으라는 자연의 섭리가 아닐까 싶다. 노인들은 청국장이나 생선 같은 음식으로 단백질을 섭취하는 것이 건강에 유익하다고 하는데 일본 노인들의 건강 상태가 이를 입증해 주고 있다.

음식이 사람의 기억력, 학습능력 등과도 연관이 있다는 이론들이 활발하게 발표되고 있는데, 음식의 각 성분들이 몸에 들어가 분해되어 뇌가 요구하는 이온 성분으로 재조합되는 상황을 잘 살펴보면 21세기 정보화시대에 우리에게 어떤 음식이 필요한가에 대한 답이 나온다. 뇌가 쾌적하게 활동할 수 있는 음식을 먹는 것도 미래를 대비하는 방법 가운데 하나일 것이다. 그런 음식 중 대표적인 것이 콩이다. 한국은 콩의 종주국이고 중국, 일본, 동남아시아 모두 콩 문화권이다. 최근 들어 미국, 호주를 비롯한 서양에서 콩이 우유와 고기의 대체식품으로, 그리고 건강식품으로 새롭게 조명되고 있다. 외국의 웬만한 식품 매장에는 콩으로 만든 소고기, 돼지고기, 닭고기 등 각종 콩고기와 콩햄, 소시지는 물론이고 콩아이스크림, 요구르트 등 콩 가공제품들이 많이 진열되어 있다. 동물성 식품은 콜레스테롤이나 중성 지방이 많으므로 우리 몸 안에 들어가면 몸을 괴롭히면서 에너지를 만드는 음식이다. 이에 비해 콩은 뇌와 장의 기능을 최대화할 수 있는 깨끗한 에너지원이다.

나의 인체실험에서도 콩 실험은 빠지지 않았다. 생 청국장과 낫도를 먹은 결과 나도 과거에는 경험하지 못했던 쾌적한 배변을 만끽할 수 있었다. 대장암이 많은 미국인 등 서양 사람들이 콩에 열광하는 이유도 쾌변과 무관하지 않을 것이다. 이런 효능의 중심에는 이제부터 본격적으로 설명할 섬유질이 있다.

신비의 명약 섬유질

다큐멘터리 '잘 먹고 잘 사는 법'은 섬유질 프로그램이라고 해도 과언이 아니다. 섬유질의 효과는 1년의 제작 기간 동안 나의 머릿속에서 떠나지 않는 매우 소중한 화두였다. 섬유질에도 물에 녹는 섬유질이 있고 녹지 않는 섬유질이 있지만 이런 전문적인 설명은 생략하고 쉽게 이야기하면 주로 곡류와 채소의 껍질 부분에 함유되어 있는 소화되지 않는 옷감 같은 조직으로 이것을 씹어 삼키면 몸에서 소화되지 않고 변으로 나온다. 과거 1970년대만 해도 영양학에서는 아무 영양가 없는 이 섬유질을 중요하게 생각하지 않았다. 영양이 없다는 이유로 우리 몸에 필요 없는 물질로 여겨온 것이다. 이런 생각과 더불어 사람들은 이 필요 없는 섬유질을 제거하여 도정한 음식의 맛에 탐닉하기 시작했다. 흰 밀가루, 흰 쌀밥 등 부드러운 음식이 사람들의 혀를 사로잡기 시작하고 식탁을 점령했다. 그것은 우리의 음식문화가 왜곡되기 시작한 전주곡이었다.

요즘 아이들은 도정하지 않은 쌀이나 7분도, 5분도 쌀은 구경도 못하고 자라온 세대이다. 7분도 쌀은 껍질부터 7번 깎은 쌀인데 이 단계까지만 해도 곡식의 각종 영양 성분이 들어 있는 씨눈이 그나마 붙어 있다. 그러나 요즘 사람들은 밥맛을 좋게 하려고 10번 깎은 쌀을 먹는다. 도정 과정을 10번 거친 쌀에는 무엇이 남아 있을까? 실망스럽게도 우리가 먹는 백미는 우리 몸에 중요한 비타민, 미네랄, 섬유질 등이 거의 소실된 녹말 덩어리이다. 부드러운 맛에 취해 중요한 물질을 다 제거한 쌀을 매일의 주식으로 먹는 것은 자기 꾀에 자기가 넘어간 인간의 우매함을 드러내는 것이기도 하다.

곡식을 도정해 먹으면서 생기는 폐해는 씨눈과 껍질에 들어 있는 좋은 영양소를 버리는 것은 물론이고 우리 몸에 꼭 필요한 섬유질도 같이 제거하는 심각한 문제를 야기한다. 섬유질은 우리 몸에서 아주 중요한 역할을 하는데 장 안에서 유익한 균의 증식을 돕고 대장의 배설 기능을 돕는 윤활유 같은 것이다. 대장은 배설을 통해 몸 안의 음식 찌꺼기와 독소를 밖으로 배출시키는 중요한 역할을 담당하는 곳인데 대장이 제 기능을 하지 못하면 숙변의 독소들이 몸 안에 각종 질병을 만들고 변비는 물론 맹장염, 장게실(섬유질 부족으로 대장이 안쪽으로 패이는 병), 대장암까지도 유발할 수 있다.

일본에 모리시타 게이찌라는 의사가 있다. 그는 도쿄 대학 의대를 졸업한 의학박사로 약을 쓰지 않고 병을 치료하는 《채식 건강법》, 《암은 두렵지 않다》, 《식사 혁명》 등 70여 권의 저서를 썼다. 현재 '오차노미즈 클리닉' 원장이며 국제 자연의학회 회장이기도 한 그는 암 환자들을 포함한 불치병을 앓고 있는 환자들에게 약 대신에 음식 처방을 내리는 의사로도 유명하다. 내가 그를 구태여 만나려고 했던 것은 그가 인간의 장기 중에 특히 대장에 대해 남다른 연구를 해온 사람이었기 때문이다.

습도가 높아 가만히 있어도 땀이 솟아나는 한여름 대낮에 도쿄에 있는 그의 사무실로 찾아갔다. 그는 말 그대로 책더미 한가운데 앉아 있었다. 학자들의 연구실에 수도 없이 방문해 봤지만 그의 사무실처럼 좌우 사방이 책으로 어지럽게 널려 있는 곳은 처음 보았다. 그는 그 한가운데 탁자와 의자(탁자와 의자 위에도 책이 잔뜩 쌓여 있었다)를 놓고 앉아 있었다. 에어컨이 없는 서재에서 그는 부채를 부치면서 대뜸 내게 이런 말을 했다.

"올 여름은 이상 기온입니다. 장마가 도중에 끝나 매일 35도 이상이고 얼마 전엔 도쿄에서 36.8도를 기록했습니다. 지구 기후 환경이 이상해졌습니다. 그 이유 가운데 하나는 가축제도 때문입니다. 가축을 기르기 위해 정글을 계속 파괴하고 목장을 만들고 있습니다. 이미 사용하던 목장을 더 이상 사용할 수 없게 되면 더 안으로 들어갑니다. 개척이 점점 활발해지는 것이지요. 여러 가지 의미에서 가축제도가 지구 표면을 이상하게 만드는 원인이 되고 있습니다. 지구를 살리려면 가축 고기 먹는 것을 그만둬야 합니다. 그렇게 되면 지구 표면은 좀더 건강해질 것입니다."

웃으며 던지는 말에 그가 환경문제에도 남다른 관심이 있는 사람이라는 걸 알 수 있었다. 먼저 그의 전공인 장(腸)과 관련된 질문부터 시작하였다.

"육식을 좋아하는 현대인의 식습관이 몸 안 장기의 기능과 잘 어울리는 식습관인가요?"

이 질문을 던지자 그가 사람의 치아 모양부터 먼저 설명하기 시작했다.

"치아 모양을 보면 32개의 치아 중에 육식과 관련이 있다고 생각되는 치아는 송곳니 4개뿐입니다. 그 비율로 생각해볼 때 우리가 먹는 음식 중 육식은 32분의 4만 먹으면 충분합니다. 치아 수뿐만 아니

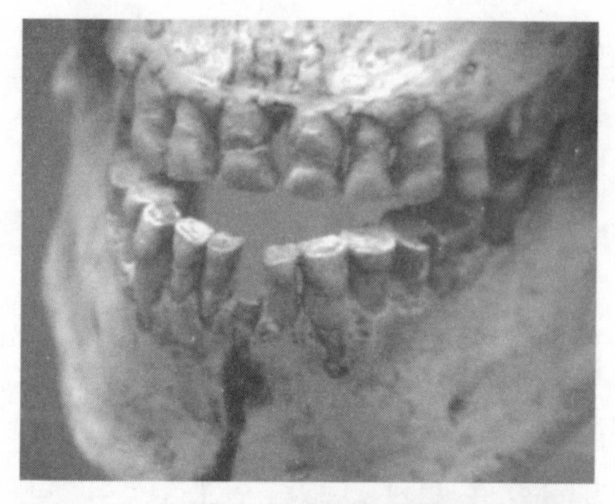

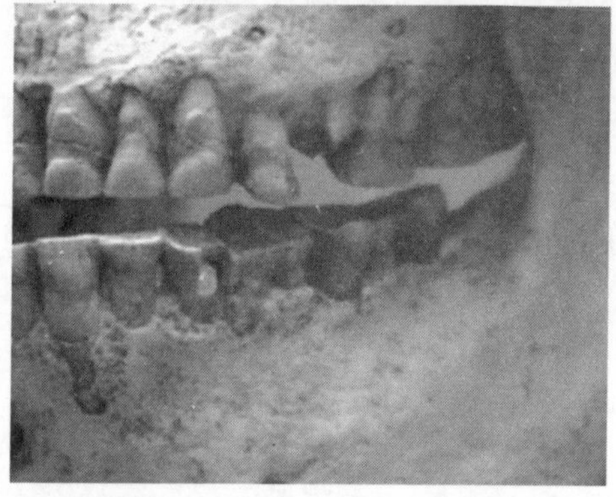

5천년 전 이집트 미라의 치아. 앞니와 송곳니가 날카롭지 않고 어금니가 현대인보다 크다.

라 장의 길이를 보아도 육식동물인 호랑이, 사자 등의 장은 짧습니다. 장 안에서 고기가 썩으므로 장이 길어서는 안 됩니다. 빨리 밖으로 배출해야 합니다. 사람은 명백하게 초식동물이 가지는 장의 길이를 가지고 있습니다. 이런 사실로 미루어볼 때 지금은 사람이 잡식성이 되었지만 원래는 곡물 · 채식동물이었던 것을 알 수 있습니다. 최근 사람들이 이 사실을 잊어버린 것 같습니다."

송곳니의 숫자 문제뿐 아니라 치아의 모양도 인간의 음식· 역사를 말해주고 있다. 영국에서 취재하던 중 스케줄이 갑자기 취소되어 대영박물관에 잠시 머리를 식히러 간 적이 있는데, 그곳에서 5천년 전 미라들의 치아 상태를 보고 난 흥분을 감출 수 없었다. 원형 그대로 보존된 치아의 모습이 현대인들의 치아와 확연히 차이가 났던 것이다. 어금니의 크기도 현대인보다 두 배 가까이 크고 사랑니가 확실히 발달되어 있으며, 앞니도 현대인의 작은 어금니처럼 뭉툭하게 생겼다. 게다가 세월의 흐름을 아무리 감안하더라도 송곳니의 날카로움도 훨씬 덜했다. 이것은 옛날 사람들이 곡류와 채소를 많이 먹고 살았다는 사실을 입증하는 것이다.

또한 인간의 장(약 8.5미터)은 육식동물에 비해 길다. 구조적으로 인간은 대사가 느린 장의 구조를 가지고 있고 이런 장의 구조에 가장 적합한 물질은 식물에 있는 섬유질이다. 섬유질은 변의 양을 늘려 장을 자연스럽게 쓸고 다니는 청소부 같은 역할을 하는 것이다. 이처럼 인간의 몸은 구조적으로 곡식과 채소를 주로 먹도록 설계되어 진화해온 것이다. 광우병이 생기기 시작한 것도 채식동물에게 동물성 사료를 먹인 것이 발단이었다. 육식동물보다 채식동물에 더 가까운 치아나 장기 등의 신체 조건을 가지고 있는 인간도 곡식과 채소를 위주로 먹고 소량의 동물성 음식을 먹어야 건강하게 살 수 있다.

"육류는 대개 장 안에서 부패하므로 장 안에 오랜 기간 머무는 동안에 아민, 암모니아, 페놀, 유화수산, 인돌 등 여러 가지 물질이 발생합니다. 그와 동시에 장에서 발생한 독소가 혈액으로 흡수되므로 혈액이 산독화됩니다. 산성이 되어 많은 독소를 가진 상태로 바뀌는 것입니다. 독이 든 혈액이 몸 속에서 돌아다니므로 머리와 몸의 활동에 지장을 받습니다. 고기를 먹을 때는 야채를 먹으라고 하는데 야채의 섬유질에 독소를 흡착시키려는 발상입니다."

"어느 책에서 읽었는데 사람이 필요로 하는 단백질은 우리가 생각하는 것보다 훨씬 적다고 하던데요?"

"여러 연구에 따르면 동물성 단백질 섭취량은 지금의 4분의 1이나 3분의 1 정도면 충분하다고 합니다. 생선이나 콩의 단백질로 충분히 보충할 수 있습니다. 의학자 중에도 완전 채식주의자가 있습니다. 가축 고기는 먹지 말자고 주장합니다. 사람의 소화액은 대개 육식용으로 되어 있지 않습니다. 좀 극단적인 예이지만 호랑이, 사자, 하이에나는 썩은 고기를 먹어도 소화시킬 수 있습니다. 독수리도 마찬가지입니다. 소화액이 전혀 다릅니다. 사람은 썩은 것을 먹으면 금방 탈이 납니다. 인간은 육식동물이 아니므로 고기를 소화하기가 그리 쉽지 않습니다. 위에서 완전하게 소화되지 않은 채 십이지장으로 가서 소장을 통과하여 대장으로 가는데 모두 완벽하게 소화되지 않습니다. 마지막으로 단백질은 아미노산으로 분해되어 암모니아 등 유해한 물질이 된 상태에서 혈액으로 흡수됩니다. 다른 육식동물은 그렇지 않습니다. 단백질이 완전하게 분해되어 질소, 산소, 물 등 거의 원자 상태로까지 해체됩니다. 사람은 그렇게 할 수 없습니다. 중간 정도 분해된 상태로 혈액에 흡수되므로 문제가 일어나는 것입니다. 그렇기 때문에 야채를 많이 먹어야 합니다. 육식을 즐겨 먹는 사람은 특히 더 많이 야채를 먹어야 합니다. 섬유질의 성질을 이용해야 하니까요."

한국인들은 고기를 먹으면서 상추, 깻잎, 마늘, 파무침 등을 곁들여 먹는 현명한 민족이다. 고기를 먹되 현명한 방어벽을 치면서 먹는 것인데 섭취하는 고기의 양이 많지 않다면 이보다 더 좋은 식습관은 없을 것이다. 그러나 요즘 고깃집에서 고기를 구워 먹는 사람들을 유심히 보면 고기로 먼저 배를 가득 채우는 것 같아 안타깝다. 고기로 실컷 배를 채우고 나서 냉면을 먹거나 밥을 먹는데 그 꽉 찬 뱃속에 밥과 냉면이 잘 들어가지도 않을뿐더러 억지로 집어넣으면 배 안에서는 그 많은 양의 고기와 음식을 소화시키느라 그야말로 비상사태가 발생하는 것이다.

사실 나도 얼마 전까지 고기를 먹을 땐 고기만 실컷 먹고 그 외의 것은 거의 먹지 않았으며, 남들이 고기도 다 안 먹고 중간에 밥을 주문하면 고기를 더 먹으라고 권하곤 했다. 나의 신장에 이상이 생긴 이유가 스트레스 탓도 있겠지만 아마 이런 식습관이 주된 원인이 아니었을까 추측한다. 약 2년 이상 혈뇨와 단백뇨가 나오다가 최근엔 거의 정상 수치로 돌아섰다. 물론 약의 힘을 빌린 적은 한 번도 없고 PD 생활하면서 스트레스가 과거보다 줄지도 않았다.

육식문화의 본고장인 미국에서도 스테이크를 먹을 땐 스테이크로 먼저 배를 채우는 사람은 없다. 먼저 샐러드와 빵이 나와 야채와 탄수화물로 일정 부분 배를 채우고 나면 그 다음에 고기가 나오는 것이다. 작년(2001년) 일본에 가서 직접 보니 야끼니꾸(구운 고기)를 좋아하는 일본 사람들도 고기 먹을 때 상추 등 야채에 고기를 싸서 먹는 한국의 음식문화를 받아들이고 있었다. 그러나 일본은 너무 늦은 감이 있다. 지난 30년 동안 사회 생활하면서 갑자기 고기를 많이 먹어온 일본 성인 남자들의 대장암 발생률은 동양 국가들의 대열을 이탈하여 이미 미국, 영국과 어깨를 나란히 하는 수준에 이르렀다. 이미 때가 늦은 것이다. 과거에 일본은 우리 나라에게 많은 괴로움을 주었지만, 발상을 전환하여 일본을 다시 들여다보면 현재의 일본은 여러 가지 면에서 우리가 저지를 미래의 실수를 미리 실현해 보여주는 아주 기특한(?) 나라이기도 하다. 매사 일본의 뒤를 좇는 우리의 문화가 대장암 발생 증가까지 답습할 필요는 없지 않겠는가.

한 사회에서 건강하게 전승되어온 음식문화는 그 과학성을 존중받아야 한다. 몸 안에서는 음식이 서로 상호작용하여 원래 없던 전혀 다른 성분을 만들기도 한다. 선조들이 물려준 우리의 전통 음식이 좋은 이유는, 수천 년에 걸쳐 조상들의 몸을 통해 생체실험된 우리 몸에 맞는 음식이라는 점에 있다. 우리의 고유 음식은 현대 과학으로도 다 풀어내지 못한 신비를 가지고 있다.

제7장

방송 후 벌어진 일들

어느 시청자의 편지

방송 후 여러 가지 일들이 벌어졌는데 그 중에 인상 깊었던 몇 가지를 소개하려 한다. 프로그램이 방송되고 어느 여성에게서 편지가 왔다. 다음은 그분의 편지 내용 중 일부이다.

"안녕하십니까? 저는 현재 61세의 여성입니다. 남편은 68세입니다. 10여 년 전 남편이 S 강북 병원 항문과에 치질 치료를 받기 위해 갔다가 직장암이 있다는 진단을 받았습니다. 직장을 전부 제거하고 옆구리에 구멍을 뚫고 파이프를 장치해서 변을 해결해야 한다고 했고 그렇더라도 오래 살기는 힘들다고 했습니다. (중략)

저희는 의논 끝에, 남편 몸을 수술에 맡기지 않기로 했습니다. 대신 유기농 현미밥에 잡곡을 섞어 먹고 하루 생수를 8컵 이상 마시고, 하루 한 컵 정도 당근을 포함한 야채 주스를 먹고 정제된 흰쌀, 흰 밀가루, 흰 설탕, 흰 조미료 등은 일절 먹지 않았습니다. 물론 유해 물질을 많이 포함하고 있는 일체의 육식도 금했습니다. 야채는 날로 먹기 위해 주로 샐러드를 만들어 먹었습니다. 드레싱도 집에서 만들었습니다. 그밖에도 우리 나라 전래의 좋은 식품인 두부, 된장, 청국장, 고추장, 김치류, 해조류, 호두, 호박씨, 땅콩 등을 거의 매일 상에 올렸습니다. 운동으로는 매일 많이 걸었습니다.

그렇게 기분 좋게 지내고 2개월쯤 지났을 때 남편의 고혈압과 설사증이 사라진 것을 발견했고 저의 저혈압도 정상이 된 것을 알았습니다. 6개월째는 세 개나 나와 있던 남편의 치질이 깨끗이 치유되었습니다. 1년이 되었을 때 진단 방사선과에서 정밀 검사를 받았는데 흔적도 없이 암이 깨끗이 치료된 것을 확인할 수 있었습니다. 저희들의 이런 이야기가 친척들 사이에 알려졌습니다. 몇 년 후 남편의 사촌 되시는 70대 노인 한 분이 저희들을 찾아오셨습니다. 전국에서 제일 가는 S병원에서 전립선암으로 확인되었는데 담당 의사는 연세도 많으시고 하시니 편안하게 즐겁게 그냥 사시는 것이 좋겠다고 하면서 수술할 수 없다고 했답니다. 저는 저희와 똑같은 생활을 하시도록 식단과 생활수칙을 자세히 프린트해 드렸습니다.

1년쯤 지나고 다시 그 S병원에 찾아가 정밀 검사를 받았는데 담당 의사가 깨끗이 나왔다고 확인해 주었답니다. 지금 그 사촌 아저씨도 건강하게 살고 계십니다. 그 외에도 간경화로 전주 J병원에서 6개월 내로 죽을거라고 선고받은 큰집의 일하는 아줌마도 4개월 만에 의사들이 놀랄 정도로 깨끗하게 나왔습니다. 저와 저의 남편은 10년이 된 지금도 생선은 가끔 먹지만 그 외의 모든 생활은 그때와 똑같이 하면서 날씬하고 민첩한 몸무게로 젊게 살고 있습니다. 물론 저희의 이런 치유 경험이 처음 시도하시는 분들에게는 너무 힘들고 이전 생활의 유혹을 물리치기 힘들 것입니다. 그러나 큰돈도 필요하지 않고 우리 몸의 모든 병든 세포를 새로운 건강 세포로 바꿔주어 건강을 되찾는 경이로운 경험을 많은 사람들에게 알리고 싶습니다.

지난번 귀사의 다큐멘터리 '잘먹고 잘사는 법'을 시청하고 크게 반가웠습니다. 이해 득실에 따라 저항도 만만치 않겠지만 아무쪼록 국민 건강을 위해 용기 있게 옳은 일 계속하시기 바랍니다.

서울 양천구 ○○동 성○○ 드림

나는 이야기의 사실 여부를 확인하고 싶었다. 그런데 아니 이럴 수가! 주소를 보니 그 분의 집은 바로 내가 사는 아파트의 아래 아랫집이었던 것이다. 이 사실을 아내에게 말했더니 우리가 이사오기 전에 집수리를 하다가 목욕탕 환풍기 아래로 벽돌을 하나 떨어뜨려 그 집의 목욕탕 옆으로 떨어졌는데 공사하던 사람이 찾아가 사과를 한 적이 있다고 하면서 그때 교양이 넘치는 분이더라는 얘기를 듣고 집사람도 깊은 인상을 받았다고 한다. '세상 참 좁구나' 하는 생각과 함께 도시의 아파트 이웃이라는 게 이처럼 인사 한 번 없이 사는 삭막한 사이라는 게 실감났다. 그분의 편지 내용은 모두 사실이었다. 성 할머니 부부의 경우는 그분들이 의지가 매우 강한 분들이라 가능했을 것이다. 그분들의 치료 과정은 어떤 과학적 설명으로도 풀어낼 수 없는 미스터리가 담겨 있지만 결과는 명백한 사실이다.

성 할머니의 경우처럼 생활 속에서 실천하여 불치의 병이 치료되는 사례를 비과학이라고 매도할 수만은 없다. 성 할머니가 드셨다는 두부, 된장, 청국장, 고추장, 김치류, 해조류, 호두, 호박씨, 콩 등을 먹고 걷는 운동도 자주 한 분의 치료 경험을 어떻게 과학적으로 실험할 것인가. 이중맹검법으로? 불가능한 일이다. 이 음식들이 몸속에서 어떤 상호작용을 어떤 방식으로 일으켰는지 아무도 알 수 없는 것이다. 음식의 종류별 효능을 하나 하나 분리할 수도 없는 것이다. 단, 모두가 이런 방식으로 똑같은 질병이 치유된다는 보장은 없다는 것이다. 여러 사람의 임상 실험을 통해 확률적으로 인정된 결과를 얻어낸 것이 아니기 때문이다.

그러나 한 사회에서 건강하게 전승되어온 음식문화는 그 과학성을 존중받아야 한다. 몸 안에서는 음식이 서로 상호작용하여 원래 없던 전혀 다른 성분을 만들기도 한다. 선조들이 물려준 우리의 전통 음식이 좋은 이유는, 수천 년에 걸쳐 조상들의 몸을 통해 생체실험된 우리 몸에 맞는 음식이라는 점에 있다. 우리의 고유 음식은 현대 과학으로도 다 풀어내지 못한 신비를 가지고 있다.

다큐멘터리 잘먹고 잘사는 법의 안티론자들

방송을 통해 아토피 환자들이 우리의 전통 음식으로 치료되는 과정을 보여주었더니 모 전문가 집단에서 항의가 들어왔다. 비과학적 방법으로 아토피 환자가 치료되어 일반 환자들을 오도할 우려가 있다는 것이다. 프로그램을 보고 아토피 환자들에게 용기를 주었다는 시청자들의 반응과 비과학적 사고방식을 조장했다는 주장과는 많은 차이가 있는데 그것은 환자의 입장과 치료자의 입장만큼의 괴리라고 생각한다. 아무리 좋은 의사라도 절박한 환자의 입장이 될 수는 없다.

세상에 내가 배운 것과 나의 머리로 이해 되지 않는 부분이 얼마나 많은가. 세 명의 출연자 중 두 사람은 20여년 간의 아토피가 거의 말끔히 없어져 지금 새로운 삶을 살고 있다. 나는 프로그램에서 음식으로 모든 아토피 치료가 가능하다고 주장한 바도 없다. 단지 출연자를 통해 우리가 먹던 오염되지 않은 우리 음식의 가능성을 본 것이다.

그것은 좋은 음식을 먹어야 몸도 건강하다는 매우 생산적인 메시지를 전달하는 데 아주 유용한 결과였다.

그것은 우리가 평소 먹는 음식들이 우리 눈에는 보이지 않지만 얼마나 자연의 음식과 멀어져 있는가를 반증하는 것이기도 했다. 그 동안 그저 막연하게 음식 오염이 심각하다거나 항생물질이나 식품첨가물들이 과도하게 들어 있다고 주장하는 전문가는 많았지만 실제 그런 음식을 멀리했을 때 어떤 결과가 벌어지는가를 오랫동안 추적해 눈으로 직접 보여준 것은 거의 전례가 없다. 그러나 이들이 또 어느 날 증세가 악화될지는 나로서도 장담할 수 없다. 자기 몸은 자기가 하기 나름이기 때문이다. 그러나 지금까지 3명 중 2명이 거의 1년이 되도록 약 한 번 쓰지 않고 지난 20여년 간 대학병원을 비롯한 온갖 병원에서 고치지 못한 병을 평범한 음식을 먹음으로써 거의 정상을 회복해 새 삶을 살고 있다는 것은 무엇을 시사하는 것인가.

이런 일도 있었다. '잘먹고 잘사는 법' 방송이 나가자 모 대학의 교수가 우리 나라의 지방 섭취율이 19%밖에 안 되기 때문에 동물성 지방을 20% 이상 먹어야 한다며 프로그램이 마치 잘못된 정보를 준 양 매도한 적이 있다. 육류업자들의 이익을 그대로 대변하는 것 같은 논리를 펴던 그는 우리 나라 사람들은 고기를 더 먹어 지방 섭취를 늘려야 한다고 주장했는데 그가 평범한 사람이 아니고 대학 교수라는 점을 감안하면 난 매우 심각한 일이라고 생각한다.

우리 몸 속에 필요한 동물성 포화지방은 외부에서 포화지방 형태로 섭취하지 않고 단순 당질인 밥을 많이 먹어도 몸에서 만들어지고 축적된다. 꼭 동물성 포화지방으로 지방을 더 섭취해야 한다는 것은 어불성설이다. 채식동물이나 채식하는 사람들도 풀이나 밥을 많이 먹으면 포화지방이 몸에서 생기는 것이다. 몸은 잉여 칼로리를 지방으로 저장해 놨다가 부족할 때 쓰도록 하는 기능이 있기 때문이다. 이것이 몸의 기본 메커니즘이다.

요즘 우리 나라 사람들의 3분의 1 정도는 비만을 걱정해야 할 만큼 영양 과잉과 잘못된 식생활 그리고 스트레스, 운동 부족의 복합적 상황에 놓여 있다는 경고가 하루가 멀다 하고 각종 매스컴에 등장한다. 특히 아이들의 경우는 더 심각한데, 제대로 된 식생활 교육을 가정이나 학교에서 한 번도 받은 적이 없는 초등학교 아이들의 편식률이 80%를 넘는다는 부끄러운 통계도 발표되고 있다. 물론 결식 아동도 있고 영양 부족에 걸린 사람도 있겠지만 전체적으로 봐서는 과거처럼 먹을 게 없어서 고민하던 시대는 아닌 것이다. 오히려 동물성 지방과 단백질을 너무 많이 먹어 탈이 나는 사람들이 많다. 나는 시청자들이 모두 바보가 아닌 이상 자신의 지금 상태가 특정 영양소의 과영양 상태인지 아니면 영양 부족 상태인지를 판단할 능력 정도는 있다고 본다.

지방에 관해 조금만 더 얘기하면 우리 몸은 과연 어떤 지방을 좋아하는가를 알아야 한다. 우리 몸 안에 필요한 '지방의 이상적 비율' 이라는 게 있다. 식물성 지방과 동물성 지방의 비율은 2:1 정도가 이상적이다. 그런데 우리 나라 사람들은 이미 1998년에 동물성 지방 섭취 비율이 48%를 넘어섰다(대한 영양사회 1998년 자료). 그러나 식물성 지방도 다 좋은 것이 아니라 제조 과정에서 180도 이상 고열 처리를 거친 일반 식물성 식용유나 수소화 과정을 거쳐 액체에서 고체 상태가 된 마가린 같은 식물성 지방은 많이 섭취해서 좋을 게 없는 지방이다. 이미 지방이 전이되어 몸의 세포를 공격하는 유리기(세포의 노화를 촉진함)가 되었기 때문이다. 또한 기름을 자주 갈지 않고 반복해서 사용하거나 오랫동안 사용해 공기와 접촉해서 산화된 질 나쁜 기름으로 만든 음식을 먹는 것도 건강에 해롭다. 전이되지 않고 산화되지 않은 양질의 식물성 기름을 섭취하는 것이 바람직하다. 식물을 직접 먹는 것이 가장 이상이지만 부득이 먹어야 한다면 열을 가하지 않고 냉 압축해 뽑아낸 기름을 섭취하는 것이 좋다.

동양인들은 총 섭취 칼로리 중 약 20% 정도를 지방으로 섭취하는 것이 바람직하다고 말하고 있는데 요즘 들어 나오는 논문들은 한국인을 포함한 동양인들은 지방, 단백질, 칼슘 등의 섭취 기준이 서양학자들이 세운 기준보다 더 낮다는 사실을 주장하고 있다. 동양인들은 지방을 그렇게 많이 먹던 인종이 아니었다. 최근에는 동양인들의 지방 섭취가 20%만 되어도 심장 동맥 질환의 위험이 크게 높아진다는 논문(《미국 영양학회지》 2001년 4월호, 연세대 예방의학과 서일 교수 논문)들을 비롯해 동양인들에게는 다른 기준이 적용되어야 한다는 주장이 잇달아 발표되고 있다.

미국 코넬 대학 콜린 캠벨(Colin Campbell) 영양학 교수의 '차이나 프로젝트(China Project)' 연구에서도(후술하겠지만) 동양인들의 육식 섭취는 서양인보다 각종 질병을 더 쉽게 일으킨다는 경고를 담고 있다. 서일 교수의 논문에서도 한국인의 심장 동맥 질환의 증가가 최근 10년 사이 5~6배 증가했으며 전통적으로 채식을 하던 한국인에게 지방의 해악이 외국인보다 더 크다고 밝히고 있다. 이처럼 영양학도 세월이 가면서 많은 시행착오를 거치며 새롭게 정리되고 있다.

어떤 산부인과 의사는 이 프로그램을 '잘 못 먹고 빨리 죽는 법'이라고 매도하면서 생방송에서 매우 이상한 이야기를 한 적도 있다. 그의 말을 요약하면 고기를 많이 먹지 않으면 기형아가 태어나고 장수하지 못하며, 힘도 못 쓰고 죽은 고양이 얼굴빛이 되는데다 머리 또한 나빠진다는 것이었다. 게다가 그는 대표적으로 단명하는 것으

로 알려진 에스키모인들이 고기를 많이 먹어 장수한다거나(에스키모인이 암, 심장병 발생률이 낮은 것은 물고기를 많이 먹어서 그렇다) 녹황색 야채에 들어 있는 엽산이 고기에 많이 들어 있기 때문에 임산부들은 고기를 많이 먹음으로써 엽산을 많이 섭취해 기형아를 예방해야 한다거나, 우리 나라 사람들에게 위암이 많은 이유가 채식을 많이 해서 그렇다는 둥 실로 어처구니없는 말로 일관했는데(야채에 있는 질산염은 위에서 아질산염으로 바뀌어 발암물질을 만들 수 있다. 그러나 채소 안의 비타민이 암발생을 억제하는 것이다. 채소에 정상적으로 존재하는 수준의 질산염은 세계보건기구의 등의 연구발표에서 보듯이 암발생과는 상관관계가 없는 것으로 보고되고 있다) 그의 말이 전파를 타고 전국으로 생방송되었다.

나는 하도 기가 막혀 당시에 말이 안 나올 지경이었다. 대한민국의 대표적 전문가 집단인 의사들을 한꺼번에 망신시키는 그의 놀라운 용기를 보고 나는 씁쓸함을 금할 수 없었다. 누구나 병이 걸려 실컷 고생하다 치료하는 것보다 미리 병을 예방하는 것이 최선이라는 것을 안다. 그러나 실제로 병을 예방하도록 권하거나 병의 뿌리를 캐어 근본적 치료를 하려는 의사를 사람들은 명의라고 생각하지 않는다. 당장 눈앞에서 증세를 호전시키는 의사를 명의라고 생각한다. 사람들의 이런 생각이 질병을 다스리는 기본 상식을 무너뜨려왔다. 독한 약을 쓰든 독한 주사를 놓든, 수술 만능주의를 외치며 일단 증세가 눈앞에서 사라지는 것을 보고 싶어하는 환자들의 조급증은 우리 의료를 매우 심각하게 왜곡시켜온 것이다. 이런 사실은 길게 설명할 필요없이 우리 나라가 유독 다른 나라보다 항생제 사용에 매우 관대하다는 것만으로도 알 수 있다.

진정한 명의는 병이 잘 걸리지 않도록 개개인의 몸의 특성에 맞게 건강하게 살 수 있는 방법을 알려주는 사람이다. 그러나 그 의사는 부자가 되는 것을 포기해야 한다. 환자가 줄기 때문이다. 병에 안 걸려서 적게 오게 되고 또 조급한 환자들의 욕심을 채워주지 못하기 때문에 환자들이 다른 곳으로 옮겨가기 때문이다. 그렇게 되면 좋은 의사로 인정받지 못하고 졸지에 실력 없는 의사가 되고 만다. 이것이 의료 현실의 아이러니이다. 어쩌면 의과대학에서 이런 이유로 영양학에 대해 소홀히 하는지도 모르겠다. 영양학은 병을 예방하는 데 아주 중요한 학문이다.

사실 어떤 병이든 일단 발병한다는 것은 몸의 균형이 깨진 것을 의미한다. 굳건히 몸을 지켜내던 면역체계에 구멍이 뚫려 몸 안에 기본적으로 갖고 있었거나 아니면 갑자기 외부에서 병원체가 들어왔거나 간에 몸 안의 방어체제가 무너진 것을 의미한다. 그런데 발병하기 전에 손을 써야지 일단 어느 정도 중병이 되면 낫더라도 몸 안에 후유증을 알게 모르게 남기게 되는 것이다. 그러니 우리의 몸이 자연 상태를 벗어나는 것을 최대한 경계하고 병을 미리 예방하는 것이 가장 현명하다고 할 것이다. 자기 자신이 절제하고 조심하여 몸의 면역력을 키우고 스트레스를 조절하면 몸의 주체인 자신이 명의가 될 수 있는 것이다. 그 비결의 하나가 두말할 것도 없이 먹는 것을 골라 먹는 습관을 갖는 것이다.

육류나 생선류를 고온에서 굽거나 지나치게 익힐 경우 헤테로사이클린 아민이라는 발암물질이 형성된다. 특히 숯불에 고기를 구워 먹으면 불완전 연소된 고기 기름 연기에서 다량의 발암물질이 나오는데 그 연기가 다시 고기에 들러붙은 채 우리의 입으로 들어간다. 동물을 학대하고 약 먹여 키운 다음 발암물질이 생성되는 방식으로 조리해서 절제하지 않은 채 양껏 먹는 것이 과연 잘먹고 잘사는 것인가.

제8장

현명한 식사, 현명한 삶

소 잃고 외양간 고치는 건강문화

우리가 우리 몸에 대해 가장 잘못 생각하는 것 가운데 하나가 건강 진단에 대한 맹신이다. 병원에서 제공하는 혈액 검사, 소변 검사에서 별 이상 없으면 몸이 건강한 상태라고 착각하는 것이다. 과연 그럴까? 머리가 가끔 아프다거나 이유 없이 몸이 피곤하거나 원인 모를 피로감이 계속된다거나 심지어 기억력이 과거만 못하거나 기력이 떨어지는 증상은 보통 사람들에게 자주 일어나는 흔한 증상이다. 이런 이상들을 건강 진단을 통해 찾아내기란 매우 어렵다. 간, 콜레스테롤, 소변의 수치나 X-ray 상에 이상이 없다고 건강한 것은 아니라는 얘기다.

우리 주변에서 심각한 암이나 각종 불치병뿐 아니라 요즘 새롭게 조명되는 '만성피로 증후군' 등은 기계로 진단할 수 없을 때가 많다. 더구나 몸이 아프기 훨씬 이전 단계인 '영양의 불균형' 이나 운동 부족 등을 기계로 진단하는 경우는 없다. 몸의 영양 상태와 운동 여부는 건강한 몸을 구성하는 가장 중요한 요소 중 하나인데도 말이다. 학자 중에는 심장 동맥 문제로 발병하는 심장질환을 정맥에서 피를 뽑아 검진하는 건강 진단 체계의 모순을 신랄하게 비난하는 사람도 있다. 정맥 검진에서 문제가 없던 사람이 갑자기 심장질환으로 사망하는 경우도 많이 있다. 의사들은 건강 검진의 수치에 당장 큰 문제가 없으면 매우 편향된 식생활을 하고 있는 사람에게도 특별한 경고를 하지 않는다. 일단 몸이 나빠진 상태를 보고 치료하는 것이 의사

의 본업이 된 것이다.

그러나 정말 좋은 의료인이라면 치료를 잘하기에 앞서 사람들이 병에 안 걸리게 도와주어야 한다. 그리고 가급적이면 몸의 자연 치유력이 회복되도록 약보다 음식 조절과 운동을 하게 해서 면역력을 증강시켜 주어야 한다. 내가 호주에 가서 깊은 인상을 받은 것 가운데 하나가 바로 영양사들이 환자를 직접 상대해서 질병과 영양을 상담해 주고 처방까지 하며 일정한 상담료를 받는 것이다. 여기서 호주의 영양사 진료 시스템을 잠시 소개하려 한다. 이런 시스템이 우리 나라에 들어온다는 것은 앞으로도 매우 어려울 것이다. 약이나 주사를 누가 처방하느냐 한약을 누가 짓느냐 못 짓느냐로 몇 년째 다투는 나라에서 영양사의 건강 상담을 어느 집단도 허용할 리 만무하기 때문이다. 나는 시드니 중심가의 한 영양 상담소를 찾아갔다. 그곳에서 환자를 상담하고 있는 샤론 나톨리 영양사를 만났다.

"한국에서는 의사들만 환자들과 상담을 하는데 지금 상담하시는 걸 보니까 의사의 역할을 하고 계시는군요. 호주의 의료 시스템을 좀 소개해 주시겠어요?"

"호주에서는 영양사가 건강 전문가 연합의 일원입니다. 의학계에서 물리치료사나 언어치료사와 같이 의사들과 협력을 하는 거죠. 저희는 주로 식이요법을 지도합니다. 의사들은 영양학에 대한 교육을 적게 받지만 영양사들은 건강과 영양학에 대한 교육을 적어도 4년 동안 받습니다. 따라서 건강에 이상이 있는 분들에게 치료 목적이나 예방 차원에서 병을 줄이고 전 국민을 상대로 건강한 식단을 권장하는 거죠."

의약분업의 후유증이 아직 아물지 않은 우리 나라와는 사뭇 다른 상황이어서 매우 인상적이었는데, 잠시 후 찾아온 환자를 상담하는 모습을 계속 지켜보기로 했다. 다음은 환자를 상담하는 영양사 샤론과 환자 렘코 버벅의 대화 내용이다. 렘코는 약간의 복부 비만 증세와 만성 피로감을 호소하고 있었다. 렘코는 상담받기 전에 평소의 생활 습관과 식습관에 관한 질문서를 작성했다.

샤론 (상담 기록지를 훑어보며) 앞으로 식이요법을 통해서 체중관리를 하실 텐데요, 좀더 날씬해지길 바라시죠? 우선 다양한 영양소에 대해 알아야 하고 식단에서 지방의 양을 조절하셔야 합니다. 건강을 유지하려면 야채, 과일 등을 고루 먹어야겠죠. 편식하지 않도록 균형 잡힌 계획을 짜는 게 중요합니다. 평소 식단에서 섬유질의 양을 충분히 늘려야 할 것 같습니다. 아침식사로 좋은 시리얼 목록을 드리겠습니다. 고기를 가려서 먹어야 하는데요, 지금 드시는 고기는 기름기가 많습니다. 소시지 종류 대신 기름기 없는 살코기가 좋습니다. 심장에 나쁜 지방을 줄일 수 있겠죠. 점심은 생선류가 좋겠습니다.

렘코 야채류를 어느 정도 많이 먹어야 합니까?

샤론 저녁식사에 야채를 추가하고, 점심에도 샐러드류를 드신다면 식단이 훨씬 균형잡힐 거예요. 또 한 가지, 과일을 별로 드시지 않는군요. 하루에 최소한 과일 두 개는 반드시 드셔야 합니다. 하루 식사 중 언제 과일을 드시는 게 좋을 것 같아요?

렘코 아침과 점심식사 후가 좋을 것 같군요. 과일 사러 갈 짬이 날 테니까요.

샤론 좋아요. 그렇게 하시면 하루 에너지를 유지하기도 좋을 거예요. 한번에 두 가지 효과를 낼 수 있겠네요. 생선을 더 많이 드셔야 합니다. 국립 심장재단에서는 생선류의 식사를 일주일에 두 번 하도록

권장합니다. (중략)

하루에 콜라를 상당히 많이 드시는데요. 역시 열량을 줄일 수 있는 부분입니다. 하루에 2잔 정도로 줄이고 대신 물을 드시는 게 좋습니다. 물이 제일 좋은 음료이거든요. 콜라에서 갑자기 물로 바꾸는 건 무리일 테니까 적당량의 다이어트 콜라를 마시면서 나머지는 물로 바꾸면 열량과 체지방 감량에 도움이 되겠죠.

하루 일과 중에서 걸을 시간이 있나요?

렘코 네, 일주일에 세 번 학교에 가는데 집에서 45분 정도 떨어진 거리입니다. 일찍 출발해서 학교에 걸어갔다가 집에 올 때도 걸어올 수 있습니다. 주말에는 주방 일을 하기 때문에 걸을 일이 많습니다.

샤론 정말 잘 됐네요. 아주 좋은 방법이에요. 목적을 갖고 어딘가에 간다면 보다 더 적극적이 되거든요. 서서 하는 일을 하기 때문에 모든 상황들이 체중 감량에 도움이 될 겁니다. 보다 활동적일수록 효과는 더 좋습니다.(중략)

어떤가. 이들의 대화에 건강하게 사는 열쇠가 고스란히 담겨 있다. 당장 콜레스테롤 수치가 높고 혈압이 높다고 콜레스테롤 약을 먹으라거나 혈압 강하제를 먹으라고 하지 않는다(렘코는 콜레스테롤 수치와 혈압이 높은 편이다). 음식과 생활습관을 서서히 바꿔 자연스레 건강을 회복하도록 하는 것이다. 이들의 대화를 들어보면 임상 영양사의 존재가 왜 필요한가를 금방 알 수 있다.

우리 사회에서는 몸에 관한 모든 것은 해당 의료인들만이 독점해야 한다는 생각이 팽배해 있다. 사회제도가 소비자의 편의와 이익을 위해 움직이는 것이 아니라 힘있는 사람의 기득권 유지를 위해 존재하는 경우가 많다. 공룡화된 음식산업의 정확한 정보가 기득권층의 이익 때문에 가려져 정작 일반 소비자에게 전달되지 못하는 경우도 허다하다.

보통 사람의 기를 꺾고 삶의 용기를 빼앗는 사람들 대부분은 우리 사회에서 남들보다 뭔가 가진 것이 많은 기득권층, 즉 권력이 있거나 배운 게 많은 사람들, 남들보다 돈이 많은 사람들이다. 나도 언론에 종사하는 사람이지만 특히 언론에 종사하는 사람들부터 우리 사회의 후진성에 책임질 부분이 많다고 생각한다. 우리 사회에서 힘있는 사람들의 기득권이 보통 사람들의 행복권과 동일한 선상에서 존중받는 때가 아마 우리 사회가 진정으로 선진 사회로 진입하는 날이 될 것이다.

지방을 잘 먹어야 건강하다

맛있는 음식에는 어떤 형태로든 대부분 지방이 들어 있다. 지방의 맛이 바로 음식의 맛을 좌우한다고 해도 과언이 아니다. 그런데 우리가 주로 먹는 지방은 대개 좋은 지방이 아니라는 데 문제의 심각성이 있다. 대부분의 사람들은 우리 몸의 세포가 매우 싫어하는 지방을 과잉 섭취하고 있다. 그러나 지방에는 나쁜 지방만 있는 것이 아니라 좋은 지방도 있다. 지방은 무조건 안 좋은 것이라고 생각하는 사람들이 많은데 우리의 건강을 위해 필수적인 지방은 꼭 필요하다. 그 대표적인 것이 오메가-3와 오메가-6 지방산이라는 필수 지방산이다.

그런데 이 두 지방산은 각각의 양보다 두 지방산의 섭취 비율이 매우 중요하다. 우리의 전통적인 음식물은 오메가-6와 오메가-3의 비율이 약 1:1이나 2:1로 거의 같았는데, 지난 100년 동안에 서구화된 음식문화는 상대적으로 오메가-6의 섭취를 엄청나게 증가시켰다. 그 이유는 옥수수 기름이나 해바라기 기름 등의 섭취 때문이다. 또 사람들이 오메가-3가 많은 음식인 생선류와 녹색채소류를 잘 섭취하지 않는 이유도 있다. 예를 들어, 영국의 경우 오메가-6와 오메가-3의 비율이 15:1, 미국은 17:1로 높게 나타나고 있는데 굳이 따지자면 유럽의 음식물보다 미국의 음식물에 오메가-6의 비율이 더 많다. 콩 섭취가 많은 나라는 오메가-6와 오메가-3의 비율이 7:1로 훨씬 바람직하게 나타나지만, 건강을 위해 오메가-6와 오메가-3의 비율은 4:1 정도로 권장하고 있다. 지금부터 세계적으로 오메가 지방산 연구로 유명한 아트미스 시모포로스(Artemis Simopoulos) 박사(《오메가 다이어트》의 저자)와 작년 가을 워싱턴에 있는 그녀의 연구실에서 만나 취재한 이야기를 소개하겠다.

"오메가 -6와 오메가 -3의 비율에 차이가 많이 나면, 왜 몸에 나쁜가요?"

"첫째, 오메가-6의 비율이 높으면 건강에 좋지 않습니다. 너무 많은 오메가-6를 섭취하면 몸이 신체적으로 변하게 되는데, 쉽게 염증이 생기고 혈관이 수축되며 고혈압, 심장질환으로 발전할 확률이 높습니다. 두 번째로 오메가-6 지방산은 암, 심장질환, 관절염 등과 관련이 깊은 물질을 만들어내는 유전자를 많이 생산합니다. 반면, 오메가-3는 이런 유전자를 억제시킵니다. 이런 이유로 오메가-3와 오메가-6의 비율이 중요합니다. 그래서 물고기를 전혀 안 먹는 사람과 물고기를 먹는 사람을 비교해볼 때, 안 먹는 사람군에서 심장질환, 암, 관절염, 당뇨병 증상이 훨씬 더 많습니다. 오메가-3가 많은 생선과 오메가-3와 오메가-6의 비율이 1:1인 야채나 과일을 많이 먹으면 어떠한 약보다 심장병에 훨씬 효과가 좋습니다.

채식주의자들도 기름을 먹는 습관을 바꿔야 합니다. 오메가-6를 줄이기 위해서는 해바라기 기름을 사용하는 대신 올리브유와 커놀라유를 사용하는 것이 좋습니다. 나쁜 기름과 좋은 기름의 구분은 오일 그 자체가 아니라, 오일에 얼마나 많은 오메가-6가 있는지에 달려 있습니다. 옥수수, 해바라기, 목화씨, 콩기름 등은 오메가-6가 상대적으로 많습니다. 또한 튀김 기름은 두 번 이상 사용하면 안 됩니다. 산화되니까요. 다음날 또 사용해선 안 됩니다. 전 개인적으로 감자튀김을 먹지 않습니다."

"저는 선생님의 연구에 대해 책에 나와 있는 내용을 봤습니다. 1992년 리포트에 언급하신 그리스의 한 섬에 관한 연구 내용을 말씀해 주시겠습니까"

"그리스의 한 섬에 사는 사람들은 핀란드, 네덜란드, 미국에 사는 사람들에 비해 심장질환과 암질환이 10배 이상 적게 나타났습니다. 전 그 이유를 그들의 음식물에서부터 찾았습니다. 그곳의 야생식물에서 오메가-3가, 인공적으로 재배된 식물보다 6~7배 정도 더 높게 나왔습니다. 야생 닭의 달걀과 슈퍼마켓에서 파는 달걀을 비교해 보면 야생 닭의 달걀에선 오메가-6와 3의 비율이 1:1로 나오지만, 슈퍼마켓의 달걀에선 20:1이라는 높은 수치로 나왔습니다. 계란에서 오메가-6가 많이 나타나는 이유는 오메가-6와 3의 비율이 60:1이나 되는 옥수수 사료를 먹고 자란 닭에서 나오는 계란이기 때문입니다. 또, 염소의 젖에는 있지만 요즘 소의 우유엔 오메가-3가 없습니다.

왜냐하면 소들은 사료를 먹고 염소들은 야생의 풀을 먹기 때문입니다. 동물의 고기에서도 사료를 먹는 동물의 고기에선 오메가-3가 거의 발견되지 않고, 자연적으로 자란 동물에서만 오메가-3가 있습니다. 그렇기 때문에 미국의 치즈에서도 오메가-3를 보기 힘든 거죠. 오직 자연 상태에서 키운 채소, 계란, 고기, 우유, 치즈에서 오메가-3를 발견할 수 있습니다. 모유를 먹고 자란 아기와 분유를 먹고 자란 아기 중 모유를 먹고 자란 아기에는 오메가-3가 나타납니다. 또 모유에는 두뇌 발달과 시력 발달에 좋은 요소가 많이 들어 있습니다. DHA가 정상적인 시력 발달과 두뇌 발달을 돕습니다. 그래서 모유로 아기를 키우도록 권장해야 합니다. 또 모유로 자란 아기들이 7~8세가 되어 IQ를 측정하면 5~8 정도 더 높은 수치를 나타냅니다."

"트랜스(전이) 지방산에 대해서는 어떻게 생각하십니까?"

"기름에 수소를 처리해 만든 마가린은 버터 등 포화지방보다 더 나쁩니다. 트랜스 지방산은 나쁜 콜레스테롤(LDL)을 높이고, 좋은 콜레스테롤(HDL)을 감소시키죠. 자연적인 상태의 식단에서는, 2%의 트랜스 지방만 발견할 수 있는데 서양의 식단에서는 5~7%, 10%까지 트랜스 지방이 사용됩니다. 트랜스 지방산은 확실히 지방세포를 늘립니다. 트랜스 지방산은 동물실험에서 비만을 초래하는 것으로 나타났습니다."

"인류의 역사를 보면 큰 강을 따라 문명이 발달되어 왔습니다. 인간문명과 강의 물고기에서 나오는 오메가 -3는 서로 관계가 있다고 생각하십니까?"

"문명은 강, 호수, 바다 근처에서 발달됐는데, 물고기에서 얻는 오메가-3의 증가는 뇌를 발달시켜 인류 발달을 촉진했습니다. 오메가-3가 없었다면 지금처럼 진화하지는 않았을 것이라 생각합니다. 나일, 유프라테스, 중국의 황하 등이 그렇고 그리스는 3천 개의 섬들로 이루어졌습니다. 우리의 식단에 이런 식품이 없었다면 발전이 늦어졌을 것입니다. 이곳들의 식단은 다양한 채소와 과일뿐만 아니라 잘 조화된 지방산을 함유한 것이 특징입니다.

요즘 사람들은 오메가-3와 오메가-6의 조화를 위해 야채와 견과류를 많이 먹도록 노력해야 합니다. 서구의 식생활은 트랜스 지방을 너무 많이 사용하고, 곡물 사료를 가축에게 주며, 과일과 채소를 적게 먹어, 섬유질이 적은 식습관입니다. 다시 말해 서구의 식생활이 최악의 식생활이라 할 수 있습니다. 휴스턴의 센로트 피스피코 병원에서도 병원의 환자식을 오메가 다이어트로 바꿨습니다. 심장병 환자뿐만 아니라 다른 질병 환자들의 식단도 오메가 다이어트로 바꿨죠. 왜냐하면 인간의 진화와 가장 일치하는 다이어트가 '오메가 다이어트' 이기 때문입니다.

"한국인의 식사는 어떻게 생각하십니까?"

"나는 한국을 1960년경에 방문했습니다. 한국의 전통 식습관은 매우 좋은 식습관이라고 생각합니다. 마가린을 사용하지 않고, 생선과 야채를 많이 먹으며 닭에게 곡물 사료를 안 먹여 달걀도 매우 좋은 것이었습니다. 따라서 한국인의 식습관은 매우 좋다고 생각합니다. 지금은 어떤지 모르겠지만 현재의 음식을 전통 식습관과 일치하도록 노력해야 합니다."

우리는 시모포로스 박사의 말대로 우리가 먹는 소고기 · 닭고기 · 달걀의 오메가-6와 오메가-3의 함량을 알아보기로 했다. 실험 대

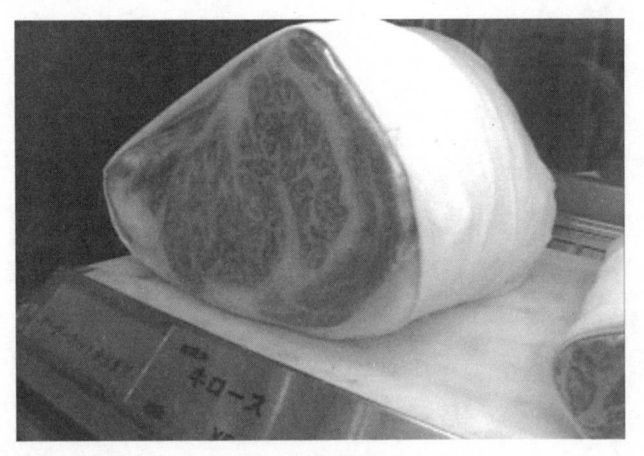

한 근에 30만원인 마쓰자카 소고기. 마블링(근내 지방)이 가득차 있다.

상은 곡물을 먹여 키운 것으로 일본에서 한 근(600g)에 30만원을 호가하는 최고급 소고기인 마쓰자카 소고기와 호주의 방목 소고기, 미국 소고기였다. 소고기에는 원래 오메가-3와 오메가-6 지방산의 함량이 기본적으로 매우 적다. 그러나 그 비율이 주는 상징성은 매우 큰 것이다. 박사의 말대로라면 곡물로 키운 소고기의 오메가-6 비율이 방목하여 풀을 먹여 키운 소고기보다 훨씬 높아야 한다. 국가기관인 N연구소에 실험을 의뢰하였다. 소고기와 함께 방목한 닭고기와 달걀도 함께 비교하기로 했다.

실험 결과 시모포로스 박사의 말대로 방목한 소고기와 곡물을 먹여 키운 가축과 달걀의 오메가-3와 오메가-6의 비율에 큰 차이가 있었다. 다시 말하지만 오메가-6의 비율이 상대적으로 낮을수록 좋은 것이다.

3국 소고기의 오메가 지방산 차이와 지방 비율(등심 상품)

국가 및 사육 방법	오메가-6 : 오메가-3	지방 함량
호주(풀 사육)	6 : 1	19%
미국(풀, 곡물 사육)	12 : 1	24%
일본(곡물 사육)	16 : 1	46%

사육 방법에 따른 닭고기 오메가 지방산 차이

사육 방법	오메가-6 : 오메가-3
방목	12 : 1
공장식 닭장	21 : 1

사육 방법에 따른 달걀의 오메가 지방산 차이

사육 방법	오메가 -6 : 오메가 -3
방목	9 : 1
공장식 닭장	16 : 1

즉, 방목한 소고기와 닭고기, 그리고 방목한 닭에서 나온 달걀의 오메가-6와 오메가-3 지방산이 훨씬 더 균형잡혀 있었던 것이다. 이것은 자연 상태가 아니라 인위적인 환경에서 단기간 내에 키우는 가축 사육 시스템하에서 생산되는 고기의 지방산은 우리의 건강에 해로울 수 있는 비율로 이루어져 있다는 의미이다. 자연의 섭리를 거스른 인간의 욕심에 대한 인과응보라 할 수 있다. 또한 방목해 키운 소고기에는 포화지방의 함량이 월등히 적었다. 그러니까 우리가 비싸게 주고 사먹는 입에 살살 녹는 꽃등심 같은 고기는 오메가 지방산의 균형이 깨져 있으며, 운동을 못하게 하는 방법으로 키워 과도한 포화지방을 함유하고 있는 고기이다. 이것이 비싸고 맛있는 고기의 실체이다. 내가 어렸을 때 먹고 자라던 고기보다 훨씬 맛은 있지만 질적인 면에서 근본적인 차이가 있다.

《뉴잉글랜드 의학저널》 최신호(*The New England Journal of Medicine, April* 11, 2002 ; 346 : 1113-1118)에는 오메가-3가 돌연사와 심장사를 막아주는 효과가 있다는 연구 결과가 발표되었다. 연어나 고등어 등에 많은 오메가-3 지방산이 불규칙한 심장박동과 혈중 콜레스테롤의 상승 등을 막아준다는 것이다. 또한 돌연사한 사람들의 혈관에는 오메가-3 지방산 함량이 일반 사람들에 비해 낮았고, 생선을 일주일에 한 번 먹는 여성들은 심장병에 걸릴 확률이 30%나 줄었다고 한다.

고기를 잘 먹는 방법

최근 미국 암연구소(AICR) 연구진이 의학 전문지 《폐암》에 게재한 보고서에 따르면 소고기 · 돼지고기 · 양고기 등 적색육을 하루 85g 이상 먹는 사람의 경우 암 발병 위험성이 증가할 수 있다는 연구 결과를 내놓았다. 이 보고서는 기름기가 적은 살코기만을 골라 섭취하더라도 암에 걸릴 확률이 높으며, 이의 증거로 붉은 고기를 주로 먹는 여성들은 그렇지 않은 여성에 비해 폐암에 걸릴 확률이 3배 이상 높고 대장암 · 직장암 · 췌장암 · 유방암 · 전립선암 · 신장암이 발병할 가능성도 높아질 수 있다고 했다. 이 보고서는 해산물과 닭고기 등의 섭취를 늘리고 적색육은 가급적 먹지 말되 하루 섭취량은 85g 이하로 제한하는 것이 좋다고 권고하고 있다. 고기와 암과의 연관성에 관한 각종 연구를 보면 손상된 세포가 암으로 발전하는 데 포화지방이 촉진제 역할을 한다고 되어 있다. 따라서 포화지방 섭취를 줄이기 위해 기름기가 적은 고기를 먹을 경우 혈중 콜레스테롤 수치를 낮출 뿐만 아니라 부분적으로 암 발병이 억제된다는 것이다.

특히 육류나 생선류를 고온에서 굽거나 지나치게 익힐 경우 헤테

로사이클린 아민(HCAs)이라는 발암물질이 형성된다. 또한 요즘처럼 석쇠에 숯불로 고기를 구워 먹으면 불완전 연소된 고기기름 연기에서 다량의 발암물질(PAH)이 나오는데 그 연기가 다시 고기에 달라붙어 우리 입으로 들어가는 것이다. 소비자보호원에서 직접 실험한 결과에 따르면 이런 방식으로 구워 먹을 경우 발암물질이 504배나 더 고기에 들러붙게 된다. 동물들을 학대하고 약 먹여 키운 다음 발암물질이 생성되는 방식으로 조리해서 절제하지 않은 채 양껏 먹는 것이 결코 잘먹고 잘사는 방법은 아닐 것이다.

조리 형태에 따른 돼지 목심의 PAH 함량 변화 (ppb)

	불판	석쇠
조리 전	0.14	0.14
조리 후	0.4(3배)	70.6(504배)

(검사기관 : 소비자보호원)

우리가 고기를 과하게 먹었을 때 몸에서는 어떤 일들이 벌어질까? 지방이 우리 몸에 들어오면 중성지방과 콜레스테롤로 양분되는데 콜레스테롤에는 저밀도 지단백질(LDL : 나쁜 콜레스테롤)과 고밀도 지단백질(HDL : 좋은 콜레스테롤) 등의 콜레스테롤이 있다. 그런데 LDL이 상승하면 HDL이 떨어지게 되고, LDL이 올라가면 HDL이 떨어지는 상호 견제작용을 한다.

고기를 많이 먹었을 때 고기 안의 중성지방이 간에 저장되어 HDL을 감소시키고, HDL이 감소하면 LDL이 올라가 혈관 벽에 침착률이 높아진다. 그래서 HDL이 많은 등푸른 생선 등을 섭취하여 조화를 이루어야 한다. LDL은 심장혈관을 막아서 심근경색, 협심증을 유발시키고 뇌혈관을 막아서 뇌졸중을 일으키며, 혈관 벽에 상처를 입힌다. 또한 사람을 포함한 동물은 몸에 해로운 성분, 예를 들어 담배의 유해 성분, 중금속 등을 자신의 지방조직에 저장해 두는데, 이런 지방을 많이 먹는 것이 결코 몸에 이로울 리가 없는 것이다.

고기를 먹으면 반드시 야채를 먹어야 하는 이유는 야채 안의 비타민 같은 영양 성분 외에도 '생리 활성 기능이 있는 비 영양학적인 요소' 인 '파이토케미컬(phytochemicals : phyto는 식물이라는 뜻)' 이 야채에 많이 들어 있기 때문이다. 파이토케미컬은 인체 세포에 나쁜 영향을 주는 산화작용을 억제, 항산화작용을 한다. 또한 인체의 면역체계를 활성화시키고 혈관을 막는 물질을 줄여주며 종양의 확산을 억제하는 효과가 있다. 또한 암을 유발하는 물질의 활동을 억제하고 인체 세포를 발암물질로부터 보호해주는 효소를 자극하는 역할도 하는 것으로 알려져 있다. 필자가 고기 먹을 땐 반드시 야채를 많이 먹어야 한다고 거듭 강조하는 이유도 식물 안에 다양하게 들어 있는 파이토케미컬 때문이다.

비타민에 대한 오해

미국에 가면 섬유질을 비롯해 각종 비타민, 미네랄, 효소에 이르기까지 온갖 건강 보조식품을 쉽게 접할 수 있다. 부자 나라 국민인 미국인들은 식습관을 바꾸는 대신 먹기 편리한 건강 보조식품 문화를 발달시켰다. 미국은 이미 오래 전부터 비타민 같은 보충제를 우리와 달리 약으로 분류하지 않고 식품으로 분류하여 식품점에서도 팔고 있다.

나는 비타민 연구의 메카인 미국 오리건 주의 오리건 주립대학 라이너스 폴링 연구소(Linus Pauling Institute)를 방문하기로 계획을 세웠다. 합성 비타민제를 어느 정도 먹는 것이 인체에 도움이 되는 가가 우리 사회에서도 논란거리가 되고 있기 때문이다. 지금 고인이 된 폴링 박사는 노벨평화상과 노벨화학상을 받은 사람이다. 천재적 과학자인 라이너스 폴링은 온건하고 따뜻한 성품에 유머 있는 사람으로 알려져 있는데 아인슈타인이 라이너스 폴링의 화학 강의를 듣고는 라이너스 폴링은 천재라고 말할 정도였다고 한다. 폴링은 인간 고통의 원인 중 상당 부분이 부적절한 영양 공급에 있다고 생각하여 이 문제를 해결하려고 비타민 연구 등에 그의 인생을 바쳤다.

라이너스 폴링 연구소에는 세계적으로 유명한 여러 학자들이 많다. 나는 연구소의 대시 우드(Dash Wood) 박사와 연락이 닿아 그를 찾아갔다. 그곳에서 그는 고기와 뮤타젠(Mutagen : 돌연변이 유도물)을 연구하고 있다. 뮤타젠이란 우리가 요리할 때 생성되는 합성물인데 이것이 돌연변이를 일으킨다. 그는 실험실에서 박테리아를 이용해서 뮤타젠 유전물을 만들고 있었다. 그는 암과 음식물을 연구하고 있으며 특히 여러 음식물 중 어떤 성분들의 조합이 암의 원인이 되는지, 차(tea), 야채와 과일의 성분 중 어떤 성분이 암에 효과적인지 등을 연구하고 있다.

대시 우드 박사는 최근 야채와 녹차의 엽록소를 뮤타젠과 함께 섞어서 박테리아 실험을 하여 암 발생을 예방하는 방법에 관해 연구하고 있고 이미 쥐 실험에서 그 효과가 확실하게 입증되었다고 설명했다. 한 그룹의 쥐에 1년 동안 육류의 뮤타젠을 주입했을 때 간암, 직장암이 발생했으나 엽록소를 동시에 주입한 쥐들은 암 형성이 예방되었다는 것이다. 실험을 하면서 자신도 고기를 덜 먹게 되었다고 한다.

"뮤타젠은 고열의 요리와 관련이 깊습니다. 한 가지 조언을 한다면 고기를 요리하려면 저열로 장시간 요리하는 게 좋습니다. 또 바비큐 파티에서 고기를 먹을 때는 검게 탄 부분에 뮤타젠이 많으므로 잘라 내십시오. 전혀 육류를 안 먹을 필요는 없습니다. 올바르게 요리하고 균형있게 야채를 많이 먹으면 됩니다. 브로콜리, 양상추 등에 뮤타젠의 활동을 줄이는 엽록소가 많습니다. 야채에는 항산화물질뿐 아니라 여러 가지 중요한 화학물질들이 많이 들어 있습니다. 이것들이 질병을 예방하고 우리를 보호합니다."

그는 음식 환경이 바뀌면 질병도 변한다며 한 가지 예를 들었다.

"미국에 이주한 일본인들의 이민 첫 세대 가운데는 위암으로 죽는 사람이 많았습니다. 그런데 이민 2세들은 직장암으로 죽는 사람이 많아진 대신 위암 사망률은 줄어들었죠. 지방이 많은 음식을 먹으면서 식생활이 변해 이민 2,3세대들에게 유전적인 변화가 나타난 것입니다. 확실한 건 육류를 많이 먹는 사람, 야채를 거의 안 먹는 사람은 직장암을 일으킬 확률이 매우 높다는 것입니다."

"비타민을 음식으로 섭취하는 것과 따로 먹는 것은 효과가 같나요?"

"같은 효과가 난다고 말한다면 위험한 발상입니다. 그러나 수백억 달러의 시장을 형성하고 있는 비타민, 건강 보조식품 산업은 지금 큰 돈을 벌고 있습니다. 사람들은 '필요한 비타민을 섭취하면 그만이지 구태여 내 생활방식을 고칠 필요가 있겠는가?' 라고 생각할 수 있습니다. 사람들은 계속 담배 피우고 운동도 하지 않으면서 비타민제는 챙겨 먹습니다. 그러나 이건 바람직한 생활이 아닙니다. 먼저 삶을 행복하게 즐겨야 합니다. 만약 건강하게 장수하는 삶을 원한다면 운동과 올바른 식습관, 금연이 생활화되어야 합니다. 건강보조제를 먹을 때도 건강한 생활이 전제되어야 합니다.

암 연구센터에선 일일 권장량으로 5~9인분의 야채와 채소를 먹으라고 하지만 현실적으론 곤란합니다. 또한 65세 이상의 노인들은 이런 권장량을 소화 흡수하기가 매우 어렵습니다. 비타민 1일 권장량인 170~200mg은 건강한 청년을 기준으로 했기 때문에 노인들은 같은 양을 먹어도 흡수력이 떨어집니다. 많이 먹는다고 좋은 게 아닙니다. 어떤 것은 해가 될 수 있습니다. 그러나 빈곤층과 노인들에게 종합 비타민제와 건강보조제는 권장할 만합니다."

"그러나 비타민 사용량에 대한 논란은 계속되고 있습니다. 소비자들은 어떻게 중심을 잡아야 하는 건가요?"

"좋은 질문입니다. 지금은 알 수 없으나 미래엔 개개인의 유전자를 조사해서 특정 비타민을 얼마나 먹어야 하는지까지 알 수 있을 것입니다. 라이너스 폴링 박사도 많은 논쟁을 일으켰고 비타민 섭취에 대해서 30년이 지난 현재까지도 그런 논쟁들이 계속되고 있습니다. 아직도 전적으로 신뢰할 만한 결과가 나오지 않았습니다. 라이너스 폴링을 아는 어떤 사람들은 '폴링 박사는 밀리그램이 아니라 그램 단위로 먹어야 한다고 했다' 고 말합니다. 이 부분에 대해서는 아직도 논쟁거리가 되고 있죠. 그래서 일반인들은 어떻게 해야 할지 혼란스럽습니다. 내가 할 수 있는 조언은 '믿을 만한 결과를 얻은 가장 최근의 정보' 에 주목하라는 것입니다. 현재 라이너스 폴링 연구소는 비타민 C를 하루 200mg 권장합니다."

"한국인들은 비타민 보조제를 먹지 않고도 건강하게 잘 살고 있습니다. 왜 미국에서는 많은 사람들이 비타민 보조제를 그렇게 많이 먹습니까?"

"나는 한국 사람들에게 식생활을 갑자기 바꾸지 말라고 말하고 싶습니다. 미국처럼 잘 사는 나라에서는 거의 모든 종류의 비타민제를 쉽게 구할 수 있습니다. 그러나 이런 비타민제를 많이 먹어도 여전히 나쁜 생활 습관을 바꾸지 않는다면 잘못된 것입니다. 만약 어렸을 때 과거의 한국인들처럼 균형잡힌 음식과 야채를 먹어왔다면 따로 비타민제를 먹을 필요는 없습니다. 지속적으로 운동하고 금연하는 생활이 더 중요한 것입니다. 이러한 라이프 스타일 자체에 역점을 두어야지, 갑작스럽게 비타민제를 복용한다고 위안을 삼을 일이 결코 아닙니다."

한국인들에게 중요한 것은 과거의 좋은 식습관을 지키는 것이지 미국인들처럼 망가진 라이프 스타일에 비타민 등의 보충제로 사는 것이 아니다. 얼마 전에도 비타민은 많이 먹을수록 좋다고 TV에 나와 열변을 토하는 사람들이 많이 있었다. 이들이 시청자들에게 비타민 등 보충제 섭취를 강조하기 전에 보다 근본적인 식생활 개선부터 강조했어야 하지 않나 하는 아쉬움이 남는다. 보충제는 그야말로 기본을 바로잡은 다음에 보충적인 역할을 하는 것이다.

자연식품 안에는 각종 영양 성분들이 상호조화 속에 공존한다. 시금치에는 칼슘이 풍부하지만 피트산(Pytic acid)이라는 성분이 있어서 미네랄인 칼슘을 나쁜 중금속 배출하듯이 일정 부분 배출시켜버린다. 따라서 시금치에 들어 있는 칼슘 함량은 별 의미가 없다. 그럼에도 불구하고 시금치는 아주 좋은 식품이고 칼슘의 좋은 공급원이다. 오히려 몸에 필요 이상의 영양분이 들어가 문제를 일으키지 않도록 자연은 필요 이상의 섭취를 제어하는 통제 시스템을 갖고 있다고 해야 더 맞는 말일 것이다. 고소한 시골 참기름을 맛있다고 많이 먹는 사람은 없다. 순수 자연산인 참기름은 적당히 먹고 나면 질리게 만드는 역할도 함께 하기 때문이다. 시금치에는 섬유질이 많고 각종 비타민도 많이 들어 있다. 이것들이 모두 조화를 이루어 우리 몸에 종합적으로 작용을 하며 균형을 이루는 것이 자연 영양이다. 눈에 보이지 않는 성분간의 상호작용을 무시한 채, 규격화된 비타민 제품을 많이 먹는다고 건강해지고, 칼슘 보충제를 많이 먹는다고 뼈가 튼튼해지는 것이 아니다. 이것이 몸이라는 자연이 지배하는 냉엄한 질서이다. 이처럼 자연의 질서에는 인간의 머리로 따라갈 수 없는 신비의 세계가 감추어져 있다.

야생동물의 씨를 말리는 우리의 잘못된 인식의 뿌리에도 동물의 특정 기관에 많이 들어 있는 어떤 성분을 많이 섭취하면 우리 몸이 계속 좋아질거라는 착각이 자리잡고 있다. 우리 몸에 부족했던 특정 영양 성분이 들어오면 잠시 좋아진다는 느낌을 받을 수도 있을 것이다. 그러나 분명한 것은 그 성분이 몸에 장기간 남아 있을 수도 없을 뿐더러 배출되거나 소모되고 나면 몸은 다시 예전 상태로 돌아간다는 것이다. 몸을 아프게 했던 섭생과 생활습관을 근본적으로 바꾸지 않는 한 몸이 낫기는커녕 멀쩡한 야생동물을 잡아대는 몹쓸 짓만 한 꼴이 된다. 나 혼자 잘먹고 잘살겠다고 자연의 생명 시스템을 파괴하는 야만적 행태에 현명한 독자들은 동참하지 않기를 바란다.

미국식으로 먹으면 빨리 죽는다

미국에서 동물성 음식을 많이 먹는 식습관이 미국인들이 앓고 있는 질병의 주원인이라고 생각하기 시작한 것은 그리 오래 전의 일이 아니다. 1977년 미국 상원에는 '영양특별위원회' 라는 것이 구성되었는데, 국립보건원, 암협회 등 미국의 질병 연구단체들이 총동원되어 작성한 이 위원회의 보고서로 인해 당시 미국인들은 커다란 충격에 휩싸였다. 그때까지만 해도 미국인들의 잘먹고 잘사는 법은 풍부한

미국에도 채식 열풍이 불고 있다. 완전 채식주의자 엘리와 그의 아들.

동물성 단백질과 지방을 기본으로 한 육식, 유제품 등을 많이 먹는 생활이었기 때문이다. '암 · 당뇨병 · 심장병 등의 질병은 대부분 잘못된 식습관에서 비롯되었으며 심지어 정신질환도 식생활의 영향을 받는다'는 영양특별위원회의 보고는 미국 식생활의 대변혁을 예고하는 것이었다. 위원회는 '20세기 초의 식생활로 돌아가야 한다'는 결론을 내렸고 그후로 미국식 식생활을 개선하자는 움직임이 지식층을 중심으로 빠르게 퍼져갔다. 그리고 채식에 대한 근본적 인식의 변화가 시작되었던 것이다. 세계적으로 유명한 의사들이 채식주의를 선언하고 나섰다. 미국에서 채식주의 운동이 본격적으로 발화하기 시작한 것이다. 여기서 밝혀두어야 할 것은 채식주의자가 풀만 먹는 사람들이 아니라는 것이다. 채식주의자들 가운데는 유제품이나 달걀을 먹는 사람들이 많다.

나는 뉴저지 주 존슨 의학대학의 아서 업튼(Arther C. Upton) 교수를 찾아갔다. 그는 1970년대 미국 상원의 영양특별위원회가 미국인을 위한 식사의 문제점과 개선책에 대한 특별 보고서를 만들 때 같이 활동한 사람이다. 나는 저명한 노학자의 편향되지 않은 의견을 듣고 싶었다.

"미국에 와서 우유나 고기를 먹지 말자는 사람들의 이야기를 많이 들었습니다. 한국인에게 어떤 조언을 하시겠습니까?"

"일반적으로 적당한 체중을 유지하는 것이 중요합니다. 너무 마르거나 너무 뚱뚱하지 않아야 합니다. 이것이 가장 중요한 것이라고 생각합니다. 그리고 사람의 신체에서 매일 엄청나게 죽는 세포를 대체하는 새로운 세포를 만들기 위해서는 충분한 단백질이 필요합니다. 그러나 단백질은 꼭 유제품이나 육류에서 섭취할 필요는 없습니다. 생선이나 야채에서도 섭취할 수 있으며 중요한 것은 충분한 단백질을 섭취해야 한다는 것입니다. 그리고 섬유질 섭취 또한 중요합니다. 그리고 건강한 몸을 유지하기 위해서는 비타민과 노화방지제가 포함되어 있는 과일과 야채를 하루에 5번 이상 섭취해야 좋습니다."

"상원 영양특별위원회의 보고서가 제출되었을 때 미국 사회의 반응이 궁금합니다."

"큰 충격이었죠. 그 전까지만 해도 식생활의 문제는 그리 큰 관심의 대상이 아니었습니다. 보고서는 미국인들의 식습관에 커다란 변화를 가져왔습니다. 그러나 사람들에게 전폭적인 지지를 받지 못했습니다. 그 이유는 사람들이 변화를 꺼리기 때문입니다. 특히 의사들 중에는 폐쇄적인 사고를 갖고 있는 사람들이 종종 있습니다. 그들은 모든 문제의 답을 알고 있다고 생각하기도 합니다. 그리고 그들의 관념에 위배되는 새로운 아이디어들에 맞닥뜨리게 되면 아니라고 말하곤 하죠. 불행한 일이지만 그들의 생각은 개방적이지 못합니다. 그리고 의사들은 교육 과정에서 회의를 갖도록 훈련받습니다. 뭐든지 증거를 원합니다. 멋진 아이디어라는 이유로 새로운 사실을 받아들이기보다 그것을 이해할 수 있을 만큼 세밀한 검사와 적절한 증거들이 뒷받침되어야 확신을 갖습니다. 그러므로 회의를 갖는 것은 긍정적이지만 종종 부정적인 폐쇄성이 공존하는 것을 볼 수 있습니다. 그러므로 이 보고서가 맨 처음 발표되었을 때 의사들에게서 두 가지 반응을 모두 볼 수 있었습니다."

"그러면 의사인 선생님의 입장은 어떤 것이었습니까? 선생님도 회의적이셨나요?"

"저는 가능한 개방적인 사고를 가지려고 노력하는 사람입니다. 그러나 긍정적인 회의는 갖고 있었습니다. 일부 아이디어들은 믿기 어려운 것들도 있었기 때문에 받아들이기 전에 더 많은 증거들을 보고 싶어했습니다. 그러나 이것은 긍정적인 회의입니다. 식습관과 건강이 매우 밀접한 관계를 맺고 있다는 개념은 현재 의학계와 과학계에 널리 받아들여지고 있습니다. 그리고 전반적으로 대중들도 받아들이고 있다고 생각합니다."

30년 전의 상원 보고서로 촉발된 영양에 대한 관심은 미국 사람들이 음식 섭취에 대해 다시 생각하게 하는 계기가 되었지만 아직도 대부분의 서민들은 이런 새로운 정보와 관계가 먼 생활을 하고 있다. 고학력, 고소득의 사람일수록 음식과 건강에 관심이 더 높아 날씬하고 건강한 몸을 가꾸어가는 반면, 고급 정보를 접할 기회가 적고 햄버거 등 지방이 많은 싼 음식을 먹고 살 수밖에 없는 가난한 사람들은 더 뚱뚱해지고 각종 병에 시달리다 일찍 죽는 것이다. 미국에선 건강 문제에도 계층간의 양극화 현상이 벌어지고 있다. 그런데 우리나라는 이와 정반대의 현상을 보이고 있다. 중산층 아이들일수록 서양식 생활의 편리함과 입맛에 길들여져 비만한 아이들이 더 많은 것이다. 이것은 우리 사회와 가정에서 교육을 통해 잘먹고 산다는 것의 기본적인 생각을 바로잡아 주지 못했기 때문이다.

타산지석이 될 미국인들의 식생활 문제를 더 알아보기 위해 클린턴 대통령의 건강 자문의였던 존 맥두걸(John Macdougal) 박사를 찾아가기로 했다. 그는 음식과 건강이라는 주제를 가지고 전국을 돌며 강연과 TV 프로그램에 출연하고 건강 식품회사를 운영하는 등 왕성한 활동을 하는 유명 인사이다. 내가 그를 찾아갔을 때 그는 샌 라파엘의 한 대형 슈퍼마켓 야채 코너 앞에서 새로 출시될 건강 비디오 제작에 한창이었다.

그에게 미국인의 전형적인 식생활 문제점에 대해 물어보았다.

"미국인들은 세계 최고의 풍요로운 삶을 누리고 있습니다. 그런데 거리에는 뚱뚱한 사람들이 차고 넘치고 있죠. 미국인들이 왜 이렇게 되었는지요?"

"미국 사람들의 기본 식습관은 30년 전과 변함이 없습니다만 유지방, 고기, 고지방 식품들은 패스트푸드 체인을 통해 너무 쉽게 구할 수 있게 되었습니다. 100년 전에는 고기나 유지방 식품이 귀했습니다. 식생활은 야채가 주를 이루었죠. 감자, 빵, 옥수수, 야채와 약간의 고기, 그리고 유지방 식품이 주식이었습니다. 그런데 제가 어렸을 땐 이미 매일 먹는 음식들이 축제 음식으로 변해 있었습니다.

매일 아침은 부활절이었습니다. 식탁엔 달걀이 있었죠. 점심과 저녁은 칠면조 고기와 햄을 먹는 추수감사절이고 크리스마스였습니다. 그리고 매일 밤은 생일 잔치처럼 간식으로 케이크와 아이스크림을 먹었죠. 아침부터 저녁까지 축제였던 겁니다. 그게 전형적인 미국식 식습관입니다. 그러니 사람들이 아픈 것은 당연하지 않겠습니까.

얼마 지나지 않아 한국인들도 미국인들처럼 뚱뚱하고 병에 시달리게 될 것입니다. 다이어트 약, 혈압 약을 만들어 한국에 파는 의약회사 주식을 살까 합니다. 그러면 전 굉장히 부자가 될 겁니다. 하하하…. 한국인들도 부자가 되면서 더 고칼로리 음식을 찾을 것이고 그러면 곧 더 뚱뚱해지고 더 아프게 될 겁니다. 모든 사람들이 미국인처럼 풍요 속에서 잘 살기를 바라고 있습니다. 그게 세상 사람들에게 보이는 미국의 이미지입니다. 좋습니다. 그러나 미국인과 같은 질병에 걸리게 될 겁니다. 심장병, 뇌졸중, 당뇨, 비만, 골다공증 등 미국인들이 겪는 질병에 똑같이 노출될 겁니다."

"잘먹는 것과 잘사는 것은 어떻게 다르다고 생각하시나요?"

"저는 의사이지만 약이나 처방하는 것으로는 사람들이 건강을 되찾을 수 없다고 생각합니다. 건강을 다시 찾는 방법은 건강에 문제를 일으킨 요소들을 없애는 것입니다. 사람들이 아픈 이유는 우리가 왕과 여왕같이 먹고 있기 때문입니다. 동, 서양의 역사를 보면 왕과 여왕들은 뚱뚱했습니다. 왜냐하면 고칼로리 음식들을 먹었기 때문이죠. 100년 전 동양에서는 쌀이나 야채를 먹었고 유럽에선 빵, 파스타를 주로 먹었습니다. 미국의 주식은 옥수수, 콩, 감자였습니다. 그리고 가끔 중요한 날, 공휴일이나 축제가 열리는 날에 사람들이 모여서 평소 먹지 않던 특별한 음식을 먹었습니다. 돼지를 통째로 굽거나 야채 스튜에 닭고기를 넣어 고칼로리 음식들을 먹었습니다. 보통 사람들이라면 이런 음식은 한 해에 3, 4번 정도만 먹을 수 있었습니다. 그러나 부자들은 달랐습니다. 매일같이 축제 음식을 즐겼습니다. 그들의 모습이 오늘날의 미국인들의 모습입니다. 곧 한국 사람들도 비슷해질 겁니다. 당신에 대해 잘 모르지만 당신 아이들은 아마 지금도 비슷해지고 있을 겁니다."

그는 보지도 않고 내 가정과 한국의 사정을 꿰뚫고 있는 듯했다.

"한국의 사정을 잘 아시는 것 같은데 한국 아이들을 위해 조언을 부탁합니다."

"만약 아이들의 과동증을 줄이고 싶다면 사탕, 콜라에 들어 있는 카페인, 신경 시스템에 지장을 주는 동물성 단백질들을 줄여야 합니다. 고칼로리 서구 식단이 과동증을 유발합니다. 제가 한국에 계신

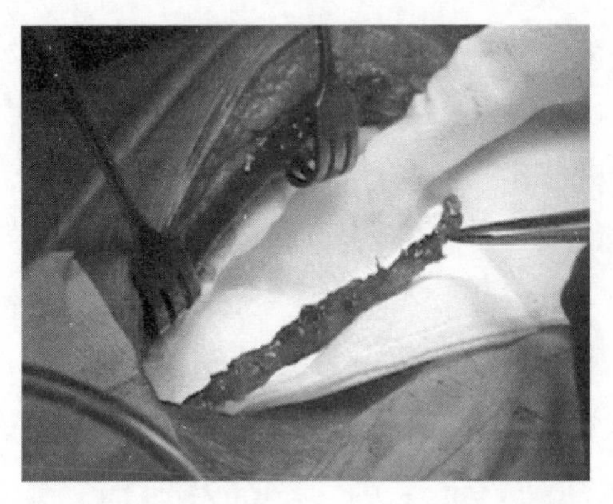
미국인의 사망원인 1위는 심장병이다. 노폐물로 막힌 심장 혈관.

분들에게 해줄 말은 간단합니다. 여러분들은 지금 무엇이 문제인가를 알아챌 기회가 있습니다. 부모와 조부모 세대의 건강을 한 번 생각해 보십시오. 그들은 날씬하고 젊어 보이고, 80~90세까지도 활동적입니다. 관절염, 심장질환도 거의 없었습니다. 그 분들이 무엇을 먹었습니까? 쌀과 야채, 콩을 많이 먹고 고기, 유제품을 적게 먹었습니다.

자신이 왜 뚱뚱할까 생각하시는 분이 있다면 조부모들이 가졌던 식단과 다르기 때문이라고 말해주고 싶습니다. 다시금 건강하고 젊어 보이고 싶다면, 한국의 조부모들의 식생활과 비교해 보십시오. 왜냐하면 그들의 식습관은 단지 한국뿐만 아니라 전세계 사람들이 따라가야 하는 좋은 식습관이기 때문입니다."

그는 과거 한국인의 식습관이 과도한 염분 섭취만 줄인다면 세계인들이 본받아야 하는 좋은 문화라고 강조하였다. 그의 건강 메시지를 알아듣기 쉽게 요약하면 미국인들도 과거의 한국인들처럼 먹고 살아야 한다는 내용이다.

한국 사람들의 소득이 증가해서 식생활이 서구화되면 과연 어떤 일이 벌어질 것인가. 세계적으로 주목받고 있는 그에 관한 연구가 있다. 7장에서 잠깐 언급했지만 미국 코넬 대학의 콜린 캠벨 영양학 교수는 차이나 프로젝트로 유명하다. 차이나 프로젝트는 중국의 지리적으로 제한된 특정 지방에서 다른 지방보다 암이 많이 발생한다는 중국 과학자들의 연구에 기초하고 있다. 중국 전역에 살고 있는 약 6,500가구를 대상으로 방대한 연구가 이루어졌다. 혈액, 소변, 그리고 음식 샘플 등을 조사하고 설문조사도 했다. 왜 어떤 지역에서는 다른 지역에서보다 암 발생률이 높은가를 알아내기 위해 가능한 자료를 총동원했다. 엄청나게 많은 양의 자료가 모였고 인류 역사상 가장 포괄적인 양의 연구가 이루어졌다. 이 모든 자료를 포괄적으로 분석하면서 그가 다다른 결론은 문제의 대부분이 동물성 식품임을 시사하고 있다는 것이다.

또한 심장병, 당뇨 등 중국인들이 앓고 있는 여러 다른 질병에 대한 조사도 추가로 이루어졌는데 기본적으로 같은 결론에 도달했다. '동물성 식품은 좋지 않다' 였다. 인체가 필요로 하는 것을 적절히 충족시키지 못하며 심장병, 암 등에 부정적인 영향을 끼친다는 결론이었다.

강연차 LA에 들른 그를 만나 이 연구 결과에 대해 물어보았다.

"동양인이 육식문화에 젖게 되면 어떤 일들이 벌어질까요?"

"왜 고기가 인체에 좋지 않은가는 추정한 것이 아니라 과학적인 실험과 관찰을 통해 얻어진 분명한 정보입니다. 동물성 식품에는 고기만 있는 게 아니죠. 고기는 동물성 식품의 한 종류일 뿐입니다. 문제가 되는 것은 동물성 식품 전체입니다. 동물성 단백질, 동물성 지방,

그리고 동물성 식품에 함유된 다른 성분들이 문제를 야기하는 것입니다. 동물성 식품은 암, 심장병, 당뇨뿐 아니라 한 나라가 부유해짐에 따라 생겨나기 시작하는 다른 많은 질병들의 발병률을 증가시킵니다. 세계 모든 나라에서 공통적으로 일어나고 있는 현상입니다. 경제적 성장에 따라 사람들이 점점 부유해지고, 부유해지면 가장 먼저 하고 싶어하는 일들 중 하나가 동물성 식품을 사는 것입니다. 고기를 사고 싶어하고 낙농식품을 자주 먹으려 합니다. 이런 음식은 부와 유복함의 상징이기 때문입니다. 세계가 전반적으로 그러한 방향으로 흘러가고 있죠.

중국에서도 도시를 중심으로 똑같은 현상이 일어나고 있습니다. 도시에는 돈이 더 많기 때문에 돈이 많아지면 동물성 식품의 소비가 늘어납니다. 중국에서는 자전거를 사면 가장 먼저 하는 일이 고기를 한 덩어리 사서 자전거 뒤에 싣고 집으로 가는 것입니다. 동양인들은 서양인보다 동물성 식품에 익숙하지 않습니다. 단기적으로 볼 때, 어떤 사람들이 다른 사람들에 비해 동물성 식품에 대해 더 민감할 수 있습니다. 거의 평생 고기를 먹어 보지 못한 중국의 시골 사람들이 고기를 먹기 시작할 때 고기의 문제점에 대해 더 민감하게 반응합니다. 예를 들어, 중국 학생들이 미국에 와서 갑자기 서양식 식단을 시작할 때 아주 빨리 문제가 생깁니다. 비만, 당뇨, 암 등과 관련된 문제가 훨씬 빨리 나타나는 것입니다. 서양인들은 그들처럼 민감하지 않습니다. 평생 고기를 먹었기 때문에 그것에 더 익숙하기 때문이죠. 나 같은 백인들에게도 문제가 생기는 것은 틀림이 없지만 아시아 등지에서 온 사람이 갑자기 고기를 서양식으로 먹기 시작하면 좀더 민감하게 반응합니다."

캠벨 교수, 맥두걸 박사, 모리시타 게이찌 일본 자연의학회 회장의 이야기가 일맥 상통했다. 일본인들이나 한국인들이 미국인들이 앓아온 풍요의 병에 걸리기 시작한 것은 그리 오래 전의 일이 아니다. 음식문화가 갑자기 바뀌었을 때 어떤 일이 벌어지는가를 상징적으로 보여주는 사람들이 있다.

천연 곡류와 채소, 생선류를 먹고 살았던 호주 원주민들은
이제 슈퍼마켓에서 고지방, 고당분의 식품을 마음껏 사먹을
수 있게 되었다. 그 결과 심장질환, 당뇨병이 전염병처럼
퍼지고 많은 사람들이 그런 질병들로 죽어가고 있다.
갑작스런 생활의 변화가 불러온 부작용들이 극명하게
드러나고 있는 것이다.

제9장

풍요와 함께 찾아오는 불청객

남태평양의 교훈

호주 원주민들은 백인들이 이주해온 200년 전만 해도 20~30명의 소그룹을 이루어 전국 각지에 흩어져 살며 그 지역에서 자라나는 곡식, 물고기, 작은 동물들을 먹고 살았다. 그러나 지금은 슈퍼마켓에서 고지방 식품을 마음껏 사먹을 수 있게 되었다. 남태평양 국가들을 돌면서 자원 의료봉사 활동을 하고 있는 퍼시 해롤드 박사를 시드니에서 만나 전통 식생활이 바뀐 호주 원주민의 이야기를 들어보았다.

"호주 원주민의 식생활 변화가 어떤 결과를 가져왔습니까?"

"원주민들이 충분한 사전 교육을 받지 못한 상태에서 술이나 고지방, 고당분 식품을 많이 먹은 결과 심장질환이나 당뇨가 전염병처럼 퍼지고 있습니다. 많은 사람들이 심장질환, 당뇨병, 신장질환으로 죽어가고 있죠. 대부분의 호주인들은 80세까지 살지만 원주민들은 40~50세에 죽습니다. 위와 같이 예방 가능한 질병들이 원인입니다. 고 동물성 지방 음식을 많이 섭취하는 데 비해 야채와 과일을 충분히 섭취하지 않기 때문입니다."

호주 원주민들의 건강 상태는 음식뿐 아니라 마약과 술로 점점 악화되고 있다. 갑작스러운 생활의 변화가 불러온 부작용들이 극명하게 드러나고 있는 것이다.

호주에서 북동쪽으로 올라가면 남태평양 상에 나우루(Nauru)라는 조그만 섬나라가 있다. 이곳은 30년 전까지만 해도 남태평양에서 가장 가난한 나라였다. 그러나 1970년대 인구 9500명의 작은 나라에 인산염 광산이 본격 개발되면서 현재 일인당 개인 소득이 7천 달러를 넘게 되었다. 이런 갑작스런 소득의 변화 가운데 가장 먼저 찾아온 것은 서양 음식문화였다. 호주에서 비행기로 실려온 각종 기름진 음식들이 나우루 사람들의 식생활을 바꿔놓은 것이다. 그러나 그 결과는 참담했다. 국민 3분의 1 이상이 당뇨에 걸린 것이다.

이런 현상에 대해 해롤드 박사는 다음과 같이 말한다.

"예전보다 운동량은 줄고 지방 섭취는 늘어나면서 살이 찌고 심장병이나 당뇨에 걸리기 시작한 겁니다. 나우루에서 지난 30년 동안에 갑자기 벌어진 일입니다. 질병은 나쁜 식생활, 술, 그리고 담배와 관련이 깊습니다. 과거에 이들은 낚시한 물고기, 새들의 알, 과일을 음식으로 섭취하면서 건강하게 살았습니다. 그러나 지금은 호주산 음식들을 먹습니다. 고지방 음식들을 섭취하면서 당뇨에 걸린 나우루 사람들은 30대 초반에 죽어가고 있습니다. 슬픈 일입니다만 전통적인 방법에서 벗어난 잘못된 식생활을 하고 있기 때문입니다. 50년 전에 그 지역 사람들의 사진을 보면 대부분 좋은 치아를 가지고 있었습니다. 그러나 지금은 치아도 큰 문제입니다."

그들이 원래 먹던 음식은 도정하지 않은 곡식과 고단백질, 저지방 음식들이었다. 이런 음식들은 갑작스런 혈당 상승을 억제하여 췌장에 부담을 덜 줌으로써 당뇨병이 생기지 않도록 해온 음식들이다(이런 음식들을 혈당 지수가 낮은 음식—Low glycemic Index food—이라고 한다). 호주 원주민들과 나우루 사람들의 건강 문제는 오늘날 급격한 식생활의 변화를 겪고 있는 우리도 타산지석의 교훈으로 삼아야 한다. 당뇨 전문가들이 내놓는 10년 뒤 우리의 모습은 매우 우려할 만한 수준이다. 현재 한국의 당뇨 인구는 정확히 파악조차 안 되고 있다. 1970년대 초까지만 하더라도 당뇨 유병률이 우리 전체 인구의 1% 미만이었던 것이 최근에 와서 10%에서 최고 12.8%까지 높아졌다. 지난 20~30년에 걸쳐 당뇨병이 거의 10배 이상 많아진 것이다. 그 대표적인 원인으로 꼽히는 것이 소득의 증가이다. 어느 정도 생활이 윤택해지면서 많이 먹고 또 잘먹게 되었지만 그에 비해 운동량이 절대적으로 부족해졌다. 또한 결정적인 문제는 소득 증가로 먹는 음식의 종류가 급격히 바뀐 것이다. 지난 30년간 부자가 되려고 발버둥치며 살아왔는데 돈 좀 벌었더니 그 대가로 이젠 병이 찾아오고 있다. 어떻게 살면 당뇨병 천국이 되는지 살펴보기로 하자.

당뇨병 천국

인간의 영양 상태가 좋아지면서 생기게 된 대표적인 질병이 당뇨병이다. 그런데 취재하면서 당뇨병에 잘 걸리는 사람들이 따로 있다는 사실을 알게 되었다. 먼저 부모에게서 유전적 소인을 물려받은 사람들을 제외하고(이 부분도 가족의 음식 패턴에 원인이 있다고 문제제기 하는 사람들이 많다) 당뇨병이 갑자기 늘어나는 나라들은 대개 지난 20~30년 사이에 음식문화가 급작스럽게 변한 나라가 많다는 것이다. 대표적인 나라를 꼽는다면 이웃 일본을 들 수 있다.

일본은 이미 당뇨병 예비군 700만 명에 당뇨 환자 700만 명을 넘어섰다. 원래 일본인은 몽골민족 중에서도 전통적으로 좋은 식생활을 유지하는 민족이었는데 지금은 나이든 사람들을 빼고는 거의 과거의 식생활을 잃어가고 있는 게 현실이다. 지금으로부터 35년 전만 해도 10만 명이던 당뇨 환자가 무려 140배나 증가한 것이다. 전국민의 10%가 넘는 수준이다.

동양인들에게 당뇨가 생기는 원인은 매우 다양하다. 그 중 대표적인 원인은 잘먹어 생기는 비만이다. 미국 당뇨협회 회장인 크리스토퍼 소덱(Christopher Dyer Saudek) 박사. 존스 홉킨스 대학의 그의 연구실을 찾아갔을 때 그는 한국인을 위해 친절한 조언을 아끼지 않았다.

"당뇨에 걸릴 확률을 줄이는 것은 정상적인 몸무게를 유지하는 것입니다. 몸무게가 주요한 관건입니다. 그러나 아시아 사람들은 꽤 다른 당뇨병 상관관계를 갖고 있습니다. 백인들은 체중 지수(BMI)가 27일 때 비만이고, 아시아 사람들은 체중 지수가 24일 때 비만입니다. 그래서 비교적 적은 체중 증가도 당뇨병을 유발할 수 있습니다. 시애틀에서 조사한 바에 따르면 특히 미국에 이민 온 일본인들은 적은 체중 증가에도 당뇨가 나타났습니다."

그는 특히 동양인들의 빠른 몸무게 증가에 대해 경고했다. 보통 체중의 사람이 짧은 시간에 과도하게 몸무게가 늘었다면 당뇨병 확률이 훨씬 높다는 것이다. 체중이 많이 나가는 사람일수록 더 많은 양의 인슐린을 끌어내야 하는데 어느 한계점을 넘어서면 충분한 인슐린이 나오지 못하게 된다. 빠른 몸무게 증가가 췌장에 무리를 주고 췌장이 그것을 견디지 못하는 것이다.

불안정한 혈당을 안정적으로 유지시키는 데 섬유질만큼 좋은 식품은 없다. 섬유질은 포도당의 혈액 내 흡수 속도를 조절해 준다. 벼락밥을 먹듯이 급하게 흰 쌀밥을 먹거나 청량음료에 들어 있는 설탕 같은 단순당이 급하게 우리 몸에 들어오면 췌장에서는 급하게 올라가는 혈당을 내리기 위해 인슐린을 급히 분비시키게 된다. 이 인슐린은 우리 몸의 혈액으로 들어와 혈액의 당도를 떨어뜨리는데 이때 인슐린은 포도당을 중성지방으로 바꿔 우리 몸에 저장한다. 그런데 섬유질이 이런 당분의 체내 흡수 속도를 조절해 준다. 하찮게 보이는 섬유질을 천대하면, 즉 야채식을 멀리하면 어떤 불행한 결과가 나타나는지 명심해야 한다.

흰 쌀밥, 흰 밀가루, 백설탕 등 깨끗한 것에 대한 사람들의 잘못된 편견은 섬유질까지도 깨끗이 없애버렸다. 아무리 집안 병력에 당뇨가 있다고 해도 제 1형 당뇨(췌장의 인슐린 분비 기능이 망가진 당뇨로 당뇨 환자의 약 10% 정도가 1형 당뇨이다. 나머지는 2형 당뇨이다)가 아니면 섬유질이 풍부한 현미 잡곡밥과 야채를 많이 먹고 저지방 식사를 해 비만이 없으면 당뇨가 거의 안 생긴다고 해도 과언이 아니다. 게다가 운동을 자주 하는 사람이면 금상첨화이다. 집안 내력에 당뇨 환자가 있으면 이런 식사를 하여 당뇨를 예방할 수 있다. 당뇨는 한 번 발병하면 치료가 어려운 병인데 당뇨 수치가 높아 처음 알게 되었을 때 이와 같이 식생활을 바꿔 운동을 겸한다면 당뇨를 초기에 잡을 수도 있다. 이와 반대로 생활하는 사람들이 많아지면 한국도 당뇨병 천국이 될 것이다. 빈부의 격차에도 불구하고 우리의 소득은 최근 30년 사이 기하급수적으로 늘었다. 더불어 당뇨의 최대 적이라는 3백식(흰 설탕, 흰밥, 흰 밀가루)이 우리의 주식이 되었다. 게다가 비만을 일으키는 동물성 육식들이 주변에 차고 넘치고 있다. 사람들은 가까운 거리도 자동차를 타고 컴퓨터 앞에 하루 서너 시간씩 앉아 있는 생활에 익숙해 있다. 이런 풍요의 삶이 당뇨병 천국으로 가는 지름길이라는 것을 빨리 알아채야 한다. 당뇨는 한 번 걸리면 당사자뿐 아니라 후손들에게까지 피해를 입히는 무서운 병이다.

페트병 증후군

일본에서 요즘 새롭게 조명되고 있는 신종 증후군이 있다. 이른바 페트병 증후군(Pet Bottle Syndrome). 탄산음료를 비롯한 여러 음료수를 많이 먹는 사람들에게 생기는 병이라 붙은 이름이다. 요즘 우리나라의 청소년들 가운데도 이런 음료수들을 입에 달고 사는 아이들이 많기 때문에 이 증후군은 남의 나라 이야기만이 아니게 되었다. 나는 '아사히(朝日) 생명 당뇨병 연구소' 주임으로 있는 노다 미쯔히코 박사를 찾아갔다.

"페트병 증후군 환자가 늘었나요?"

"전체 통계는 없지만 과거 5년 동안 어느 병원의 통계를 보면 전체 20명의 입원환자 중 반이 다시 입원하고 있으므로 늘고 있다고 생각합니다. 페트병 증후군은 뚱뚱한 사람에게 일어나기 쉽습니다. 일본의 비만은 근래 수십 년 사이에 상당히 증가하고 있으므로 이것이 페트병 증후군의 발생에 박차를 가한다고 할 수 있습니다. 페트병 증후군은 1980년대 중반부터 보고되기 시작했는데 이때부터 1리터, 1.5리터 페트병이 시중에 나오기 시작했죠. 보통 때 같으면 한 병 마시고 말 것을 큰 페트병이면 계속 먹을 수 있으므로 이것이 증후군 발생에 매우 큰 계기가 되었다고 생각합니다."

"당분이 페트병 증후군을 일으키는 원리를 설명해 주십시오."

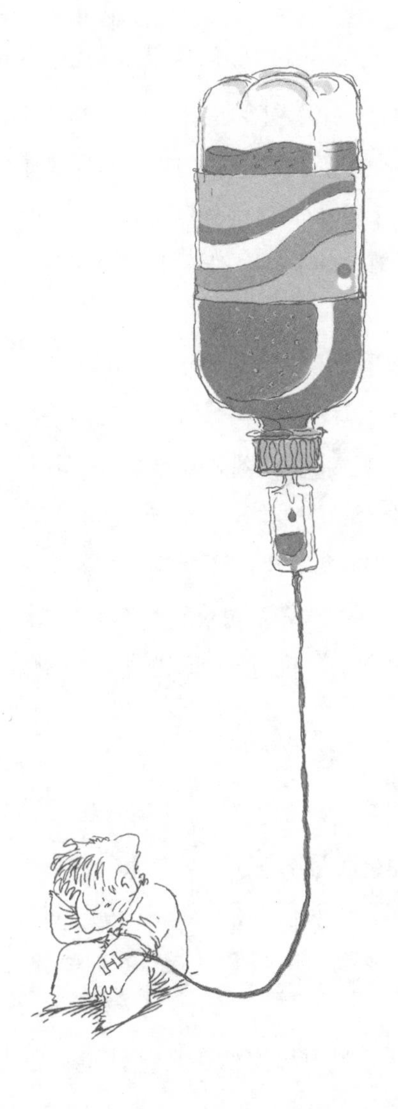
H

"먼저, 설탕은 소장에서 흡수되기 쉬워 먹은 다음 바로 혈당치가 상승됩니다. 급속하게 혈당치가 올라가면 혈당을 떨어뜨리는 기능이 저하된 당뇨병의 소인이 있는 사람이나 가벼운 당뇨병 환자는 인슐린 분비가 따라가지 못하고 갑자기 혈당치가 올라갑니다. 이로 인해 목이 마르고 목이 말라서 또 마시게 됩니다. 그러면 혈액이 산성화되는 상태가 되어 입원해야 하는 상황이 됩니다."

"악화하면 어떤 병이 생기나요?"

"먼저 혈당치가 증가함에 따라 오줌으로 당분이 빠져나가게 되어 식사나 청량음료를 마셔도 체중이 줍니다. 몸이 무겁습니다. 좀더 진행이 되면 의식도 희미해집니다. 더 심하면 의식을 잃는 경우도 있습니다. 혈당치가 오르면 다른 것에 장애를 일으키는데 예를 들어 혈액이 끈적끈적해지므로 뇌경색을 일으키기 쉽고, 이런 경우에는 혈중의 중성지방이 증가한 경우도 많아 급성 췌장염이 일어나기도 합니다."

"예방하기 위해서는 어떻게 해야 되나요?"

"식사의 반 정도를 탄수화물로 하는 것이 바람직하다고 합니다. 이상하게 목이 마를 경우에는 청량음료를 계속 마시지 말고 병원에서 검사를 받고 녹차처럼 당분이 없는 것을 마시는 것이 중요합니다."

"페트병 증후군이 당뇨병으로도 발전하나요?"

"어떤 측면에서 그 말은 맞습니다. 당뇨병의 원인은 유전적인 것과 후천적인 것이 있습니다. 유전적인 인자는 아직 100%를 다 아는 것이 아니므로 확실한 것을 말할 수 없지만 앞으로 5~10년 사이에 동아시아의 유전적인 원인을 알게 될 것입니다. 지금 말할 수 있는 것은 형제, 부모, 조부모 등 혈연 친족에 당뇨 병력이 있으면 자신도 그 병에 걸릴 수 있다고 생각하고 대응하는 것이 좋다는 것입니다.

후천적인 요인으로는 비만입니다. 운동 부족, 그리고 지방의 섭취가 일본에선 상당히 늘고 있습니다. 이것이 당뇨병을 증가시킨다고 할 수 있습니다. 이러한 상황에서 설탕을 과다하게 섭취하는 것은 급속하게 혈당치를 증가시키므로 당뇨병의 유전적 소인이나 후천적 원인으로 인슐린 분비가 저하된 사람에게 나쁜 영향을 끼치는 것은 틀림없습니다."

일본의 페트병 증후군 환자는 주로 10~40대에 걸쳐 나타나는데 주로 젊은층이 많다고 한다. 조사되어 있지는 않지만 어쩌면 우리 나라에서도 이미 이 증후군이 시작되었는지도 모를 일이다. 아이들에게 물을 많이 마시게 하는 것이 가장 쉬운 건강 지도 방법이다. 어쩌다 놀러가거나 특별식을 먹을 때조차 탄산음료를 마시지 못하게 하라는 것이 아니다. 모든 사람이 세상을 다 그렇게 완벽하게 살 수는 없다. 그러나 평소에 청량음료 대신 물을 마시는 것이 좋은 것이라는 사실을 가르치고 습관을 갖게 하는 것이 중요하다. 내가 우리 집 식생활 개선을 하면서 제일 먼저 바꾼 것도 냉장고 안에 상시 비치되어 있던 청량음료수 병을 치워버리고 물을 자주 마시도록 하는 것이었다.

환경운동가인 제레미 리프킨과 존 로빈스는 인간의
육식문화와 동물 학대에 대해 신랄한 비판을 가한다.
그들은 인간이 지구상에 자신과 함께 살아가는 모든
생명체, 특히 동물들을 잔인하게 대하면 그것이 고스란히
인간에게 되돌아온다고 경고한다.

제10장

환경운동의 선각자들

제레미 리프킨을 만나다

인간의 육식문화를 날카롭게 비판해온 사람이 있다. 그는 이번 취재 기간 동안 내가 가장 호기심을 가지고 만나고 싶었던 사람이었다. 인간의 역사와 소의 관계를 날카롭게 파헤친 《소고기를 넘어서 *Beyond Beef*》의 저자 제레미 리프킨(Jeremy Rifkin). 《엔트로피》, 《노동의 종말》 등의 저자이며 미국 경제 동향연구재단(The Foundation on Economic Trends) 이사장이자 문화비평가, 환경운동가로서 미국의 육식문화를 통렬히 비난해온 그는 미국 연방정부 정책에 영향을 미치는 150인 가운데 한 사람으로 꼽힌다. 2001년 10월 12일 워싱턴 사무실에서 그를 만났다.

제레미 리프킨(왼쪽)과 함께 한 필자.

나는 그와 인터뷰 전에 그의 책(Beyond Beef)을 인터넷을 통해 구입해 읽었는데 미래를 내다보는 그의 독특하고도 탁월한 식견에 감동받았었다. 그에게 인류의 문명과 소고기 문화, 그리고 우리 미래 사회의 모습 등 좀 광범위한 문제에 관해 물어봤는데 그는 동서 고금의 역사를 명쾌하게 가로지르는 정연한 논리로 화답했다. 16년 동안 교양 다큐멘터리 PD 생활을 하면서 수많은 사람들을 만났지만 그처럼 정확히 핵심을 찌르며 간결한 언어를 구사하는 사람을 세계 어디서도 본 적이 없다. 지금부터 그와의 만남에서 직접 인터뷰한 내용 중 일부를 소개하고자 한다. 좀 길지만 필자를 감동시켰듯이 독자들도 감동시키리라 믿는다. 먼저 그에게 그의 저서 《소고기를 넘어서》의 내용 중에 궁금했던 점부터 물었다.

"소의 문화에 대해 많은 이야기를 하셨는데 한국의 시청자들을 위해서 인간의 역사에서 차지해온 소 문화의 위상에 대해 설명해 주십시오."

"이 지구상에는 약 13억 마리의 소가 있습니다. 그들은 지구 육지의 약 25%에 해당하는 땅을 차지합니다. 환경 파괴, 인간의 신체 질환의 문제에 기여하고 있지요. 이 세상에 기아로 고생하는 사람들이나, 가진 자와 못 가진 자를 구분하는 문제에 있어서도 큰 역할을 하고 있습니다. 많은 종교들이 소를 숭배하는 의식(cattle cult)에 뿌리를 두고 있고 신화들 중에는 황소와 암소에서 그 원형을 찾을 수 있는 것들이 많습니다. 소는 오랜 세월 동안 우리와 함께 존재해왔습니다.

인도가 그렇고 유럽의 문화들도 원래 목축 문화였습니다. 이태리

(Italy)라는 국가의 이름만 해도 라틴어로 '소의 나라' 라는 뜻을 가지고 있죠. 미 대륙도 마찬가지입니다. 스페인의 중남미 정복도 소 문화에서 온 사람들에 의해 이루어졌습니다. 소라는 것은 이처럼 인류 문화에서 빠지지 않는 요소였고 최초의 화폐가 소였다는 사실도 흥미롭습니다. 사실상, 'Cattle(소)' 라는 단어는 'Capital(자본)' 혹은 'Chattel(동산)' 과 같은 어원을 가지는데 소는 화폐처럼 교환수단으로 쓰였으며, 현재도 아프리카의 일부 지역에서는 그렇게 쓰이고 있습니다. 이렇듯 소는 우리의 신화, 종교, 사회적 관계 등에서 중요한 역할을 해왔습니다. 최근 몇년간은 우리의 환경, 건강, 빈부의 문제에도 큰 역할을 하고 있습니다."

그의 이야기는 인류의 역사가 소와 함께 이어져온 소 문화 역사라는 것이다. 소의 존재가 역사 속에서 인간에게 고기를 제공하는 가축 이상의 의미였다면, 환경이나 건강에는 구체적으로 어떻게 영향을 미치고 있을까. 소는 일단, 숲의 황폐화 문제에 영향을 끼치고 있다. 열대림이 있는 국가들을 보면 소의 목초지를 조성하기 위해 숲이 빠른 속도로 사라지고 있다. 지구의 훌륭한 환경체계가 계획적으로 없어지고 있다는 것은 매우 슬픈 일이다. 열대림이 있는 곳은 땅의 표면이 매우 얇다고 한다. 따라서 이런 곳을 초지로 개발하면 3~4년 만에 무용지물의 땅으로 변하는 것이다. 또한 개발 과정에서 숲을 태울 때 발생하는 천문학적인 양의 이산화탄소가 지구 온난화라는 악영향을 끼치게 된다. 지금은 남미의 열대림이 배부른 서양인들에게 햄버거 고기를 제공하기 위해 하루가 다르게 황폐화되고 있는 현실이다.

또한 나무들을 태울 때 수많은 희귀동물들을 잃게 된다. 지금 이

순간에도 보고조차 안 된 희귀한 동식물들이 멸종의 운명을 맞고 있다. 숲의 파괴, 살 곳을 잃은 동물들의 멸종, 3~4년 만에 사막이 되어버리는 땅의 남용, 이 모든 것이 소와 관련된 환경 파괴이다. 아직 아프리카까지는 가보지 못했지만 미국 서부의 오리건, 콜로라도 주의 광활한 초원들, 대륙 전체가 소들의 목초지로 탈바꿈하고 있는 호주의 목장들을 방문했을 때 내 눈에 비친 지구의 위기는 미래가 아닌 현실의 문제였다. 몇 년 전만 해도 호주나 미국에서 그림처럼 펼쳐진 목장들을 지나칠 때 난 '아, 이런 곳이 바로 지상 낙원이구나' 라는 철없는 생각을 가졌었다. 어렸을 때부터 알프스 산맥의 그림 같은 목장 풍경은 아주 이상적 삶의 모습으로 우리의 뇌리에 각인되어왔다. 그런데 불과 몇 년 사이에 나의 의식이 180도 바뀌었다. 그림 같은 호주 목장의 실체가 자연발생적 초지가 아니라 그 전에 울창한 숲을 밀어붙여 만들어낸 인공 목장이라는 것을 알았을 때의 충격을 잊을 수가 없다. 그리고 그 초지 밑으로는 산림이 보호해주던 지표층이 사라져 지상의 소금기가 곧바로 스며들었다가 다시 표층으로 올라오면서 토양의 염기(Salinity) 문제가 발생하게 되었다. '지상 낙원' 이 '환경 파괴의 근원지' 로 바뀐 것이다.

소들은 또한 메탄가스를 배출하는데 이 가스도 지구 온난화를 조성하는 주범 중 하나이다. 미국처럼 대규모로 소를 기르는 곳에서부터 한국의 소규모 영세 축산농가에 이르기까지 소의 배설물들은 주변의 냇가나 지하로 흘러들어가 물을 오염시키고 있다. 미국의 강뿐 아니라 우리 나라의 하천도 축산 폐수로 심한 몸살을 앓고 있다. 소를 스무 마리 정도 키우는 농가 하나만 있어도 배설물의 열기와 악취가 마을 입구에서부터 진동하는 것이다. 원래 소는 인간의 여덟 배의 몸무게를 가진 동물로 풀을 먹고 사는 동물이었다. 풀만 적당히 먹고 사는 소들은 배설물의 양도 냄새도 훨씬 덜하다. 그러나 요즘의 식용소들은 주로 곡물을 먹고 엄청난 양의 배설물을 생산한다. 과거 자연에서 풀을 먹고 살아온 고기들의 지방 함량이 10% 미만이었던 반면 지금의 곡물 사육 소들의 지방 함량은 약 40%에 육박하고 있다. 육질에도 근본적으로 큰 변화가 온 것이다. 리프킨도 이 문제를 지적하였다.

"지난 30년의 연구자료에 따르면, 지방질이 많은 소고기를 섭취하는 식단과 풍요에서 비롯되는 병들 사이에는 밀접한 관련이 있는 것으로 나타났습니다. 이 병들은 당뇨병, 심장마비, 뇌졸중, 암 등입니다. 개개인의 유전적인 상황에 따라 병의 위험성이 다르긴 하지만 세계 모든 나라의 사람들이 이런 병에 노출되어 있고, 많은 연구결과들이 식생활과 유전적인 요소들이 어떤 관계가 있는지를 뒷받침해주고 있습니다. 지방질이 많은 소고기를 많이 먹게 되면 당뇨병, 뇌졸중, 암의 발생률이 놀라운 정도로 높아집니다. 담배를 피우는 정도의 악영향을 미칩니다.

아시아는 전통적으로 고기를 많이 먹지 않고 주로 채식 중심의 식단을 고수해온 까닭에 당뇨병, 뇌졸중, 심장마비와 같은 병이 매우 드물었습니다. 그러나 점점 부유해지면서, 특히 일본, 한국, 중국에서는 고기를 많이 먹는 식생활이 높은 지위의 상징이 되었습니다. 하지만 먹이사슬의 위쪽(동물성 음식)으로 갈수록 당뇨병, 뇌졸중, 암과 같은 높은 치사율의 병에 노출됩니다. 아이러니한 것은 지구에서 가장 부유하다는 사람들은 너무 많은 고기를 먹어서 죽어가고 있고 동시에 이런 소들을 기르는 제3세계 나라 사람들에게는 돌아갈 음식이 줄어든다는 것입니다.

지난 세기까지만 해도, 소들은 목초지에서 풀을 뜯어먹으며 살았습니다. 1870년대 남북전쟁 이후, 농업기술의 혁신적 발전으로 미국은 많은 옥수수를 재배하기 시작했습니다. 중서부에서 과잉 생산된 옥수수를 가지고 일부 농민들은 새로운 것을 시도했습니다. 그것은 남는 옥수수를 소에게 먹이는 것이었습니다. 처음으로 소가 풀이 아닌 곡물을 먹게 된 것입니다. 이런 현상이 반복되자 곡물 사료 시장이 생겼습니다. 이제 지구에서 재배되고 있는 모든 곡물의 3분의 1은 소를 위한 사료로 쓰이고 있습니다. 그러니까 세상의 부유한 사람들에게 지방질 많은 고기를 제공하기 위해 농지에서 곡물을 생산해서 소들을 살찌우고 있는 반면, 개발도상국에 사는 사람들은 자신들의 가족들을 먹이기 위해 농사지을 땅을 빼앗기고 굶고 있는 것입니다. 이렇게 곡물이 식용에서 사료로 전환하게 된 것은 인류학상 굉장한 변화입니다. 채 1세기도 못 되어 우리는 경작지의 3분의 1을 가축의 사료 공급을 위해 쓰이도록 만든 것입니다. 부유한 사람들은 풍요로움에서 비롯된 병들 때문에 죽고, 가난한 사람들은 곡물을 재배할 땅이 없어서 죽고 있는 것입니다. 비극이 아닐 수 없습니다."

동서양 역사와 현실을 갈파하고 있는 해박한 지식과 유려한 언변은 인터뷰 자리에 있던 사람들의 가슴을 파고들기에 충분했다. 저서 《소고기를 넘어서》에서 그는 특히 미국에서 사육되고 있는 대규모 공장식 축산 방식에 신랄한 비판을 가했는데 그의 생각을 직접 듣고 싶었다.

미국의 대규모 공장식 농장.

"공장식 농장(Factory Farm)의 문제점을 이야기해 주십시오"

"공장식 농장은 미국에서는 이제 일반적인 모습이고 유럽에서도 많이 볼 수 있는 형태입니다. 소들을 목초지에서 방목해서 키우는 것이 아니고 좁은 울타리에 가두어 곡물 사료만 먹여서 살찌우는 것입니다. 또한 이들은 호르몬 주사를 맞기도 합니다. 사료 또한 영양 농축물이 너무 많아 몸이 감당하지 못합니다. 이런 이유로 병을 얻게 되고 항생제를 투여받습니다. 그것이 먹이사슬로 흘러들어와 인간은 그 항생제가 잔류된 고기를 먹게 되고 결과적으로 박테리아의 변종에 대해서 더 약해지게 되는 것입니다.

소들은 서로 너무 가까이 붙어 있거나 운동도 하지 못하기 때문에 스트레스를 받게 되고 병도 잘 옮깁니다. 아마 한국에서도 문제가 됐을 텐데 제대로 익지 않은 햄버거를 먹게 되면 죽을 수도 있는 치명적인 식중독균도 생깁니다. 뿐만 아니라, 유럽에서 발생한 광우병도 빼놓을 수 없습니다. 이제는 일본 등 아시아에서도 발견된 것으로 알고 있습니다. 광우병이야말로 이런 공장식 농장의 현실을 여실히 보여주고 있는 것입니다. 유럽에서 공장식 농장 형태로 소를 키우고 있는 곳에서는 금세 광우병이 번지게 됩니다. 인간이 우리와 공존하는 동물들을 잔인하게 대하면 바로 우리에게 되돌아온다는 교훈을 잊어서는 안 됩니다. 가축들이 아플 것이고, 그들을 먹는 우리가 아프게 될 것입니다. 사람들은 이 교훈을 잘 받아들이지 못하는 것 같습니다. 동물들도 인간처럼 대해야 합니다. 그것은 비단 소에서 그치는 문제가 아닙니다. 닭, 돼지들 또한 좁은 공간 속에 갇혀 살기 때문에 자신들의 사회적인 생태를 영위할 공간이 없습니다."

"동물에 대해 유달리 애정이 많으신 것 같은데요, 가축과 현대 문명의 성숙도에는 어떤 상관관계가 있나요?"

"만일 아이들을 공장식 농장이나 양계장, 도살장에 데리고 간다면 아마 하룻밤 만에 채식주의자가 될 것입니다. 아이들은 이런 행위들이 얼마나 비인간적이고 야만스러운지를 어른들보다 잘 알기 때문입니다. 나는 동물 권리 보호가들을 지지합니다. 내 아내도 동물 보호가입니다. 동물의 권리를 옹호하며 운동하는 세계의 젊은 학생들에게 격려를 보내고 싶습니다. 한 문화를 평가하는 척도는 그 사회 내의 가장 무력한 자들을 어떻게 대하는지를 보면 알 수 있습니다. 이 세상에는 수많은 생명체들을 볼 수 있지만 그 가운데 가장 무력한 존재들이 바로 우리와 공존하는 생물들입니다. 자신들을 대변하지 못하는 존재들입니다. 내 생각에 위대한 문명이라는 것은 그 안에 공존하는 모든 생물체를 존중하고, 같이 공존하는 인간들에게도 똑같이 대접하는 문명입니다. 공존하는 생물체들을 비인간적이고 잔인하게 대하는 문명은 성숙하지 못한 미개한 문명입니다."

그의 휴머니즘에 난 감동하지 않을 수 없었다. 차분하지만 힘있는 어투는 그의 책에서 받았던 느낌을 한순간에 뛰어넘는 것이었다. 무엇보다도 그는 비참하게 사육되는 동물에 대해 남다른 애정을 가진 따뜻한 가슴을 가진 사람이었다. 좋은 생각은 머리에서 나오는 것이 아니고 가슴에서 나오는 것이 아닐까 하는 생각이 문득 스쳐갔다.

"송아지 고기에 대해서는 어떻게 생각하시나요? 미국 사람들은 부드러운 송아지 고기를 만들기 위해 송아지에게 물도 주지 않는다고 하던데 사실인가요?"

"송아지 고기가 최악의 경우입니다. 송아지가 태어나면 얼마 안 되어 어미로부터 분리시켜 어두운 곳으로 데려가 키웁니다. 눈이 발달할 수 없도록 빛이 없는 어두운 칸에서 키우고 여러 가지 호르몬제를 투여합니다. 송아지들이 아직 미성숙한 분홍빛을 잃지 않도록 자연적으로 자라는 것을 막는 거죠. 너무 잔인합니다. 우리 나라에서는 식용 송아지를 이렇게 잔혹하게 대하는 것을 알게 되어 이제 많은 사람들이 송아지 고기를 먹지 않습니다. 동물들도 감정이 있고 고통을 느끼며 모성적 본능을 가지고 있습니다. 우리처럼 눈이 있고 우리와 비슷한 형태로 존재하고 있습니다.

사실 인간은 이 지구 밖에서 존재하는 외계생명체에 대해 알지 못합니다. 우리와 공존하는 이 생물체들이 우리와 비슷한 모습을 하고 있음에도 우리가 그들을 기계처럼 다루고 있는 것은 경악할 일입니다. 송아지 목축이 가장 잔인한 예입니다. 다행히도 이제 미국에서는 송아지 고기를 먹는 것이 사회적으로 옳지 않은 일로 인식되고 있습니다. 부드러운 송아지 고기를 식탁에 올려놓고 먹는 것이 인간으로서 부끄럽다는 것을 깨닫게 된 것입니다."

몇 년 전만 해도 난 미국에 출장가면 스테이크 식당에 꼭 들러 부드러운 송아지 고기와 어린 양고기를 먹었었다. 그 부드러운 고기를 썰고 있노라면 미국에 온 실감이 났었다. 회상해 보면 중산층 미국인들의 풍요로운 삶과 나의 인생을 같은 반열에 올려놓고 즐겼던 것 같다. 앞으로도 리프킨의 이야기대로 살 자신은 없지만 송아지 고기만큼은 먹지 않으리라 다짐했다. 과거 동양인들은 서양인들처럼 그렇게 잔인한 사람들이 아니었다.

소 문화가 발달한 서양의 문화에서는 당연히 육식문화와 유제품 문화가 발달하였고 이런 나라들은 대개 남의 나라를 침략하고 정복하러 다니느라 세계사를 온통 피로 물들인 주역들이었다. 그것은 우연이 아니라 육식을 과도하게 즐기는 맹수들이 벌이는 약육강식의 세계와도 같은 것이다. 세계사를 들여다보면 유라시아에서 기원한 소 문화가 유럽을 휩쓸면서 공격적인 문화를 형성하게 되었고 이것이 전파되어 나중에 아메리칸 인디언에 대한 인종 청소로 이어지기까지 중앙아시아의 유목민들과 백인들의 문화는 정복과 전쟁의 역사였다. 육식은 곧 공격성과 남성다움의 상징이었던 것이다.

"서구에서 소 문화에 대한 반성의 물결이 일고 있나요?"

"나의 바람은 21세기를 살아가는 남성들은 고기를 먹어야 할 만큼 남성다움에 자신 없어하지 않았으면 합니다. 최근 매우 부유한 나라들의 중상 계층이 고기를 멀리하는 선두주자들이 되고 있습니다. 그들은 지위나 남성다움의 상징으로 더 이상 고기가 필요하지 않다는 것을 알게 된 것입니다. 그 이유는 그들이 올바른 정보가 주어지는 환경에 있는 사람들이기 때문입니다. 그들은 소와 환경 파괴의 연관관계를 이해할 수 있는 수준의 사람들입니다. 마찬가지로 그들은 소와 인간의 건강문제, 소와 사료 곡물로 인한 비형평성 문제를 이해할 수 있습니다. 이제 우리는 유럽과 미국에서 건강, 환경, 사회적 정의 등의 이유로 사람들이 고기로부터 점차 떠나고 있는 현상을 목격하고 있습니다.

또 흥미로운 점 한 가지는, 원래 채식 위주의 건강한 식생활을 영위하고 있던 아시아 국가들이 부유해지면서 먹이사슬이 올라가고 있다는 겁니다. 고기를 많이 먹어 질병이 더 많이 생기고 있으며 환경은 파괴되고 곡물이 식용보다 사료로 더 많이 쓰이는 결과를 낳고 있습니다. 서구사회의 전철을 밟고 있는 것이죠. 나의 바람은 아시

인간이 먹어야 할 곡물 사료를 먹는 공장식 목장의 소들.

아 문화가 다른 방향으로 나아가는 것입니다. 우리는 동양 문화권으로부터 배울 것이 많다고 생각합니다. 예를 들어, 서양에서는 병이 생겨야 병원에 가지만 아시아 문화권에서는 예방이 건강 유지의 핵심입니다. 우리가 배워야 할 점입니다.

인간은 가끔 고기를 먹을 수 있지만 고기를 많이 먹도록 설계되지는 않았습니다. 우리가 먹이사슬에서 아래(곡식과 채소)로 이동한다면 우리도 건강을 유지하고 오래 살 수 있을 것입니다. 그리고 그 과정에서 우리와 공존하는 생물체들도 존중할 수 있고 공장식 농장 같은 곳에 집어넣고 지금처럼 학대하면서 먹지 않아도 됩니다. 더 이상의 파괴를 막으면서 환경도 보존할 수 있을 겁니다. 가난한 사람들도 자신의 땅에 가족을 위해 농사짓도록 해줄 수 있습니다."

이 정도로 소에 관한 리프킨의 이야기를 줄이려 한다. 뒤에 유전자 조작 식품에 대해 다룰 때 다시 그의 이야기를 소개할 것이다. 작년 리프킨을 만나 지구상에 사는 인간의 모습이 어떠해야 하는가를 나름대로 정리하게 된 것은 내 인생에서도 큰 수확이었다. 인간을 포함한 다른 생명체를 나의 몸처럼 생각하며 사는 삶이 인간 사회에서 명리(名利)에 성공한 삶보다 더 위대하다는 것. 리프킨과 그의 부인이 몸으로 보여주는 아름다운 삶의 모습에 머리가 숙여졌다.

"한 문화를 평가하는 척도는 그 사회 내의 가장 무력한 자들을 어떻게 대하는지를 보면 알 수 있다"고 한 리프킨의 이야기는 비단 동물에만 해당되는 것은 아닐 것이다. 우리 사회의 약자들—신체와 정신이 자유롭지 못한 사람들, 가진 것이 남보다 적은 사람들, 배움이 남보다 모자라는 사람들, 자가용을 타고 다닐 수 없어 걷거나 버스, 지하철을 타고 다니는 사람들, 자신에게 손해가 되는 정책에 대해서 항의 한 번 못 해보는 사람들—에 대한 '인간으로서의 공존 시스템'을 우리 사회는 얼마나 제대로 작동시키고 있는가.

한반도에 암울하게 드리워진 억압과 불평등이라는 실존적 한계상황에 갇혀 있는 우리의 삶과, 다른 한편으로 무감각하게 저질러지는 동물 학대의 현실이 서로 맞물리면서 리프킨의 말들은 나를 한동안 멍하게 만들었다. '외부의 힘에 저항할 능력이 부족한 존재에 대해 우리 사회가 언제쯤 제대로 된 대접을 해주는 사회로 발전할 것인가.' 리프킨을 인터뷰한 날 밤 워싱턴은 아직도 9 · 11 테러 공포에 짓눌려 있었다. 간헐적으로 들려오는 환청같은 사이렌 소리와 나의 우울한 가슴을 쓸어내려줄 묘약은 선술집 알코올뿐이었다.

이 시대의 풍운아 존 로빈스

세계 최대의 아이스크림 업체인 베스킨 라빈스의 상속자였던 존 로빈스(John Robbins). 상속을 포기하고 환경운동가로 변신한 그가 지구 구조대(Earthsave)를 창설하여 미국식 식습관이 만들어낸 지구 환경 파괴와 가축 동물에게 가해지는 미국인들의 동물 학대를 신랄하게 비난하고 있다. 그의 저서 《새로운 미국을 위한 식사*Diet For A New*

America》는 베스트셀러를 기록하며 채식주의 운동가들의 교과서가 되었다. 2001년 추석 무렵 LA에서 개최된 '2001 월드 페스티벌'에 참가해 그를 만났다. 사실 그와의 스케줄을 맞추는 데 석 달이나 걸렸다. 그는 1년 내내 꽉 짜여진 일정으로 전국을 누비고 다닌다. 그는 그곳에서 새로운 저서 《음식 혁명*Food Revolution*》의 사인회를 열고 있었다. 그의 첫 저서 *Diet For A New America*는 나에게 '잘 먹고 잘사는 법' 제작을 결심하도록 용기를 준 책이기도 하다. 선글라스 낀 얼굴이 크린트 이스트우드 전성기 때의 모습과 매우 닮은 미남형의 그와 행사장 한편에 있는 시원한 느티나무 그늘 아래에서 마주앉았다.

지구 환경 파괴와 동물 학대를 신랄하게 비난하는 존 로빈스.

"미국인들의 식습관에 대한 근본적인 문제를 제기하셨는데요, 간단히 요약하면 무엇입니까?"

"미국인들의 표준 식습관에는 많은 문제가 있습니다. 우선 지방 섭취가 지나칩니다. 지방 자체도 동물 추출물로 만들어진 것으로 건강에 그리 좋지 못합니다. 특히 미국에서 생산되는 동물 추출물들은 해롭습니다. 왜냐하면 이런 것들을 생산하는 공장식 농장이나 가축 사육장은 동물들을 잔인하게 다루고 그로 인해 유발되는 스트레스 호르몬과 그들의 두려움과 고통이 음식을 오염시키고 있기 때문입니다."

"식습관을 어떻게 바꾸는 것이 좋겠습니까?"

"이런 문제를 극복하기 위해서는 동물성 식품의 섭취를 줄이는 방법과 아예 이런 음식을 섭취하지 않고 좋은 식물성 식품이 주가 되는 식습관을 기르는 방법이 있습니다. 예를 들어 흰 빵보다 보리빵을 먹거나 흰쌀보다 현미쌀을 먹는 것이 좋고 또 싱싱한 야채나 과일, 콩류와 곡물이 주가 되도록 식습관을 바꾸어 보십시오. 이것은 아주 이상적인 식습관입니다. 그런 음식에는 당신이 필요로 하는 모든 비타민, 영양분, 미네랄 그리고 충분한 단백질이 들어 있습니다.

"육류, 유제품 식습관과 지구 환경의 관계에 대해 설명해 주시겠습니까?"

"우리가 오늘날 육류나 유제품을 생산하는 방식은 이렇습니다. 가축들을 집중 사육장(feed lot) 또는 공장식 농장이라 불리는 시설에 대량으로 높은 밀도로 가둬놓습니다. 매우 잔악한 행위라고밖에 할 수 없습니다. 대부분의 경우 갇혀 있는 공간은 겨우 그들 자신의 부피보다 약간 큰 정도입니다. 여기에 엄청난 양의 배설물이 쌓이게 됩니다. 넓은 목초지나 목장에서 가축들을 사육하던 시절에는 그들의 배설물이 비료가 되어 다음해 농사를 위한 영양분이 되기도 했습니다. 이것이 바로 생태계의 순환 법칙입니다. 하지만 우리는 이 순환 법칙을 깨뜨렸습니다. 그 결과 가축의 배설물은 비료가 아니고 매우 위험한 대기 및 수질 오염 물질로 탈바꿈했습니다. 비료가 될 수 있고 토양의 중성화 작용을 촉진시킬 수 있었던 물질이 매우 위험한 오염 물질이 된 것입니다.

가축들의 먹이가 되는 곡물과 콩 등을 생산하기 위해서 엄청난 양의 에너지, 토지, 물이 소모됩니다. 사람들이 이 곡물을 직접 소비한다면 지구상의 모든 사람들을 충분히 먹여 살리고도 남을 양입니다. 1파운드의 소고기를 생산하기 위해서는 60파운드의 곡물이 소모됩니다. 육류 생산은 앞으로도 더 많은 생태계 파괴 및 오염을 가져올 뿐입니다."

리프킨의 주장과 일맥 상통하는 이야기였다. 둘 다 환경운동가로 손꼽히는 사람들이어서 그런지 미국 사람들이 느끼는 위기감은 우리가 느끼는 것보다 훨씬 심각하다는 느낌이 들었다.

두말할 것 없이 소 먹이는 풀이다. 그런데 소에게 옥수수 같은 곡물을 사료로 주면 위장에 장애가 생겨 병이 생기기 쉽다. 그러면 항생제 등을 주어야 한다. 미국에서는 약 3억 5천만 톤의 옥수수가 가축에게 제공된다. 이러니 항생제 수요가 많은 것은 당연하다. 사료용 옥수수의 과도한 생산은 항생제 사용 증가뿐 아니라 우리 몸과 환경에도 도움이 안 된다. 남아도는 옥수수는 옥수수 관련 제품의 생산을 촉진해 왔다. 청량음료와 과자에 첨가되는 옥수수 감미료는 비만과 2형 당뇨 증가에 관여하고 있는 것으로 보고되고 있다. 또한 옥수수는 다른 작물보다도 질소 비료와 살충제를 더 많이 뿌려줘야 하므로 이런 물질이 지하수로 스며들어 물을 오염시키는 데 일조하고 있는 것이다. 지구 안에 사는 생명체는 모두 연결된 지구 환경의 틀 안에서 생존하고 있는 것이다.

한국의 젊은이들에게 그는 마지막으로 이런 조언을 하였다.

"앞으로 점점 더 많은 비만증 아이들이 각종 병에 시달리게 될 것입니다. 당연히 암이나 당뇨병 발생률도 증가할 것입니다. 그러나 육류 소비가 수반하는 이 모든 고통은 정말로 불필요한 것입니다. 왜냐하면 이 모든 비극은 한국적인 식생활로 예방할 수 있는 것들이기 때문입니다. 신선한 채소, 과일, 곡류, 콩 등을 좀더 섭취한다면 가능한 것입니다. 이런 음식들을 자연 그대로의 형태로 섭취하자는 것입니다. 각종 패스트푸드는 가격이 싸고 맛있다는 점에서 매력적이긴 하지만, 우리의 건강을 위해서는 정말 해롭습니다. 이 말을 꼭 전해주십시오."

인터뷰를 마치고 난 후 준비해간 홍삼차를 선물로 주었다. 그는 한국의 홍삼을 잘 알고 있었다.

"홍삼차는 나도 가끔 먹어 보았습니다. 고맙습니다."

그는 그를 기다리는 가족들에게 돌아가 우리를 보고 씩 웃으며 사과 한 개를 베어 물면서 말했다.

"과일을 자주 먹어야 합니다."

간단히 요기를 하고 나서 다시 사인회가 이어졌다. 사람들은 그의 얼굴을 보기 위해 다시 50여 미터의 긴 줄에 서서 차례를 기다리고 있었다. 몇 년간의 기고 활동과 대중 강연으로 그는 이미 상당한 팬들을 확보한 스타가 되어 있었다. 세계적 대부호의 상속자가 세속적인 부와 권세를 모두 버리고 가축들의 자유와 지구의 환경을 위해 사서 고생을 한다는 것은 우리 기준으로 상상조차 안 되는 것이다. 그를 만난 느낌은 한여름날 신선한 화채를 한 그릇 먹고 난 뒤의 기분이랄까. 상쾌하고 기분 좋은 경험이었다.

'존 로빈스 그대의 정신을 사랑합니다.'

지금 우리는 인간 독존이라는 생각을 버리고 모든 생명체와 공존한다는 공생의 사고방식을 가져야 한다. 그렇게 되면 동물, 식물의 생명도 소중하게 여겨 쓸데없이 과하게 먹거나 함부로 먹지 않을 것이다. 이것은 단순히 건강의 문제만이 아니라 미래의 문제이다. 미래의 식사는 소식(小食)이 주를 이룰 것이다. 이것을 지키지 않는 한 식량문제는 물론, 환경문제도 벽에 부딪히게 될 것이다.

제11장

미래를 위한 식사

해변가의 잘먹고 잘사는 법

호주 시드니는 나에게 제 2의 고향 같은 곳이다. 내가 그곳에서 대학원을 다닌 인연으로 우리 가족들에게도 아주 친근한 느낌을 주는 곳이다. 그곳에는 친구가 있고 삶의 여유가 있으며 무엇보다 아름다운 자연이 있다. 시드니 동쪽 해변의 맨리 비치에 큰 수건을 깔고 누워 파도 소리를 들으며 책을 볼 때면 그곳이 천국이라는 생각이 들곤 했다. 본의 아니게 토플리스 차림의 아름다운 여성들도 감상하게 되지만 그건 어디까지나 우연이다. 나는 따끈따끈한 백사장에 누워 하루 종일 책을 읽고 가끔 물에 발을 담근다. 끼니 때면 해변가의 음식점에서 간단히 요기를 하고 어슬렁 어슬렁 돌아다니거나 눕다 자다를 반복하다보면 지난날의 복잡했던 상념은 어느덧 바람과 함께 사라지고 아주 자연스럽게 새로운 생각이 몰려온다.

파도가 적당히 높아 파도타기를 즐기는 사람들에게 사랑받는 맨리 해변가에서 선탠을 즐기려면 최소한 다음의 세 가지 중 두 가지는 갖추어야 한다. 물병 하나, 과일 한두 개, 그리고 책 한 권. 그 중에서도 책은 만인의 필수품이다. 사람들은 물은 안 마셔도 책은 손에서 놓지 않는다. 젊은 대학생 여럿이 몰려와도 백사장에 들어서면 가방에서 수건 하나 꺼내 깔고 자기가 벗고 싶은 만큼 옷을 벗고 약간의 로션을 몸에 바른 후 조용히 담소를 나누거나 결국은 각자 누워 책을 보는 문화. 아마 파도 소리만 없다면 한여름 바닷가 백사장이 우리 나라 웬만한 도서관보다 더 조용할 것이다.

외국의 해변가와 우리의 해변가를 비교해볼 때 가장 차이가 나는 것이 먹는 문화이다. 백사장에서 떠들고 술 마셔대고 음식 탐하는 사람이 거의 없는 조용한 백사장과 이와 정반대의 모습을 보여주는 우리 나라의 해변가를 생각하면 가끔 서글픔을 넘어 분노가 솟구칠 때가 있다. 아름다운 경치가 있는 곳을 어김없이 가득 메우고 있는 전국의 바다 주변 횟집 풍경은 시쳇말로 엽기 그 자체이다. 우리의 삶에는 과연 어떤 풀지 못한 한들이 있기에 자연의 자리를 항생제에 절어 있는 물고기들에게 내주었는가.

바닷가의 상식적인 공간 배치는, 바다와 넓은 백사장, 혹은 부두나 선착장이 자리잡은 다음, 사람들이 마음놓고 돌아다니면서 자연을 감상할 휴식 공간이 확보되고 나면 그 뒤에 음식점들이 들어서는 것이다. 그런데 돌 하나 모래 하나가 수억 년의 역사를 간직하고 있는 역사 학습장이기도 한 해변가 주변을 어떻게 온통 음식점들이 점령하도록 허가할 수 있는가. 생존권과 지역개발이라는 허울 좋은 핑계가 자연 파괴를 정당화하고 있는 우리의 모습은 마치 먹고 살기 위해서는 수단과 방법을 안 가리는 범죄를 국가가 권장하는 것처럼 보인다. 얼마 전까지만 해도 난 그 자연 파괴의 현장에서 전망 좋은 곳을 찾아 항생제를 먹여 키운 생선을 실컷 먹으며 나의 삶의 질이 올라가고 있다고 생각했다. 그러나 이렇게 사는 것이 과연 잘먹고 잘사는 것인지 후손들의 입장에서 우리는 다시 한 번 생각해야 한다.

당장 해변을 되살릴 아이디어가 없으면 관련 공무원들은 해외 연수를 가서라도 다른 나라 사람들이 해변 관리를 얼마나 철저히 하는지 배워와야 한다. 국가가 어떤 개발 정책을 쓰느냐에 따라 자연도 변하고 사람들의 문화도 변한다. 해변가를 지금처럼 엉망으로 만든 것보다도 더 참을 수 없는 것은 그 자리에 '먹자 지상주의 문화'가 들어선 것이다. 역사 파괴, 자연 파괴의 현장을 보고도 분노보다 즐거움을 느끼는 이 먹자 문화가 우리의 판단력을 무감각하게 만드는 것이 더 비극적이다.

맨리 비치는 나에게 사람들이 먹고 살기 위해 사는가 살기 위해 먹는가를 다시 생각하게 해주었던 곳이다. 나의 일터가 있는 여의도에 벚꽃이 활짝 필 때면(그나마 지금은 많이 좋아졌지만) 우리 나라 사람들은 참 불쌍한 사람들이구나 하는 생각이 절로 든다. 자동차가 밀려 온통 소음과 매연으로 꽉 찼는데도 벚꽃 구경하겠다고 나비와 벌처럼 사람들이 몰려든다. 얼마나 갈 데가 없으면 소음과 공해가 가득한 이런 곳에 그 많은 사람들이 모여들까 싶다. 공기가 좋지 않은 데에서 오래 걸으면 곧 피곤해지는데 사람들의 표정도 지쳐 보인다.

그 인파 속으로 들어가보면 자연과는 상반되는 무질서와 음식에 대한 욕심들이 꽃향기를 압도한다. 여의도뿐 아니라 경치 좋다는 유원지마다 우리로 하여금 이토록 먹는 것에 집착하게 만드는 힘의 원천은 무엇일까. 그리고 그렇게 탐하여 먹는 그 음식들은 과연 우리 몸에 좋은 것들인가. 이런 생각을 너무 많이 하면 사는 게 각박하고 피곤해질 것 같지만 평소 나의 이런 궁금증이 이 프로그램을 제작하게 된 원동력이었다.

우리 나라의 휴가문화는 어떤가. 일년 내내 일터에서 지루한 노동을 견뎌내다 대개 여름 한철 한풀이하듯이 짧은 시간 안에 그동안 쌓인 스트레스를 한번에 풀어야 하는 조건이 아닌가. 그러다 보니 여러 가지 부작용이 생길 수밖에 없다는 점은 인정한다. 또 좁은 땅덩어리에 옹기종기 모여 살다보니 휴식을 즐길 공간도 턱없이 부족하다. 일년 내내 하지 못했던 것을 한순간 질펀하게 먹고 마심으로써 생활의 쳇바퀴에서 벗어나 삶의 존재를 확인하고 싶어하는 것은 사람의 자연스런 본능이다. 중요한 것은 쉬려는 사람들이 문제가 아니라 국가가 어떤 형태로 사람들에게 질 높은 휴식을 제공하고 휴식문화를 유도하는가에 있다.

한국 사람들의 열악한 상황에 비해 서양 사람들은 오래 전부터 풍족하고 질 높은 휴식문화를 즐기고 있다. 우리보다 노동 시간은 짧지만 근무시간에 집중적인 노동으로 생산성을 최대한 높이고 나머지 시간에 삶의 여유와 충전의 시간을 줌으로써 높은 생산성을 유지하고 있다. 이런 나라들과 휴식문화를 비교한다는 것이 무리일 수 있지만 우리의 경우는 아무리 사정을 감안한다 해도 안 좋은 측면들이 많다. 한 사회의 문화 수준을 가늠하는 잣대가 놀이문화, 휴식문화라고 하는데 우리의 놀이문화에는 부정적인 면들이 너무 많다. 기성세대의 놀이문화 중에는 세계적으로도 명성이 자자한 퇴폐와 과음의 문화가 있고, 젊은이들의 문화 중에는 남을 배려하지 않는 소란스러움의 문화가 있다. 나는 이런 문화의 기저에는 앞에서 언급한 감성적인 가정교육의 부족과 '잘먹고 잘살기 위한 먹을거리'에 대한 잘못된 생각들이 깔려 있기 때문이라고 생각한다. 붉은 악마들이 축제의 끝을 청소로 차분하게 마무리하던 정신을 살려 이제 제발 올 여름의 해변가 문화부터 획기적으로 바꾸어 보는 것은 어떨까.

음식문화 속의 인본주의와 민주주의

우리 나라 직장인들의 점심문화에 대해 한 번 생각해보자. 내가 일하는 여의도에서는 점심시간만 되면 넥타이 부대들이 삼삼오오 짝을 지어 식당이 있는 먹자 빌딩들 속으로 빨려 들어간다. 건물 위에서 내려다보면 마치 개미들의 일사불란한 움직임처럼 보인다. 메뉴는 준비 과정이 복잡한 것부터 매우 간단한 스낵류에 이르기까지 다양하지만 대개가 국물이 있는 한식을 먹는다. 그런데 점심시간의 식당 풍경을 보고 있노라면 사람이 식사하는 곳인지, 아니면 가축들이 몰려들어 허겁지겁 주인이 주는 사료를 먹는 곳인지 혼동될 때가 있다. 점심시간 직장인들이 몰려 있는 대중 식당가에서는 사람 대접 받으며 여유있게 식사하는 것은 당연히 포기해야 한다. 이런 분위기는 점심시간뿐 아니라 장사가 잘 되는 곳이면 하루종일 마찬가지이다.

선진 외국에는 아무리 장사가 잘 되는 곳이라도 식당 안이 시장처럼 정신없이 소란스러운 곳은 거의 찾아보기 힘들다. 사람들이 몰려들면 가게 밖이나 따로 마련된 대기장소에서 자리가 날 때까지 줄서서 기다리는 것이 상식이다. 우리처럼 숟가락 놓자마자 종업원이 달려들어 그릇을 치우면서 나가라고 무언의 위협을 하는 곳은 어디에도 없다. 심지어는 식사를 마치지도 않은 손님 자리를 향해 "여기 곧 일어날 거예요" 하며 은근히 빨리 먹기를 재촉하는 곳도 본 적이 없다. 장사가 잘 되는 곳일수록 자신의 가게에 대한 프라이드가 강해 손님들에게 피해가 가는 일은 하지 않는다. 저녁 피크타임에 손님이 몰려들어도 자리가 없으면 대충 기다리는 시간을 알려주고 대기 장소에서 기다리게 하거나 아예 돌려보낸다. 와인잔 기울이며 아무리 음식을 천천히 먹어도 앉아 있는 손님들에게 부담을 주는 법이 없다.

점심은 곧이어 일을 해야 하기 때문에 간단히 먹지만 저녁은 우리보다 서양 사람들이 훨씬 오래 먹는다. 대문호가 자주 들렀다는 이유로 유명해져서 손님들로 항상 붐비는 카페에서도 차 한잔 시켜 놓고 한참 동안 앉아서 신문 보고 책 읽다 나가도 주인은 그의 생활 방식을 존중해 준다. 그가 차지한 시간만큼 매상이 떨어질 테지만 매상 떨어진다고 손님을 나무라는 곳은 그 문화의 상식과 맞지 않는다. '손님은 왕'이라는 말이 그냥 허울좋은 구호가 아니라 실제로 실현되고 있다. 그 사람들이라고 왜 더 많은 손님을 받아 돈 많이 벌고 싶지 않겠는가. 이런 음식점 문화가 정착된 것은 첫째 음식점을 운영하는 음식 공급자들의 기본 자세에 대해 이미 사회적 공감대가 형성되어 있기 때문이다. 둘째는 만약 그 가게가 손님을 그런 식으로 소홀히 대접하면 당장 손님들이 합심하여 그곳을 가지 않아 곧 가게문을 닫게 된다는 것을 주인은 알고 있기 때문이다. 좋은 문화는 어느 한쪽에서 만드는 것이 아니라 공급자와 수요자가 함께 만들어 가는 것이다.

말이 나온 김에 사람을 우습게 여기는 인간 경시 풍조가 우리의 음식점 문화에 고스란히 투영되어 있는 모습을 짚고 넘어가야겠다. 일본과 서양의 대부분의 식당(아주 규모가 작은 식당일지라도)에서는 입구에서부터 자신이 무엇을 먹을 수 있는가를 알 수 있도록 샘플이 진열되어 있고 가격도 표시되어 있다. 문안에 들어서면 손님이 스스로

홀 안에 들어가 자리를 찾아헤매는 게 아니라 종업원이 자리를 안내해 준다. 우리는 자리에 앉으면 식당 벽을 이리저리 훑어보면서 메뉴를 고르거나 일행의 한 사람에게만 메뉴판을 준다. 다른 사람은 메뉴 보고 선택할 권리도 없고 대충 한두 가지로 통일시켜 먹으라는 투다. 외국은 어떤 식당이든 개인당 한 개씩의 메뉴판을 나누어 준다. 각자의 주문은 개인의 취향에 따라 철저히 종업원이 받아 적는다. 예를 들어 필자가 스테이크 샌드위치를 주문할 때 "고기는 중간에서 약간 덜 굽고, 양파는 넣고 피망은 빼고, 생버섯은 넣고, 소금은 뿌리지 말고 대신 후추를 뿌려 주세요"라고 요청하면 종업원은 나의 까다로운 주문을 인상 하나 찡그리지 않고 꼼꼼히 받아적는다. 우리 식당에서 이런 주문을 한다고 상상해 보자. 아마 십중팔구는 쫓겨날 것이다.

음식이 나온 후 종업원은 손님이 특별히 부르지 않아도 가끔 와서 더 필요한 것이 없는가를 꼭 확인한다. 이것이 일반적인 서양 대중 음식점의 주문 형태인데 이런 문화가 생긴 배경에는 각 개인의 음식 선택도 철저히 개인의 취향을 존중하는 방식으로 발달해온 인간 중심의 사고방식이 깔려 있기 때문이 아닐까 생각한다. 공급자 중심의 음식문화가 아닌 수요자 중심의 음식문화는 오늘날 개인의 선택과 취향을 존중하는 문화의 바탕이 된 것 같다. 우리 나라 식당 중에는 같이 간 일행과 다른 음식을 주문할 때도 음식 주문을 통일시키지 않았다는 이유로 종업원 눈치를 봐야 하는 식당도 아주 흔하다. 돈이 없어 고급식당을 이용할 수 없는 보통 사람들에 대한 무시가 바탕에 깔려 있는 무언의 폭력인 것이다.

음식의 특성도 한몫을 한다. 우리 나라의 대부분의 음식점에서는 손님의 선택권이 음식 메뉴를 정하는 것으로만 제한되어 있다. 이미 양념이 모두 버무려져 완성된 음식이 대부분인 한식의 특성상 '이것 빼고 저것 넣고' 라고 말하기란 처음부터 불가능하다. 서양 음식은 구성물 하나 하나를 골라서 넣을 수 있는 건식(乾式) 음식인 데 반해, 한국 음식은 국물이나 양념더미 속에 파묻혀 있는 습식(濕式) 음식이기 때문이다. 그러니 고혈압이나 신장, 간장, 위장 등에 병이 있어 음식을 싱겁게 먹어야 하는 사람이나 짜고 매운 것을 좋아하는 사람이나 똑같은 음식을 먹을 수밖에 없다. 이런 음식문화는 누군가 따져보지 않아서 그렇지 사람들의 건강에 좋지 않을 뿐 아니라 국가적으로도 큰 낭비가 아닐 수 없다.

사실 '잘먹고 잘사는 법' 에서 이런 문제를 정식으로 제기하려고 계획까지 세웠었다. 한 음식점을 선택해 모든 음식 주문을 음식의 종류, 재료의 차이, 양념의 차이에 따라 받으며 기본 밑반찬을 포함해 반찬은 매우 소량으로 내어주는 '꿈의 식당' 을 실제로 만들 생각이었다. 밥도 흰 쌀밥 한 가지가 아니라 다양한 곡식이 들어간 밥을 준비한다. 예를 들어 시금치 무침이라고 하면, 주인은 시금치를 데치는 것으로 1차 시금치 무침 준비를 끝내는 것이다. 손님이 싱겁고 깨를 넣지 않은 시금치 무침을 주문하면 그 즉시 소금을 적게 넣고 깨 대신 기름을 넣어 무쳐 내오면 되는 것이다. 이렇게 하면 속도가 늦어져 손해가 날 것 같지만 이런 음식점에 오는 손님들은 그런 것들을 다 참아낼 만한 손님이 오게 되어 있다. 오히려 이런 음식점은 육식을 먹는 사람을 포함해서 채식주의자, 싱겁게 먹는 사람, 짜게 먹는 사람, 특정한 음식에 알레르기가 있는 사람 모두를 손님으로 받을 수 있는 그야말로 전 국민을 고객으로 만들 수 있는 음식점이 될 것이다. 이런 음식점 샘플을 만들어 사람들의 반응도 살펴보고 장사가 잘돼 번성하는 모습을 장기간 카메라에 담으려고 했는데 아쉽게도 아무도 이런 모험을 하겠다고 나서는 사람이 없었다.

난 지금도 이런 음식점들이 많이 늘어나야 한다고 생각한다. 아마 내가 방송 PD가 안 됐으면 이런 음식점 주인이 되었을지도 모른다. 내가 꿈꾸는 음식점은 이런 곳이다. 손님 한 사람 한 사람의 특성을 고려한 음식점, 누구나 들어와 자기가 먹고 싶은 음식(메뉴판에 있는)을 내 취향과 건강 상태에 따라 주문해 먹을 수 있는 음식점, 언제 나가도 주인이 눈치주지 않는 음식점, 음식의 겉모양과 맛보다는 손님의 건강과 자연 환경을 생각하는 음식점, 그래서 고기를 포함해 가급적 모든 재료는 유기농으로 재배한 것을 사용하고 정당한 가격을 손님에게 당당히 요구하는 음식점, 얄팍한 상술이 아니라 마음으로 사람을 대하는 음식점을 만들어 주인 노릇 한 번 해보는 것이 나의 또 다른 꿈이다.

나는 좋은 음식을 만드는 것은 예술이고 애국이라고 생각한다. 창조적 아이디어로 보기에도 좋고 몸에도 좋은 음식을 얼마든지 다르게 만들 수 있는 것. 이것이 바로 예술 아닌가. 또한 좋은 음식을 친환경적으로 만들어 사람들의 건강 증진과 자연보호에 일익을 담당한다면 이 또한 애국자가 아니겠는가. 이런 음식점 문화가 퍼져나간다는 것은 그만큼 우리 사회에 사람을 사람답게 대접하는 문화가 퍼져나가는 것을 의미한다. 나는 미국의 아주 평범한 시골 식당에서도 손님의 취향에 따라 베저테리언(채식주의자) 버거와 베지(야채) 샌드위치도 만들어 파는 것을 보고 충격을 받았었다. 그것이 음식문화의 인본주의가 아닐까.

나는 음식문화가 제대로 자리잡는 것은 민주주의가 뿌리 내리는 것과 매우 깊은 상관관계가 있다고 생각한다. 음식문화와 민주주의라는 말에 의아해하는 사람들도 있겠지만 약간의 과장을 보탠다면 음식 먹는 풍경 하나로도 그 집단의 현재와 장래까지 간파할 수 있다. 가족 단위를 포함해 어느 집단이건 식탁에 앉은 사람들이 어느 한 사람 때문에 불편해하고 자리를 피하려고 한다면 그 집단의 문화는 대개 권위적이다. 사람들은 밥만은 편한 분위기 속에서 먹고 싶어하는 본능을 가지고 있는데 불편해한다는 것은 뭔가 이런 본능에 거슬리는 분위기가 있기 때문이다.

그런 자리에서 허심탄회한 대화는 기대하기 어렵다. 이런 조직은 윗사람이 부하직원들과 아무리 밥을 자주 먹어도 조직 발전에 별 도움이 안 된다. 부하직원들의 솔직한 얘기를 들을 수 없기 때문이다. 이런 조직은 문제가 생기면 항상 서로 다른 사람 탓을 하게 된다. 모두가 밥을 편하게 먹을 수 있는 분위기를 만드는 것도 민주주의를 실천하는 매우 중요한 포인트이다. 큰 오해와 싸움의 시작은 언제나 작은 불만으로부터 시작되기 때문이다.

외국의 직장인들은 우리와 얼마나 다른 점심문화를 가지고 있을까. 이 궁금증을 풀기 위해 시드니의 한 컴퓨터 관련 회사(Proteme Systems)를 방문한 적이 있다. 직원은 60여 명. 점심시간이 가까워오자 그날의 당번인 한 여직원이 책상을 돌아다니며 주문을 받는다.

"난 포카시아(샌드위치 비슷한 빵)에 햄은 빼고 치즈와 양상추, 양파를 넣어 달라고 해주세요. 음료는 스퀴즈드(가공한 주스가 아닌 그날 그날 직접 짜서 만든 주스) 오렌지 주스로요." 이런 식으로 일일이 번호를 매겨 받아적은 다음 식당에 전화로 주문을 한다. 잠시 후 점심시간에만 고용된 식당의 아르바이트 학생이 주문받은 각종 샌드위치를 가지고 나타나 식당 겸 회의실에 풀어놓는다. 그러면 도시락을 가지고 온 사람은 도시락을 가지고(약 1/3 정도가 도시락을 싸갖고 다닌다), 혹은 일이 바쁜 사람은 자기 책상에서, 나머지 사람들은 탁자에 앉아 주문한 음식들을 먹는데 이 시간은 그냥 식사만 하는 시간이 아니다.

식사를 하면서 동료들과 대화를 나누기도 하지만 이날은 매니저가 새로 개발된 제품을 설명하는 설명회를 겸한 식사시간이었다. 매니저가 프레젠테이션을 하는 사이 이 회사 사장을 포함한 전 직원이 간단히 식사를 하며 질문을 하기도 한다. 음식의 내용도 직원이나 사장이나 차이가 없다. 우리 같으면 사장을 포함한 간부급 직원들은 대개 회사 밖에 나가 밥을 먹기 때문에 이런 일은 가능하지도 않을뿐더러 강제로 이런 분위기를 만들면 노동자의 점심시간까지 빼앗는다고 할지 모르겠다. 나도 이 점이 궁금해 프로그래머 한 사람에게 회사가 직원들의 점심시간을 축내어 설명회를 하는 것에 대해 불평이 없는지 물어봤다. 그랬더니 아무도 불평하는 사람이 없을 뿐 아니라 시간을 절약하는 이런 분위기를 모두들 매우 좋아한다고 대답한다. 그러면서, "우리 회사에서는 매주 금요일 오후 3시쯤 전 직원이 이 자리에 모여 한 주간 동안 자기 분야에서 있었던 일과 회사에 바라는 점, 개인이 연구한 새로운 제품에 대한 설명회 등이 자연스레 열리는 맥

금요 맥주 파티에서 직원들 틈에 끼여 와인을 마시는 사장의 모습.

주 파티가 있어요"라는 말도 덧붙인다.

내친 김에 금요일에 다시 가보기로 했다. 그의 말대로 맥주를 아이스박스째 사다놓고 간단한 스낵을 곁들인 사내 파티가 열리고 있었다. 술은 한 사람이 작은 맥주병으로 1병이나 와인 한잔 정도 마신다고 한다. 한쪽에서는 직원 한 명이 새로운 프로젝트에 대해 설명하고 있었다. 사장님이 어디 있냐고 물었더니 한쪽 구석을 가리킨다. 얼굴이 약간 벌개진 사장은 시종 웃으며 직원들과 대화를 나누고 있었다. 따지고 보면 이 회사는 일주일 내내 사장과 직원들이 격의 없는 대화를 나누는 시간을 갖는 셈이다. 이런 분위기의 회사라면 노사간에 불화와 오해가 생길 여지가 없다. 직원들은 이구 동성으로 우리 회사는 아무 갈등이 없다고 한다. 지금의 걱정거리는 단지 경쟁업체들과의 싸움에서 우위를 점하기 위한 전략이 기대만큼 효과가 없다는 것뿐이다. 점심시간이나 금요 파티 시간에 수시로 회사의 경영 상태와 회사가 추구하는 목표를 공유하고 격의 없이 토론하는데 무슨 갈등이 있을 수 있을까.

또 한 가지 인상 깊었던 것은 이 회사의 점심시간이나 맥주 파티에서도 사장의 자리는 따로 없다는 점이다. 사장은 앞자리에 나서지 않고 직원들 틈에 끼여 식사하고 맥주 마시고 대화한다. 그저 평범한 직원처럼 한쪽 구석에 서서 직원들의 토론 과정을 경청할 뿐이다. 우리나라에서는 밥먹는 자리에서도 대부분 그 자리의 제일 높은 사람만 주로 얘기하다 끝난다. 소위 아랫사람들의 여론을 수렴하는 회식 자리에서도 대부분 경직된 분위기에서 형식적으로 아랫사람의 의견을 듣다가 윗사람이 주로 얘기하고 폭탄주 돌리고 만취해서 끝나기 십상이다. 그러면 모든 게 다 잘 풀리고 갈등이 없어졌다고 생각하는데 그렇지 않은 경우가 대부분이다. 회식이 끝나면 윗사람의 생각과는 정반대로 아랫사람들은 '역시 말이 안 통하는구나' 하는 더 부정적인 생각을 갖게 되는 경우가 많다. 이런 권위적인 조직일수록 아랫사람들의 창의력을 사장시키고 높은 사람들의 경직된 머리로만 조직이 굴러가게 된다.

백지장도 맞들면 낫다는데 군대식 일사불란한 조직은 조직의 고급 인력들이 갖고 있는 다양한 생각들을 공개적으로 표출할 기회를 제대로 찾지 못하고 퇴화하고 만다. 민주주의적 분위기는 언뜻 보기에 여러 사람들이 이 얘기 저 얘기 중구난방으로 떠드는 것 같아 의견이 통일된 권위주의 체제보다 비생산적으로 보이기 쉽다. 그러나 이는 잘못된 생각이다. 정리되지 않은 다양한 의견들이 모아져서 하나의 전략이 수립되는 것이 생산적인 조직인 데 비해 이런 과정이 생략된 권위적인 조직은 소수의 높은 사람들의 머리로만 급변하는 세상과 싸워야 한다. 그러니 경쟁력이 떨어지는 것은 당연하다. 이런 조직은 비민주적이면서도 비생산적인 조직이다.

우리 나라의 일반 기업체, 공무원 사회 할 것 없이 고위직에 있는 사람일수록 점심시간에 얼굴 한 번 보기가 하늘에 별 따기만큼 어렵다. 어쩌다 구내 식당에서 일반 사원들과 식사하는 것을 마치 무슨 행사 치르듯 한다. 줄줄이 예정된 대외적 점심 약속 스케줄이 그의 권위와 능력을 상징한다. 점심시간이면 차 대기시켜놓고 접대받으러 가거나 회사 돈으로 비싼 음식 먹으러 가는 높은 분들을 먼지 속에서 일하며 바라만 보는 노동자들은 평소 어떤 생각을 가지게 될까. 겉으로는 머리를 숙이지만 불만이 쌓이면 '내가 존경하는 우리 사장님, 우리 상사' 가 아니라, '나를 착취하는 놈들' 이라는 극단적인 생각도 하게 되는 것이다. 같은 조직 내에서 위화감을 조성하는 이질적인 문화가 지속되면 평소에는 권위에 눌려 그냥 지내지만 결정적 순간에는 극한 대립으로 치닫게 된다. 우리 나라처럼 노사간의 극한 대립 양상을 보이는 나라는 세계적으로도 드물다. 권위적 '밥 문화' 는 계층간 상대적 박탈감을 조성하고 대화를 단절시킨다. 그런데 아랫사람들과 다르게 먹는 고위층들의 고급스런 음식의 내용을 보면 운동량이 부족한 높은 사람들이 먹기엔 결코 좋은 음식이 아니라는 데 또한 아이러니가 있다.

최근 매스컴을 장식하고 있는 각종 부정부패는 잘먹고 잘사는 것에 대한 생각이 근본적으로 잘못되었기 때문에 나타나는 현상이다. 비정상적 경로로 재물을 탐하는 사람들이나 내야 할 세금 떼먹는 사람들이나 궁극적으로 추구하는 것은 남들보다 편안히 잘먹고 잘살기 위함일 텐데, 그렇게 번 돈으로 사 먹은 것이 몸에 안 좋은 게 더 많을 수 있다는 걸 알아야 한다. 우리는 '고급' 이면 뭐든지 좋을 거라는 착각을 하는데 고급일수록 그리고 맛있을수록 몸에는 더 좋지 않은 것이 많다. 또 그렇게 번 돈 남겼다가 자식에게 물려줘 봤자 그 자식 또한 잘될 리 없다. 그런 면에서 세상은 공평하다. 시드니 한 회사에서 본 사장과 사원들의 격의 없는 식사 모습에서 난 그들의 민주적이고 생산적인 조직문화와 미래의 희망을 보았다.

일본 직장인들의 점심문화가 궁금해서 도쿄 긴자의 빌딩가를 찾아갔다. 점심시간이 되자 도시락 파는 가게들이 문전 성시를 이루었다. 사무실이 밀집한 거리에는 도시락이 담긴 흰색 비닐봉지를 든 넥타이 부대와 여직원들이 삼삼오오 근처의 공원으로 향한다. 어떤 회사는 회사 내에 화기애애한 분위기 속에서 도시락을 먹을 수 있도록 공간을 따로 마련해놓은 곳도 있다. 식당의 메뉴들도 대개 간단한 도시락들이다. 날씨 좋은 날은 윗사람 아랫사람 할 것 없이 도시락 봉지 들고 공원에 자리잡고 앉아 자연을 즐기면서 밥을 먹는 모습을 쉽게 볼 수 있다.

우리 나라처럼 대낮부터 찌개, 전골 끓이면서 지구 온난화의 주범인 화석 연료 낭비하며 점심을 거하게 먹는 나라는 거의 없다. 특히 접대 받을 때는 비록 점심일지라도 한상 거하게 차려 먹는 게 관례화되어 있다. 대접하는 쪽이나 대접받는 쪽이나 어느 정도 음식이 푸짐해야 기분이 좋은 것이다. 그러나 이렇게 점심을 거하게 먹으면 반드시 오후에 졸리게 된다. 위장에 그만큼 부담이 가고 많은 양을 소화시키기 위해 피가 위에 많이 몰리기 때문이다. 심지어는 점심시간에 고깃집에서 고기를 구워먹거나 습관적으로 과하게 술을 마시는 사람들도 있다. 필자도 더러 그런 경험이 있지만 이렇게 먹으면 점심시간이 충전과 휴식의 시간이 아니라 내장기관에 과중한 노동을 시키는 시간이 되는 것이다. 이렇게 먹고나서 활기차게 일한다는 것은 거의 불가능하다. 이제 점심시간만큼은 이런 시간 낭비와 과식으로 몸을 혹사시키지 말아야 한다. 오후의 노동에 필요한 만큼만 먹는 소박한 점심문화가 하루빨리 정착되었으면 한다.

소식이 지구를 살린다

앞서 설탕에 관해 조언을 해준 코다 미쓰오 박사의 건강론을 소개하려 한다. 그는 의사로서 개인 건강 차원의 질병 치료에 대한 관심을 넘어 지구의 환경에 대해 매우 앞서가는 견해를 가지고 있다. 그의 건강법은 한마디로 '적게 먹자' 이다.

"혈액을 깨끗하게 하고 혈액순환을 원활하게 하는 것이 건강법이라고 생각하면 됩니다. 가장 나쁜 것은 많이 먹음으로써 숙변을 만드는 것입니다. 평소 섭취량의 80%, 70% 정도의 소식(小食)을 하는 것이 평온하게 살아가는 데 아주 중요합니다. 숙변이 아토피성 피부염, 당뇨병, 류머티스, 심장병, 암의 근원이란 것을 알게 되었습니다. 도카이 대학에 다스케 세이케이 선생님이 계시는데, 다스케 선생님은 실험을 통해 100% 먹은 쥐와 80% 먹은 쥐의 수명이 다르다는 것을 밝혔습니다. 100% 먹은 쥐의 수명은 평균 74주였고 80% 먹은 쥐의 수명은 122주였습니다. 80%만 먹으면 우리는 분명히 건

강해집니다. 그러나 암을 예방하기 위해서는 80%로도 안 된다는 것을 알았습니다.

이것은 아키다 대학의 고이즈미 선생님의 실험 데이터인데, 가만히 두면 암에 걸려 죽게 되는 '암 발생 쥐'를 가지고 실험했습니다. 그 쥐에게 평소 섭취량의 80%, 50%만 먹여 어떤 일이 일어나는지 조사했죠. 80% 먹였을 때는 26마리 중 7마리가 암에 걸렸습니다. 그러나 50% 먹였을 때는 28마리 중 한 마리도 암에 걸리지 않았습니다. 그래서 암을 예방하려면 80%보다 50% 정도 먹는 것이 좋다는 것을 알게 되었죠. 미국의 최첨단 의학은 60% 정도 먹으면 암 발생률이 한 자리 낮아진다고 말합니다. 앞으로 소식이 우리 영양학에서 중요한 자리를 차지할 것입니다. 왜 소식이 좋은가 하면 많이 먹으면 배에 숙변이 쌓이게 되는데 숙변은 썩어서 유해한 물질을 생성합니다. 그것이 몸으로 흡수되어 순환하면 모든 병의 근원이 됩니다. 숙변이 만병의 근원입니다. 숙변을 쌓이지 않게 하려면 60~70% 정도 먹는 게 좋습니다. 제가 40년간 실천하면서 숙변이 만병의 근원이란 것을 알았습니다."

소식이 좋다는 말은 그 전에도 익히 들어왔지만 문제는 실천이 어렵다는 것 아니겠는가.

"저는 인간이 소식하는 것이 건강상의 문제뿐 아니라 지구의 미래를 위해서도 꼭 필요하다고 생각합니다만 실천하기는 정말 쉽지 않습니다. 선생님의 생각은 어떠신지요?"

"맞습니다. 실천이 어려우면 저처럼 생각하시면 됩니다. 저는 인간이 소식을 하지 않는 한 하늘이 용서하지 않을 것이라고 생각합니다. 진정한 사랑과 자비를 실천하는 사람에게 하늘은 평온하게 살 수 있는 행복을 줍니다. 소식은 우주의 대 법칙입니다. 그것은 사랑과 자비입니다. 우리는 지금 공생의 시대에 살고 있습니다. 공생의 시대란 모든 생명과 함께 공존하는 것입니다. 인류는 400만 년 동안 인간 독존의 시대를 열어왔습니다. 인류에게 도움이 되는 것만 키워 이용하고 필요 없는 것은 버렸습니다. 그런 생각으로 살아왔기 때문에 항생물질을 남용하고 농약을 마음대로 뿌려대어 환경오염으로 숨통이 막히게 되었습니다. 인류는 지금 이대로 가면 멸망할 것입니다.

지금 우리는 인간 독존이란 생각을 버리고 모든 생명체와 공존한다는 공생의 사고를 가져야 합니다. 그렇게 되면 동물, 식물의 생명도 소중하게 여겨 쓸데없이 먹지 않을 것입니다. 이것은 단순히 건강의 문제만이 아니라 미래의 문제입니다. 환경 분야에서도 소식이 핵심 주제가 될 것입니다. 이것을 지키지 않는 한 식량문제는 물론 환경문제도 반드시 벽에 부딪히게 될 것입니다. 일본도 서양처럼 육식하는 사람이 늘었습니다. 대개 한 사람이 평생 6마리의 소를 먹습니다. 지금 일본 인구가 1억 2600만 명이니까 7억 5600만 마리의 고기를 먹습니다. 7억 5600만의 소를 한 번 나열해 봅시다. 이런 잔혹한 일을 하면서 진정한 평화를 논할 자격이 있을까요? 지금은 고기를 먹지만 앞으로는 고기를 먹을 수 없는 시대가 올 것입니다. 옥수수를 6억 톤 생산하는데 4억 톤이 가축 사료로 쓰입니다. 일본은 1600만 톤의 옥수수를 수입하여 1200만 톤을 가축 사료로 사용합니다. 곡물 생산은 한계에 도달할 것이므로 앞으로가 문제입니다."

"동물성 지방은 먹지 말라는 뜻인가요?"

"가능한 적게 먹는 것이 좋습니다. 식물성 단백질로 하는 것이 좋습니다. 콩이 있으므로 소고기를 먹을 필요가 없습니다. 동물성 단백질을 먹을 때는 작은 생선에서 취하는 것이 가장 현명합니다. 머리부터 꼬리까지 모두 먹을 수 있으니까요. 영양학에서는 하루에 30종류를 먹으라고 합니다. 그러나 그것은 다른 생명체를 생각하지 않는 영양학입니다. 흰 쌀밥, 흰 빵, 백설탕을 먹고, 또 고기도 살 부분만 먹고 나머지는 다 버립니다. 영양이 있는 것을 모두 버리고 맛있는 부분만 조금 먹으니까 30종류나 먹어야 합니다. 이것은 인간 위주의 영양학입니다. 백미보다 현미, 흰 빵보다 검은 빵을 백설탕보다 흑설탕을, 큰 생선보다 작은 생선을 먹으면 결코 30품목을 먹을 필요가 없습니다. 10종류로 충분합니다. 이것이 공생시대의 영양학입니다. 지금 우리는 커다란 전환기를 맞이하고 있습니다."

"인간은 돈을 많이 벌어 맛있는 것을 풍족하게 먹고 싶어합니다. 저도 그것이 잘사는 것이라고 생각했었습니다. 선생님의 생각을 듣고 싶습니다."

"인간의 자유가 무엇인가에 대해 생각해야 합니다. 우리는 많이 먹을 자유도 있지만 그것이 과연 진정한 자유일까요? 배불리 먹은 결과 뇌졸중으로 쓰러지거나 몸을 움직일 수 없어 다른 사람의 도움을 받아야 하는 불편한 상황에 놓이게 됩니다. 배불리 먹어 천식이 일어나

밤에 잠도 못 자게 되는 것이 자유일까요? 나는 늘 60%만 먹지만 몸이 지치지 않습니다. 머리가 항상 깨어 있어 제가 하고 싶은 일은 모두 할 수 있습니다. 인간이 정도를 걸을 때는 자유를 만끽할 수 있습니다. 그러나 길을 벗어나면 교도소에 들어가게 되지요. 건강법도 마찬가지입니다. 법을 지키고 있을 때는 행복합니다. 자유가 있다고 배가 부르도록 먹으면 곧 자유를 구속당합니다. 맛있는 것을 먹는 것은 눈앞에 보이는 행복만 생각하는 것입니다. 30~40년 뒤의 행복을 생각하면 그런 바보 같은 짓은 할 수 없습니다."

소식을 지키면 누구나 기대하는 것 이상으로 몸과 마음이 평온해진다는 것을 경험할 수 있다. 나도 소식을 실천해 보았는데 첫째 몸이 아주 가뿐해지고 피로가 덜하다. 덜 먹어 살도 좀 빠지고 활동력도 좋아진다. 이것은 아마 몸 안에서 필요한 물질을 대사시키느라 내장 기관들이 덜 혹사당해서 그런 것 같다. 가장 최근의 연구는 동물실험뿐 아니라 인간을 대상으로 한 광범위한 조사를 통해서도 소식이 장수에 도움이 된다는 것을 입증해 내고 있다. 그러나 소식이라고 해서 무엇이든 먹어도 된다는 것은 아니다. 적게 먹으면 적게 먹을수록 질이 좋은 것을 먹어야 한다. 현미, 통밀빵, 흑설탕, 작은 생선, 콩이나 해조류 등 우리가 먹을 수 있는 질 좋은 음식이 우리 주변에는 얼마나 많은가. 이런 음식을 먹는 것은 영양 섭취뿐 아니라 다른 생명을 내 몸으로 받아들이는 것이다. 따라서 쌀 한 톨도 소홀히 여기지 않고 음식 쓰레기를 줄이려고 노력하는 것 또한 공생시대를 살아가는 인간의 도리가 아닐까 한다.

일흔 중반을 넘은 나이에도 정열적으로 진료와 연구에 몰두하는 코다 선생은 날씬한 체격에 매우 반짝거리는 눈을 가진 사람이다. 그의 눈을 쳐다보고 있으면 나의 혼탁하고 게슴츠레한 눈이 부끄러워져 저절로 고개를 숙이게 된다. 영혼이 살아 요동치는 듯한 그의 맑은 모습과 '공생시대의 영양' 이라는 화두는 지난날 절제하지 못하고 배를 꽉 채워 포만감에 젖어 살던 나의 과거를 부끄럽게 만들었다. '왜 학교에서는 골고루 먹으라고만 가르치고 적게 먹으라고는 가르치지 않는 것일까.' '혹시 '골고루' 라는 말 속에 각종 식품업체들의 보이지 않는 힘이 작용하는 것은 아닐까' 이런 생각들이 꼬리를 물고 머릿속을 어지럽혔다.

사실 소식을 통한 인류의 공생이란 말은 오래 전부터 나의 머릿속을 점령하던 화두였다. 우리가 현재의 대량소비 체계에서 만들어낸 대량생산 가축제도로는 지구 환경과 인류 기근을 구제할 방법이 없는 것이다. 어느 문화에 뿌리내리는 음식제조와 소비양태의 뿌리는 수요와 공급의 법칙이 지배한다. 수요를 만드는 것은 소득과 음식습관의 변화이고, 공급을 만드는 것은 과학과 이윤 창출 메커니즘의 발달이다. 여기에 생명과 건강, 환경보호라는 말을 아무리 외쳐봐야 구두선(口頭禪)에 불과할 뿐이다. 문제는 어떻게 대중의 생활 방식에서 실천 가능한 대안을 제시하는가에 있다. 소식을 통한 공생의 이념이 필요한 것은 우리가 잘살려면 자연환경의 복구가 전제 조건이기 때문이다.

지구환경을 파괴해온 제1주범이 인간이라는 데에는 이론이 없을 것이다. 심지어 어떤 환경학자는 인간을 '환경의 암세포' 라고까지 표현하고 있다. 그 동안 인간은 의료를 발달시켜 세균감염에 의한 사망을 크게 줄여왔지만, 덕분에 자연 생태계가 자연스럽게 조절해온 개체수의 균형을 무너뜨려 왔다. 지구상의 모든 동식물이 균형적인 개체수를 유지하며 자연스러운 먹이사슬을 형성해온 수십 억 년의 생태계 균형을 인간이 아주 짧은 기간에 무너뜨려 온 것이다. 이것은 인류 역사에서 비극의 시작이었다. 인류라는 종(種)의 기형적 번성은 식량 문제를 야기하였으며 생물의 멸종을 촉진해 왔다. 그러나 이런 인간에게 자연은 가만히 당하고 있지는 않았다.

자연의 밸런스 기능이 작동한 것이다. 현명한 자연은 사람이 늘어나 땅이 좁아져 먹을 게 모자라는 곳에서는 각종 바이러스와 신종 질병을 만들어 인간의 종을 줄이려는 노력을 아끼지 않았다(단, 전쟁과 기아도 자연생태계의 균형을 이루기 위한 자연의 섭리라고 하는 근본생태주의자들의 주장과 내가 말하는 자연의 밸런스 기능은 좀 다른 것이다). 이에 인간은 한편으로는 의학을 발달시켜 질병에 대항해 왔고 한편으로는 가혹한 가축제도를 만들고 자연의 종을 개량하는 생명, 유전자 공학을 발달시켜 왔다. 어쩌면 인간은 지금까지는 자연을 효과적으로 제압해 왔는지도 모른다. 그러나 앞으로도 그러할 것인가는 매우 회의적이다.

우리가 후손들에게 지금 이 정도나마 평화를 물려주려면 현실적 실천 방안의 하나로 소식을 통한 생태계 복원을 시작해야 한다. 그 구체적 방법으로 유기농을 넘어서는 자연농으로 맑은 물과 살아 있는 땅이 어우러지는 생태계를 다시 살려내야 함은 물론이고, 고기를 덜 먹어 지구 전체 가축의 사육수를 현격히 줄여 식량 분배의 정의를 다시 찾아야 한다. 또한 소식을 통한 인류애로 남아도는 식량을 적절히 재분배하여 생산 불균형으로 생기는 기아 문제를 해결해야 한다. 다큐멘터리 '잘먹고 잘사는 법' 에서 이런 주제의 이야기를 하지 못했던 것은 식생활을 바꾸라고 하는 것도 일종의 스트레스를 주는 것인데 그것도 모자라 적게 먹으라고 강요하면 사람들을 너무 피곤할 것 같아서였다. 그러나 지금 글로나마 그때 하고 싶었던 이야기의 일부라도 하게 되어 다행스럽다. 이런 거창한 이야기를 떠나 거듭 이야기하지만 적게 먹으면 몸에도 매우 좋다.

단, 소식을 할 때 잊지 말아야 할 것은 앞서도 언급했지만 질 좋은 소식을 해야 하며, 균형 잡힌 소식을 하지 못하면 영양섭취 부족으로 뼈가 약해질 우려가 있기 때문에 소식으로 일단 몸을 가볍게 한 후 운동을 게을리 하지 말아야 한다. 우리 선조들도 소식다동(小食多動)을 무병장수의 지혜로 삼았다.

코다 선생을 만나고 나서 나는 소식을 하기로 결심했다. 구내식당에서 밥을 먹을 때도 밥을 받기 전에 적게 달라고 말하는 습관이 자연스럽게 생겼다. "밥 조금만 주세요, 국 조금만 주세요." 이 말은 이제 고치기 힘든 버릇이 되고 말았다.

코다 선생의 이론을 뒷받침하는 소식(小食)에 관한 최근의 논문 한 가지가 있다. 미 국립 암협회(Dr. Volker Mai가 주도하는 연구팀이 *Annual Experimental Biology 2002 Conference New Orleans*, LA,April 22, 2002에 발표)에 따르면 쥐실험을 통해 저 칼로리 소식이나 올리브 오일과 과일 야채가 풍부한 식사를 하면 위암과 장암을 초래하는 양성 종양의 발생을 60% 정도 더 억제할 수 있다는 것이다. 이외에도 소식이 노화와 장수의 첩경이라는 논문들은 무수히 많다.

대량 소비시대에 배 두드리며 사는 오늘날 우리의 모습은 마치 엄청난 비극을 가져올 A급 태풍이 몰아치기 직전의 평화 같은 것은 아닐까. 하루가 멀다하고 현대적 풍요의 상징인 맛있는 식품들의 안전성에 대해 의문이 제기되고 있다. 최근 뉴스에서는 스웨덴 정부가 튀김 음식에 발암 성분이 있다는 발표를 했으며, 두 달 뒤인 2002년 6월 '공익을 위한 과학단체(the Center for Science in the Public Interest)'도 패스트푸드점에서 나오는 감자튀김과 스낵으로 먹는 감자칩이 다량의 발암 물질을 함유하고 있다고 발표하였다. 감자튀김에 있는 발암 물질은 미 환경보호국이 물 한 잔에 허용하는 아크릴아미드(acrylamide) 양의 300배에 해당하는 양이다. 인공적으로 만든 맛있는 음식을 과하게 먹으면 인간의 몸에 문제가 생길 수 있다는 평범한 진리를 이제 과학자들이 하나 둘 증명해내고 있는 것이다. 코다 선생이 주장하는 절약정신과 다른 생명체와 함께 살아야 한다는 공생정신을 독자들과 함께 오랫동안 기억하고 싶다.

이제 기업과 공권력에 우리의 먹을거리를 맡기는 시대는 지나갔다. 그 누구도 나 자신이 내 몸을 생각하는 것만큼 생각하지 않는다는 사실을 알아야 한다. 최후의 보루는 소비자들의 현명한 판단뿐이다. 무엇을 먹고 안 먹고의 문제는 결국 소비자들이 결정하는 수밖에 없다.
좋은 음식들을 선택하여 아이들에게 잘먹이는 것이 부모가 자식에게 물려줄 수 있는 가장 훌륭한 유산이 아닐까 싶다.

제12장

세계의 식탁에 불고 있는 환경바람

가축에게 자유를 주어야 하는 이유

영국 대형 슈퍼마켓 중에 '세인버리(Sainbury's)' 라는 곳이 있다. 대규모 슈퍼마켓인 이곳의 한쪽에는 유기 농산물들이 차고 넘친다. GMO(유전자 조작 식품)는 아예 눈을 씻고 찾아봐도 없다. 이곳뿐 아니라 영국 대부분의 슈퍼마켓에서 GMO 식품은 찾아보기 어렵다. 그만큼 영국의 국민들이 미국의 유전자 조작 식품을 싫어한다. '세인버리'에는 유달리 세계 각국의 각종 유기농 제품들이 다양하게 구비되어 있다. 유기농 야채, 과일은 물론, 각종 고기, 우유, 치즈, 밀가루 식품, 과자에서 초콜릿, 빵, 맥주, 포도주에 이르기까지 거의 전 품목에 걸쳐 유기농 제품들이 전시되어 있다. 물론 가격이 보통 제품들과 비교해 2~3배 정도 비싸다.

이곳에서 쇼핑하는 사람들은 제품의 앞뒷면에 빽빽이 적혀 있는 제품 설명서와 성분 표시를 꼼꼼히 훑어보고 구입한다. 성분 표시도 우리 제품의 것과는 질적으로 다른데, 사용한 식품첨가물의 성분까지 자세히 표시되어 있다. 가정주부에서 학생, 노인에 이르기까지 이곳 소비자들이 추구하는 것은 양보다 질이다. 쌍둥이 아이를 카트에 태우고 쇼핑을 하는 한 가정주부에게 물어보았다. 그녀는 유기농 닭을 고르고 있었다.

"왜 유기농 제품을 사십니까?"

속사포처럼 빠른 그녀의 대답은 아주 간단했다.

"유기농 제품은 각종 화학물질이 들어 있지 않아요. 항생제도 잔류

하지 않고요. 아이들에게 농약과 항생물질을 먹이고 싶지 않기 때문이죠."

영국의 중산층들은 이미 음식의 맛과 영양 성분보다 더 중요하게 생각하는 것이 있었다. 바로 제품의 생산방식이다. 영국 사람들은 이미 광우병 파동으로 엄청난 환경 재앙을 경험했으며 이런 뼈아픈 경험을 이겨내는 것이 바로 친환경적인 먹을거리 생산을 확대하는 것이라고 믿고 있다. 여기에 영국인의 강한 환경의식이 더해져 이런 사회적 분위기가 계속 유지되는 것이다.

영국 동물보호협회인 RSPCA에서 제정한 '자유 음식' 인증제인 프리덤 푸드(Feedom Food)는 가축 동물이 어떠한 환경에서 자랐는지를 사전에 검증해서 그것을 통과한 식품에 '자유 음식' 인증 마크를 붙임으로써 고기와 계란 등 동물성 단백질원의 질을 관리하는 제도

이다. '자유 음식' 마크는 가축이 자유로운 상태에서, 최소한의 안락한 생존적 환경에서 자랐다는 사실을 입증하는 것과 동시에 소비자들은 다소 비싼 값을 지불해야 한다는 것을 뜻한다. 이 제도에서 자란 동물들은 다음의 다섯 가지 자유가 주어져야 한다.

1. 공포와 스트레스로부터의 자유(Freedom from fear and distress)
2. 고통과 부상, 질병으로부터의 자유(Freedom from pain, injury and disease)
3. 배고픔과 갈증으로부터의 자유(Freedom from hunger and thirst)
4. 생활의 불편함으로부터의 자유(Freedom from discomfort)
5. 정상적 행동을 표현할 자유(Freedom to express normal behaviour)

동물의 생육 환경에 대한 관심은 미국의 인권단체인 '미국 인도주의 협회 (AHA ; American Humane Association)'를 중심으로 3년 전부터 '자유 사육 인증제'인 프리팜(Free Farmed) 시스템을 탄생시켰다. 이 협회의 동물농장 책임자 델 더글라스(Dele Douglass)를 워싱턴에서 만났다.

"영국의 RSPCA 기준을 적용해서 소, 돼지, 산란용 닭, 식용 닭, 젖소의 기준을 마련했습니다. 생산자를 직접 찾아가서 저희 기준을 자발적으로 지킬 것인지 묻고 따르기로 동의하면, 생산자는 증명자료를 보내 성장호르몬제나 특정 치료제를 적절하게 잘 쓰고 있는지를 검증받아야 합니다. 저희는 특정 동물의 박사학위를 소지한 검사관을 해당 농장에 보내 교육도 시키고 실태를 확인합니다. 돼지와 산란용 닭은 좁은 공간에서 키우면 안 됩니다. 자유롭게 돌아다닐 수 있는 사육장에서 길러야 합니다. 젖소도 항상 좁은 공간에서 살면 안 됩니다. 식용 소들의 우리도 뜨거운 햇볕을 가릴 수 있는 지붕이 있어야 하고, 차가운 겨울 바람을 막을 수 있는 바람막이가 있어야 합니다."

자유롭게 뛰놀며 나뭇잎을 먹는 폴리페이스 농장의 돼지들.

그녀의 말에 따르면 2000년 9월부터 시행되어 얼마 되지 않았지만 소비자들의 반응이 매우 좋다고 한다. 프리팜 로고를 붙인 닭들이 최근 5%의 매출 신장을 보이고 있다고 덧붙였다. 물론 상품의 가격도 1.5배에서 2배 반 가량 높게 받는다.

실제로 농장에서 가축들이 어떻게 자라고 있나 보고 싶었다. 나는 버지니아 주에 있는 폴리페이스(Polyface) 농장으로 차를 몰았다. 마침 농장주가 허리를 다쳐 아들 다니엘이 대신 마중나왔다. 스무 살의 앳되어 보이는 농촌 청년 다니엘은 닭, 소 사육장을 거쳐 아담한 돼지 사육장으로 우리를 안내했다.

"소에게 위가 4개 있는 것은 풀을 먹고 소화시키기 위해서입니다. 여기 돼지들도 녹색 풀들을 마음껏 먹을 수 있어 좋아합니다. 이 초지의 풀을 통해 많은 영양분과 비타민, 미네랄을 먹게 되고, 결국엔 이것들이 사람에게 전해집니다. 곡물 사료를 먹은 가축들보다 훨씬 더 좋은 육질을 가지게 됩니다."

그다지 넓지 않은 돼지 사육장 안에서 돼지들이 몰려다니며 마음껏 뛰놀고 있었다. 필자가 우리에 들어가 카메라를 들이대는데도 다가와 친한 척하며 코를 벌름거리는 돼지들. 이전에 좁고 지저분한 돼지 농장들에서 보았던 스트레스 받는 돼지들과는 완전히 다른 생명체 같았다. 다니엘이 다가와 나뭇가지를 하나 잘라 돼지들에게 던져주자 달려들어 정신없이 나뭇잎을 먹기 시작했다.

"사람들이 지저분한 곳에서 가축을 사육하는 이유는 사회적 패러다임을 고치기가 어렵기 때문입니다. 그런 생산 모델에는 많은 돈이 연루되어 있습니다. 큰 기업들이 그곳에 많은 돈을 투자하고 있죠. 이 목장에서는 사료 회사, 항생제 회사들이 돈을 벌 수 없습니다. 우리 목장엔 병 걸린 동물이 없기 때문입니다. 동물 자체의 문제가 아니라 생산하는 방법에서 문제가 발생합니다. 우리는 정화 배수 시설이 잘 되어 있어 가축들이 냇물을 오염시키지 못하도록 하고 있습니다. 이 목장을 보면 여러 종류의 다양한 풀들로 가득합니다. 환경에 해를 주는 화학비료는 사용하지 않습니다. 고기를 먹는 것이 환경을 오염시킨다는 것은 기존의 사육 방법에서는 맞는 말이지만 여기서는 그렇지 않습니다."

스무 살의 어린 나이가 믿어지지 않을 정도로 환경에 대해 정확히 인식하고 있는 그에게 난 점점 흥미를 느꼈다. 내가 "학교에서 축산을 전공했나요?"라고 묻자, "어려서부터 학교는 다닌 적이 없습니다. 홈 스쿨링(집에서 부모가 교육시킴)을 했습니다"라고 답했다. 한 번도 학교에 다닌 적이 없는 젊은이가 이렇게 훌륭한 생각을 하고 건강하게 살고 있다니…. 우리가 목숨 걸고 매달리는 학교 간판이 다 무슨 소용이란 말인가. 인생을 살면서 무슨 생각을 하며 어떻게 사는가가 중요한 것이지 어느 학교에서 무엇을 전공했는지가 중요한 것은 아닌 것이다. 사회가 만들어놓은 도식적 구조에서 틀에 박힌 생각만 하고 살아온 나 자신이 부끄러워 얼굴이 달아올랐다.

자유 사육 인증제인 프리팜 마크가 붙은 제품들.

일본도 환경운동이 활발한 나라 중 하나이다. 저스코(Jusco)라는 대규모 슈퍼체인은 고급 소비자들을 대상으로 식품을 판매하는 곳인데 이곳에서는 각 제품마다 유전자를 조작한 식품을 원료로 사용해서 생산한 제품인지 아닌지, 심지어는 그런 식품을 먹고 자란 동물의 육류나 유제품인지도 자세히 알 수 있게 표기하고 있다. 뿐만 아니라

고기제품마다 가축이 어떤 환경에서 자랐으며 무슨 사료를 먹고 자랐는지를 정확히 밝혀놓았다. 그렇지 않으면 광우병 파동으로 불안 심리에 싸여 있는 일본 소비자들이 외면해 버리기 때문이다. 지난해 광우병에 걸린 소의 발견으로 일본 축산업계가 발칵 뒤집히고 길거리를 메우던 야키니쿠 가게들이 하나 둘 문을 닫기 시작했다. 특히 일본에서 발견된 광우병 소들에서는 유럽과 달리 육골분을 먹은 흔적을 찾을 수 없었기 때문에 더 충격적이었다.

혹자들은 이것을 환경의 재앙이라거나 동물들의 보복이 시작되었다고 말하지만 나는 이 모든 재앙이 자연의 섭리를 벗어난 인간들의 욕심에서 비롯되었다고 생각한다. 원래 초원에서 뛰놀며 풀을 먹고 살아온 소들을 배설물로 범벅이 된 좁은 우리에 가둔 채 곡물에 약을 섞어 먹여 빠르게 비육시키는 시스템에서는 앞으로 광우병보다 더한 병이 생길지도 모를 일이다. 고기의 소비를 조금 줄이더라도 친환경적 생산방식으로 생산된 고기를 지금보다 비싸게 주고 사서 귀하게 먹는 문화가 하루 빨리 뿌리를 내려야 한다. 이것이 생산자나 소비자는 물론 환경에도 이득이 되는 것이 아닐는지…

유기농 식당이 미래 사업이다

음식점 운영에 관심이 있는 사람은 지금 전세계에 불고 있는 유기농 음식점에 눈을 돌려야 한다. 모든 재료를 유기농 농가에서 직접 납품받아 만드는 유기농 식당. 영어로는 'Organic Restaurant'이라 하고 일본에서는 '유키(有機) 식당'이라 불린다. 유기농 야채를 공급해 돈을 잘 벌고 있는 곳이 있다. 도쿄 한복판에 아이랜드(i-land) 빌딩이라는 곳이 있는데 도쿄 도청과 아주 가까운 곳에 있는 빌딩이다. 이 빌딩 맨 꼭대기 층 전체를 이자카야(선술집)로 문을 연 홋카이도라는 곳이 있다. 좌석만 800석인데 이곳의 상징은 바로 야채를 유기농 농가에서 직접 납품받아 각 야채별로 생산자의 사진과 선전 문구를 메뉴판에 올리는 유기농 실명제이다. 손님들은 이것을 보고 안심하고 야채 샐러드를 주문해 먹는다. 일본에서는 모자라는 반찬을 더 주는 문화가 없는데 이 야채 샐러드만은 이 업소의 마스코트이기 때문에 700엔을 내고 한 번만 주문하면 얼마든지 다시 가져다 먹을 수 있다. 나도 그곳에서 맥주 마시며 야채 샐러드를 다섯 번이나 더 가져다 먹었다. 이런 이자카야말고도 유기농 재료만 쓰는 음식점도 있다.

오사카의 '고코로(心)'라는 음식점은 아주 기분 좋은 곳이다. 남편은 주방에서 일하고 아내는 주방과 손님석을 바쁘게 왔다갔다 한다. 한눈에도 인심 좋아 보이는 구라타 준코 아줌마(30세)도 인상적이었지만 나의 시선을 고정시킨 것은 식당 안에서 팔고 있는 음식의 내용이었다. 고코로에서는 음식의 재료뿐 아니라 소금, 간장, 된장도 무첨가 제품을 사용하며 일부는 주인이 땅을 빌려 직접 재배한 것들이다. 가격은 일반 음식점보다 2～3배 정도 비싸다. 고기는 사육할 당시 목초지에서 방목하며 유전자 조작한 사료를 전혀 쓰지 않고 키운

유기농 식당인 홋카이도의 유기농 실명제 선전판.

가축만을 사용한다. 생선은 일본 근해 청정해역에서 잡히는 것을 사용한다. 쌀은 무농약 쌀, 물은 천연물, 식기도 천연식기이다. 마치 집에서 자식들을 위해 어머니가 세심하게 배려한 밥상을 연상시킨다.

수익성을 물어봤더니 아직은 그다지 이익이 없다고 한다.

"밖에 나가면 나쁜 것이 너무 많아 가능하면 화학물질을 몸에 넣지 않는 음식점을 생각했습니다. 그런 가게가 없었으므로 이 유기농 식당을 하면 좋겠다는 생각을 하게 되었습니다."

원래 환경운동을 하는 부부는 봉사정신으로 이 일을 한다고 한다. 그러면서 마지막으로 나에게 이런 말을 했다.

"음식은 마음입니다."

아직은 소수이지만 앞으로 이런 음식점과 술집이 일본에 번성할 것이고 세계적으로도 많이 생기리라 확신한다. 앞으로는 한국에서도 이런 술집이나 음식점을 개업해도 그다지 손해볼 것 같지는 않다. 오늘날 첨단 시설과 마케팅으로 무장한 인공 음식문화가 급속도로 번성하고는 있지만 다른 한편에서는 아직 소수이고 미약하더라도 자연으로 다시 돌아가려는 음식문화의 움직임도 점차 확산되고 있다. 이런 사람들이 있기에 우리는 미래에 대한 희망을 가질 수 있다.

소득이 늘어나면서 아파트와 자동차로 상징되는 서울의 삶에는 풍요와 배부름과 환락이 있을지 모르지만 인생의 의미를 되돌아볼 만한 여유와 탈출구는 적다. 우리의 입에 들어가는 대부분의 음식물은 더 이상 자연의 산물이 아니다. 인간이 기계로 이것저것 섞어 만든 가공 음식들이다. 그 안에 어떤 물질이 얼마나 들어 있는지 제조회사 외에는 그 누구도, 정부조차도 모른다는 사실을 안 것은 내가 프로그램 제작을 거의 중간쯤 진행했을 때였다. 유해물질이라고 규정된 것이 아니면 우리 나라에서는 그 어떤 첨가물도 개별 규정량 한도 내에서라면, 종류를 가리지 않고 마음껏 사용할 수 있는 것이다. 그 종류와 양이 철저히 기업비밀에 부쳐져 정부기관에서도 알 수가 없는 게 현실이다. 이 사실도 각 식품의 식품첨가물의 종류와 양을 알기 위해 정부기관에 문의하면서 알게 된 것이다. 당연히 기업은 어떻게 하든 소비자의 입맛을 사로잡아 많이 팔고 이익을 많이 남기려고 애를 쓸 것이고 이 과정에서 사용되는 여러 종류의 첨가물이 소비자의 건강을 위협하리라는 사실은 너무나 확연하다.

이제 기업과 공권력에 우리의 먹을거리를 맡기는 시대는 지나갔다. 그 누구도 나 자신이 내 몸을 생각하는 것만큼 생각하지 않는다는 사실을 알아야 한다. 국가와 기업들이 국민들에게 좋은 식품을 제

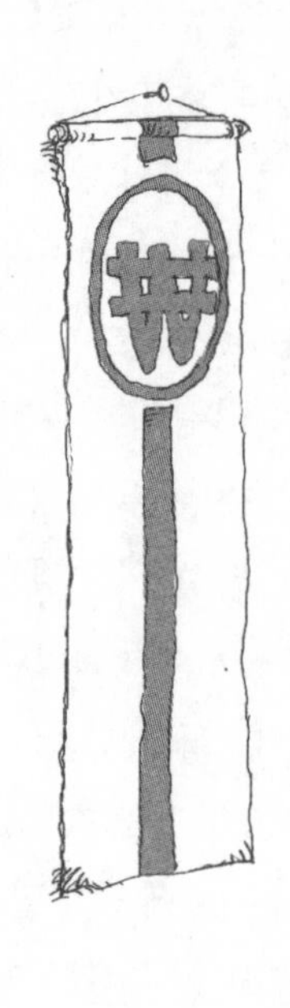

공한다는 믿음을 주기 위해서는 식품 생산 과정에 소비자들을 참여시켜 철저한 검증을 받아야 한다. 그러나 이런 바람은 그저 희망사항으로 끝날 확률이 매우 높다. 왜냐하면 기업을 운영하는 사람들에게 이미 시작한 사업을 중도에 포기하라고 할 수는 없기 때문이다. 최후의 보루는 소비자들의 현명한 판단뿐이다. 무엇을 먹고 안 먹고의 문제는 결국 소비자들이 결정하는 수밖에 없다. 또한 소비자들도 발상을 전환하면 우리 주변에는 맛있고 몸에 좋은 것들이 매우 많다는 것을 알게 될 것이다. 좋은 음식들을 선택하여 아이들에게 잘 먹이는 것이 부모가 자식에게 물려줄 수 있는 가장 훌륭한 유산이 아닐까 싶다. 우리 집 생체실험을 마치고 프로그램을 한창 진행할 때 아내가 나에게 이런 말을 한 적이 있다. "당신 덕분에 아이에게 좋은 음식을 먹여 건강하게 키울 수 있어서 참 다행이에요." 아마 내 생애 처음 아내에게 들었던 칭찬이었던 것 같다.

'식용(食用) 학교마당'의 철학

캘리포니아 샌프란시코 근처의 버클리에 마틴 루터 킹 중학교가 있는데 이곳에 매우 특이한 장소가 있다. 원래는 학교 교직원 주차장이었는데 아스팔트를 걷어내고 유기농 밭을 꾸며 '식용 학교마당(Edible School Yard)'이라는 간판을 붙여놓았다. 아이들은 정규 수업시간에 이곳에 와서 식물의 성장과 친환경적 유기농법에 대해 배운다. 그리고 스스로 키운 야채와 과일을 수확하여 정원 옆의 주방에서 요리하는 법도 배운다. 자신이 재배한 재료를 가지고 직접 요리하는 교육을 받고 있는 아이들의 모습이 그렇게 부러울 수가 없었다. 가공식품에 익숙해 있는 아이들에게 음식에 대해 새롭게 눈뜨게 하는 교육인 것이다.

학교 주차장을 밭으로 바꾼 계획은 세계적인 레스토랑 셰파니스를 운영하는 앨리스 워터스(Alice Waters) 여사가 추진해온 일이다. 그녀가 아이들에게 가르치고 싶은 것은 유기농법으로 키우는 법, 건강하게 먹는 법, 함께 일하는 방법 등을 몸으로 익히게 하는 것이다. 자신이 키워 제철에 수확한 가장 신선한 음식을 맛보는 것만으로도 가공식품만 접해온 아이들의 자연과 음식에 대한 생각을 바꾸어주는 교육적 효과가 있다고 한다. 내가 그곳을 방문한 날은 담당 교사가 옥수수 줄기를 잘라서 나눠주며 아이들에게 씹어보도록 하고 있었다. 한 번도 이런 교육을 받아보지 못하고 삭막하게 살아온 나로서는 그저 부럽다는 생각뿐이었다. 미국은 학교에서도 유기농 교육을 할 정도로 유기농에 대해 좋은 인식이 퍼져가고 있다.

현재 미국의 유기농업은 기업화 · 대형화되는 추세이다. 유기 농산물의 재배방식은 소비자와 가급적 가까운 곳에서 재배되어 신선한 상태로 소비자가 사용할 수 있도록 하는 것이 가장 바람직하다. 따라서 생산방식이 대형화되면 근처에서 모두 소비될 수 없기 때문에 보관의 문제가 생기는 것이다. 그러나 환경에 대한 인식이 높아지면서 중산층을 주 대상으로 하여 가격이 비싼 유기 농산물이 대규모로 생

식용 학교마당에서 유기농 야채를 키우는 아이들.

산되고 있다. 미국 캘리포니아에서 유기 농사를 짓는 중간 규모의 농가를 찾아갔다. 주인이 갖고 있는 빨간색 트럭을 상표로 내건 '빨간 트럭 농장(red truck farm)'의 농장주 댄 코인 씨를 만났다.

"저는 1991년부터 유기농 생산에 들어가 17가지의 토마토, 체리 토마토, 오이, 땅콩, 호박, 멜론, 당근, 포도 등을 생산합니다. 건강에 좋은 음식을 찾다가 저 자신이 직접 키우는 게 제일 좋다고 생각했습니다. 이 방법으로 돈도 벌 수 있다는 걸 알게 되어 이 사업을 시작하게 되었습니다. 유기농 사업은 점점 성장하는 유망한 사업입니다. 곧 유기농법이 더 큰 농장으로도 퍼져가리라 생각합니다. 그리고 농약을 사용하는 농업은 점차 사라져갈 것입니다. 벌레들 죽이자고 농약을 살포하는데 실제로는 살아남은 벌레들이 약에 내성을 갖게 되어 끝없는 전쟁만 일어날 뿐입니다. 벌레들은 빨리 성장하니까 농약에 견디는 벌레들이 생겨나는 겁니다. 어떤 사람들은 그걸 깨닫고 부분적으로 유기농법을 쓰고 있습니다. 유기농법이 대중화되는 것은 이제 시간 문제라고 생각합니다."

그는 약을 쓰는 농법과 유기농법을 한마디로 "낮과 밤의 차이"라고까지 표현했다.

생산자의 입장에서 유기농 과일을 재배하는 가장 큰 단점은 유통이 안 될 때 보관이 어렵고 제품의 모양이 깔끔하지 못하여 사람들의 시선을 끌지 못한다는 것이다. 그리고 자연상태로 키운 탓에 크기와 모양이 제각각이라 규격화가 어렵다는 것이다. 그러나 유기농의 장점은 우리의 주변 생태계까지 더불어 살리는 효과가 있다는 거시적 측면말고도 맛도 훨씬 뛰어나다. 뿐만 아니라 유기농 채소나 과일은 껍질까지 안심하고 마음껏 먹을 수 있다는 점을 주목해야 한다. 땅에서 자라는 대부분의 곡식과 과일, 채소의 영양분은 속보다 겉에 많이 있다. 특히 껍질 부분에 있는 섬유질은 우리의 몸 속 환경을 정화시키는 데 필수적인 성분이다.

또한 전체 영양도 유기농 채소가 우수하다. 부산대 박건영 교수의 실험에 따르면 유기농 야채가 일반 야채보다 비타민, 항산화물질 등의 함유량이 2배 정도 높다고 한다. 그리고 한 가지 덧붙이고 싶은 것은 농산물은 좋은 토양과 좋은 공기 속에서 햇볕을 받고 자란 것일수록 좋다는 것이다. 농약 안 치고 퇴비 쓴다고 다 같은 유기 농산물이 아니다. 공해와 화학첨가물에 둘러싸인 우리 먹을거리 환경에서 자신의 몸을 지키는 최소한의 투자가 바로 유기 농산물을 먹는 것이다.

배추의 영양 비교

성분	일반 재배	유기농 재배
비타민 C	32(mg%)	**64(mg%)**
엽록소	15(μg%)	**104(μg%)**
항산화 물질	18(μg%)	**35(μg%)**

(부산대 박건영 교수의 실험)

어려서부터 땅과 음식에 대해 제대로 된 교육을 받는 미국 학생들을 마냥 부러워만 할 게 아니라 우리도 이런 교육을 빨리 시작해야 한다. 좋은 음식을 선택하는 방법과 제대로 먹는 습관을 가르치는 것이 영어, 수학 몇 시간 더 가르치는 것보다 더 중요하다.

요즘의 학교란 건전한 생각을 키워주는 전인교육의 도량이 아니라 신분상승 혹은 유지를 위해 어린 아이들끼리 치열하게 경쟁하는 장소가 되었다고 해도 과언이 아니다. 본래의 학교 모습을 찾기 위해서는 매년 입시제도와 학업의 난이도를 조정하는 데만 힘을 낭비할 게 아니고 먼저 아이들에게 가르치는 교과목 내용부터 바꾸어야 한다. 식용 학교마당은 그 사회를 지배하던 다수의 논리와 관행을 거부하는 소수에 의해 만들어진 것이다.

여기서 유기농에 관해 덧붙이자면 화학 비료, 농약을 쓰면 악이고 유기 비료를 쓰면 선인가 하는 문제는 그리 간단하지 않다. 예를 들면 유기농 비료로 닭똥, 돼지 똥을 쓰면 땅에 질소보다 인산이 더 많아진다. 그러나 작물은 인산보다 질소를 더 요구한다. 가축 분뇨만 비료로 쓰면 인산이 축적되어 땅이 망가진다. 그래서 볏짚도 쓰고 산에서 풀을 베어 보충한다 해도 산에서 풀을 과도하게 가져다 쓰면 산의 토양에 또한 문제가 생긴다. 또 가축 똥에는 인간이 먹다 남은 음식의 염분이 그대로 사료로 옮겨가 염분도 많다. 그런데 농작물은 염분을 싫어한다. 그래서 가축의 분뇨만 가지고는 작물의 양분요구를 맞출 수가 없는 것이다. 이렇듯 유기농이 간단한 문제는 아니다.

그럼 우리는 어떤 입장을 취해야 하는가. 유기농사를 할 경우 친환경적 유기 농사를 해야 한다. 가급적 아무 것도 인위적으로 가하지 않은, 다시 말해 고유의 지력으로 비닐 하우스 안에서가 아니라 태양빛 아래 생산되는 자연농에 가까운 유기농을 해야 하는 것이다. 그러나 이런 농사는 수확 감소를 각오해야 하고 노동력이 더 들어간다. 그래서 값이 비싼 것이다. 국가 전체로 보면 이런 자연식 유기농만을 강조할 수는 없지만 토지 사용의 효용성을 높이고 소비자들의 인식을 바꾸면 유기농 확산은 매우 희망적이다. 특히 값싼 중국산 농산물이 홍수처럼 밀려올텐데 양질의 신토불이 농산물을 생산하는 다각적인 전략을 세우는 것이 나쁘지 않을 것이다. '잘먹고 잘사는 법' 방송 후 유기농에 대한 소비자들의 인식도 많이 높아졌다. '농축산물의 유기농 고급화 전략' 을 세워 다양한 상품을 개발하면 농촌에 새로운 희망이 보일 수도 있을 것이다.

그냥 채소 사먹기도 힘든데 누가 비싼 유기농이 좋은지 몰라 사먹지 않는 줄 아는가 하며 반문하는 분도 있을 것이다. 그런데 필자의 경우는 유기농을 먹기 시작하면서 식료품 구입에 들어가는 비용이 훨씬 줄었다. 비싸니까 정확히 먹을 양만 살 뿐 아니라 그전에는 귀한 줄 모르고 마구 버리던 밥 한 톨, 채소 한 줄기도 생산과정에서 남들보다 더 정성을 쏟은 농부의 마음을 생각하며 귀하게 먹는다. 그리고 그전에 많이 먹던 비싼 동물성, 인스턴트 가공식품 등을 훨씬 적게 먹는다. 발상의 전환을 하면 돈 안 들고도 인생이 달라지는 것이다.

분명한 것은 우유라는 음식이 칼로리 과잉시대를 살고 있는
현대인 모두에게 완전식품은 아니라는 사실이다. 자신이
동물성 음식을 과잉 섭취하고 있거나 야채 등을 적게 먹는
편향된 식생활을 가지고 있다면 간단히 우유를 마셔
영양분을 섭취하려 하지 말고 좀 어렵지만 야채와 해조류
등 칼슘이 풍부한 다른 음식을 더 섭취하라고 권하고 싶다.

제13장

우유의 진실은 무엇인가

MILK
?

우유는 완전식품인가

다큐멘터리 '잘먹고 잘사는 법'을 제작하면서 가장 혼란스러웠던 부분은 우유에 대한 찬반 양론이었다. 우유는 완전식품이라고 불릴 만큼 칼슘, 단백질 등 영양소가 풍부한 식품으로 배워왔고 각종 매스컴에서도 그렇게 선전했기 때문에 그동안 한 번도 그 사실에 의문을 가져본 적이 없었다. 최근에는(2002년 4월 미국 의학 협회지) 유제품의 섭취가 당뇨병 전 단계인 인슐린 저항 증세를 완화시킨다는 연구 결과가 발표되기도 하는 등(논문에는 앞으로 더 연구가 필요하다는 단서를 달기는 했지만) 우유가 몸에 좋은 식품이라는 연구 결과는 우리에게 매우 익숙하다. 그런데 이상적인 식품이라고 알고 있던 우유에 대해 선진국에서부터 논란이 일고 있다. 우유가 좋은 식품이라고 주장하는 쪽과 그렇지 않다고 말하는 사람들의 주장은 극과 극의 평행선을 달리고 있다. 우유가 칼슘과 단백질이 풍부한 좋은 음식이라는 이야기는 우리가 너무나도 많이 들어와 잘 알고 있기 때문에 이 책에서는 반대를 하는 사람들의 이야기를 주로 소개하려 한다. 왜냐하면 그동안 우유는 모든 사람에게 무조건 좋은 식품이라는 일방통행식 정보만이 전달되었기 때문이다.

방송에는 조금만 소개했으나 여기서는 좀더 자세히 소개할 것이다. 의도적으로 우유를 먹지 말자는 이야기를 하기 위해서가 아니라 독자들에게 가급적 다양한 정보를 제공하여 현명한 식생활을 하는데 도움을 주기 위해서이다. 지금부터 우유를 반대하는 사람들의 이야기 속으로 들어가보자.

나는 우선 우리와 같은 동양인인 이웃 나라 일본에서 벌어지는 우유 반대론자들의 목소리를 취재하러 도쿄로 향했다. 일본은 전통적으로 우유를 먹지 않다가 제2차 세계대전 후 미국의 점령하에 들어가면서 밀가루와 우유가 대량 유입되기 시작했다는 점에서 우리와 상황이 매우 흡사하다. 우리 나라도 한국전쟁을 기점으로 미국의 구호물자가 유입되면서 밀가루와 우유의 역사가 본격적으로 시작되었다. 《우유 신화 완전 붕괴》라는 책을 써서 우유에 대한 찬반 논쟁의 불을 당겼던 저널리스트 도야마 도시미쓰 씨(55세)를 그의 사무실에서 만났다. 그는 의사도 영양학자도 아니지만 우유에 대해 꽤 오래 전부터 상당한 연구와 조사를 해온 사람이다. 필자가 "이런 주장을 하시면 여러 가지 면에서 피곤하지 않으세요?" 하고 물었더니 최근에 《신조45》라는 잡지에 우유는 몸에 좋지 않다라는 글을 실었다가 일본 농림수산성, 낙농대학으로부터 항의가 있었다고 웃으며 말했다. 우유 신화의 붕괴를 선언한 그의 논리의 바탕은 이런 것이다.

"현대 영양학은 우유를 아주 뛰어난 영양식품이라고 합니다. 하지만 저는 현대 영양학 자체가 잘못을 저지르고 있다고 생각합니다. 왜냐하면 제2차 세계대전 이후의 영양학은 단백질, 고칼로리 식품을 먹으면 먹을수록 좋다고 가르쳐왔기 때문입니다. 자연법칙에는 적정량이라는 것이 있습니다. 식물의 영양을 예로 들면 알기 쉬운데, 식물의 영양에서 필수적인 질소 사료가 있죠. 주면 줄수록 좋다고 생각하여 많이 주게 되면 성장이 멈추고 잎만 무성하여 열매가 맺히지 않는 식물이 되어버립니다. 사람도 자연이 정해준 적정량을 넘어 단백질을 과다하게 섭취하면 몸은 커지지만 사람의 번식력은 약해집니다. 게다가 병에 걸리기도 쉽습니다."

그의 이야기 밑바탕에는 우유가 영양이 풍부한 식품이라는 전제가 깔려 있다. 그러나 영양이 풍부한 것과 몸에 좋은 것은 다른 얘기라는 것이다.

"일본에서도 특히 임신부나 어린애들을 키우는 젊은 여자들은 우유가 완벽한 식품이라고 믿고 있습니다. 그러나 우유는 송아지가 먹는 것이므로 송아지가 자라는 데 적합한 영양 형태로 구성되어 있습니다. 예를 들어 송아지가 태어났을 때 체중은 50kg 정도 되는데 그다지 크지 않은 사람의 성인과 비슷합니다. 1년이 지나면 큰 것은 1톤 가까이 됩니다. 몸을 크게 하기 위한 영양소가 우유입니다. 하지만 소는 사람에 비해 뇌 기능이 현저하게 떨어집니다. 원래 아이들에게는 사람의 모유를, 송아지에게는 우유를 먹이는 것이 원칙입니다."

그의 이런 논리는 매우 설득력 있게 들렸다. 그렇지만 성장기 어린이들에게는 우유 같은 적절한 단백질과 칼슘의 공급이 필요한 것이 아니냐고 반문했더니 그의 대답은 완고했다.

"저는 본질적으로 우유는 사람에게 적합하지 않은 식품이라고 생각합니다. 그러니까 사람을 포함한 포유류에는 원래 이유(離乳)라는 생리기능이 있습니다. 젖에 포함되어 있는 유당(乳糖) 성분을 분해하는 효소인 락타아제가 있는데 이것은 어린아이일 때만 활발하게 활동합니다. 이유기가 되면 활동이 현저하게 떨어져 거의 어른과 같은 수준이 됩니다. 따라서 우유를 마셔도 우유 속에 들어 있는 유당을 분해할 수 없으므로 분해되지 않은 유당이 소장까지 가게 되어 장을 자극해 설사를 하거나 나쁜 물질이 생겨 몸의 상태가 나빠집니다. 동양인은 원래 농경인으로 우유를 마시지 않았습니다. 일본 사람들도 90%가 유당을 분해하지 못하는 체질입니다. 유당을 분해하는 락타아제의 기능은 절대로 다시 좋아지지 않습니다. 다시 말해 한국인, 일본인들처럼 농경인은 이유(離乳) 구조가 정상이라는 것입니다.

반면에 서양인처럼 긴 시간 우유나 유제품을 먹은 사람들은 동양인보다 많은 우유를 마실 수 있는 몸이 되어 있습니다. 우유에는 유당이 평균 5% 들어 있는데 서양인은 이것을 평균 50g 분해할 수 있다고 하지만 일본 사람들의 경우 시로사키 대학이 실시한 우유대사 조사에 의하면 일본인들 가운데는 20~25g를 마실 수 있는 사람이 거의 없다는 것입니다. 유당 20g이라고 하면 우유 약 400ml에 해당합니다. 이 정도만 마셔도 설사를 할 수 있습니다. 특히 농경인인 동양인에게는 체질적으로 우유가 맞지 않다고 말합니다."

그의 논리를 이해하기 위해서 일본 역사에 대한 약간의 고찰이 필요하다. 일본의 현대 영양학은 태평양전쟁 뒤 미국에서 들여온 영양학에 기초를 두고 있는데 일본은 1945~52년까지 미국 점령하에 있었다. 그 당시의 미국은 학교 급식을 시작하여 전후의 부족한 영양공급을 위해 탈지분유를 마시게 했다. 더 나아가 1958년부터는 빵과 우유 급식이 실시되었다. 동시에 보건소에서 임신부들에게 우유 등 유제품을 적극적으로 먹도록 하는 영양지도를 했다. 그 결과 우유는 매우 뛰어난 영양원이며 완벽한 식품이라는 신화가 만들어진 것이다.

그의 이야기 중 나의 상식을 무너뜨린 또 하나의 이야기는 영양 성분에 관한 것이었다.

"예를 들어 우유는 칼슘의 보고라고 하는데 실제로 우유에는 칼슘이 적습니다. 식품의 예를 보면 우유의 칼슘은 100g 중에 110mg입니다. 이에 비해 말린 새우에는 우유의 65배인 7100mg의 칼슘이 들어 있습니다. 마찬가지로 마른 멸치에는 1500mg, 깨에는 1200mg, 김에는 720mg, 대두에는 240mg이 들어 있습니다. 따라서 일본의 전통 식품인 채소, 어패류 등을 먹는 것이 질 좋고 양도 풍부한 칼슘과 단백질을 흡수할 수 있는 방법입니다. 현대 일본 사람들이 영양을 충분히 흡수하고 있다고 하지만 젊은이나 나이든 사람들 가운데 골절상을 입는 사람들이 많습니다. 암도 계속 늘어 사망자 수가 연간 30만 명을 넘어섰습니다. 당뇨병, 고혈압, 알레르기 질환이 상당히 많이 늘었습니다. 이러한 현상과 우유를 중심으로 한 서양식에 어떤 관련이 있지 않을까 의문을 가지게 되었습니다. 의사들은 현대 일본인들이 옛날 일본인에 비해 뼈가 약해졌다고 말합니다. 그 중에는 옛날 사람에 비해 골절하는 사람이 10배 정도 늘었다고 하는 의사도 있습니다."

그의 이야기 중 가장 나를 혼란에 빠뜨린 것은 우유가 골다공증에 효과가 없을 뿐 아니라 오히려 뼈를 약하게 한다는 것이었다. 칼슘이 많이 들어 있는 우유가 오히려 뼈를 약하게 한다? 이건 도대체 무슨 얘긴가.

나는 도쿄에서 소아과 병원을 개업하고 있는 마유미 사다오 원장(70세)을 찾아갔다. 그도 우유를 반대하는 의사들 중 대표적인 사람이다. 그의 진료실은 온통 만화책과 인형들로 가득차 있었는데 아이들이 병원의 하얀 분위기를 싫어해서 아이들이 좋아하는 분위기로 바꾼 것이라고 설명해 주었다. 환자를 제대로 보기 위해 수입은 떨어지지만 하루에 진료 환자 수를 16명으로 제한한다는 그는 매우 고지식한 의사로 소문나 있는 사람이다. 나는 우유가 왜 뼈를 약하게 한다는 것인지, 그 궁금증부터 풀기로 했다.

"우유를 마시기 전에는 골다공증이 있다는 것을 아무도 몰랐습니다. 우유를 500cc 마시면 500mg의 칼슘이 몸에 들어가는 것과 동시에 250칼로리의 열량이 몸에 들어가게 됩니다. 250칼로리만큼 칼슘을 풍부하게 갖고 있는 다른 식품을 먹을 수 없게 됩니다. 옛날에는 왜 일본 사람들에게 골다공증이 적었을까요? 저는 칼슘을 우유의 15배나 가지고 있는 멸치, 7배인 다시마로 국물을 내고 그 안에 야채와 해초를 넣어 만든 된장국을 지난 70년 동안 거의 하루도 거르지 않고 먹었습니다. 나에게 골다공증이 없는 것은 당연한 일입니다."

우유는 칼로리가 높아 칼슘이 풍부한 다른 식품의 섭취를 덜하게 만든다는 것은 맞는 말이지만 우유는 쉽게 섭취할 수 있는 장점이 있지 않은가. 우유 한 팩만 먹어도 다량의 칼슘을 장소에 상관없이 편리하게 섭취할 수 있지 않은가. 우유를 좋게 평가하는 사람들은 늘 이점을 강조한다. 그런데 그의 대답은 여전히 의외였다.

"칼슘, 칼슘 하는데 왜 칼슘만 따집니까? 칼슘과 마그네슘의 균형을 생각해야 합니다. 적정한 비율은 2:1로 칼슘을 너무 많이 섭취하면 안 됩니다. 오히려 마그네슘을 충분히 섭취해야 합니다. 마그네슘은 쌀 껍질이나 콩, 밀의 배아, 녹황색 채소에 들어 있습니다. 이런 것들을 적게 섭취하여 뼈가 약해진 겁니다. 저는 환자에게 된장국을 먹으라고 합니다. 우유로 문제가 생긴 사람은 된장국으로 바꾸면 됩니다. 빠른 사람은 3주일이면 바뀝니다. 그러면 천식이나 다른 병이 낫습니다. 사람들이 된장국을 먹으면 먹을수록 의사는 곤란해집니다. 환자 숫자가 분명히 줄어들 테니까요. 철분에 있어서도 마찬가지입니다. 우유의 철분 함유량은 100cc 중에 0.1mg, 500cc 우유를 마시면 0.5mg의 철분이 흡수됩니다. 그러나 250칼로리만큼 철분이 많이 든 음식을 먹을 수 없게 됩니다. 예를 들어 젊은 여자들이 철분 결핍성 빈혈에 안 걸리려면 우유를 마시기보다 쌀밥을 먹는 것이 5배의 효과가 있습니다. 현미는 11배입니다. 시금치는 37배입니다. 깨, 콩, 무말랭이는 90배입니다. 멸치가 180배입니다. 그래서 옛날 사람들에겐 빈혈이 없었습니다."

그의 이야기는 각 영양 성분이 몸 속에서 흡수되려면 다른 성분과의 적절한 조화가 전제되어야 한다는 것이다. 어떤 성분 100을 먹는다고 100이 모두 몸에 흡수되는 게 아니라는 말이었다. 그러니까 마그네슘이 적정량 섭취되지 않으면 우유에 얼마만큼의 칼슘이 들어 있다는 말이 별 의미가 없다는 것이다. 그는 또한 미국에 대한 강한 불만을 토로했다.

"미국이 꾸민 일은 두 가지입니다. 하나는 쌀 대신 밀가루를 먹게 한 것이고 또 하나는 동물성 식품을 많이 먹게 한 것입니다. 일본 사람들이 우유를 먹기 시작한 것은 쇼와(昭和) 20년대 이후(1940년대 후반) 미국의 정책에 의해서입니다. 그 결과 일본 여성들의 초경이 점점 빨라지고 있습니다. 우유뿐만 아니라 동물성 식품을 과다하게 먹기 때문입니다. 고기도 달걀도 마찬가지입니다. 인간의 수명은 성인이 된 나이를 기준으로 다섯 배 정도 삽니다(25세를 기준으로 다섯 배면 125세). 생리 시기가 1년 빨라진다는 것은 수명이 5년 짧아진다는 것입니다. 그런데 문부성이나 후생성은 경제적인 이윤만 생각합니다. 아이들의 건강 같은 것은 전혀 생각하지 않으니까요."

아이들의 초경이 과거보다 빨라지고 있다는 것은 나의 딸아이 친구들을 봐도 확연히 알 수 있다. 진화 학자들에 따르면 소의 몸집을 키우는 우유와 고기를 먹고 살아온 백인들의 성장 DNA가 오랜 세월을 거치면서 유전적 성향으로 자리잡게 되었고 그런 인자들이 대물림되어 오늘날 동양인보다 큰 몸집을 만들었다고 한다. 영장류인 인간은 원래 고릴라, 원숭이처럼 온대와 열대의 아프리카에 서식했다. 인간과 가장 가까운 고릴라는 거의 식물성 음식만 먹고 산다. 그런데 인간이 이동을 시작하고 과거에는 살지 못했던 추운 지방에서도 불을 사용하며 살게 되었다. 유럽이나 북미는 계절 변화가 있어서 자연의 수확물 이외의 음식이 필요하게 되었다. 사람들이 원래 살 수 없는 척박한 곳에서는 땅에서 재배되는 것만으로 부족하여 원래 인간이 먹던 아열대 음식이 아닌 우유나 유제품을 어쩔 수 없이 먹게 된 것이다. 그래서 서양인들의 몸에는 락타아제라는 유당 분해효소가 이유기를 지나서까지 남아있는 경우가 많다. 그런데 처음엔 생존을 위해 어쩔 수 없이 동물성 식품을 먹게 된 인간이 지난 세기부터 아예 동물성 식품을 기업화시켜 생산함으로써 급격하게 동물성 식품의 섭취가 늘어나게 된 것이다.

"동물적인 지식인 현대 영양학에 속으면 안 됩니다. 북위 55도의 추운 지방의 식사를 독일이 중심이 되어 정리한 것이 현대 영양학입니다. 동물성 식품을 많이 섭취하면 몸이 커집니다. 지난 50년 동안에 초등학교 6학년의 키가 평균 17cm 커졌습니다. 체중은 14.5kg늘었습니다. 외향이 커지는 것은 문제가 없습니다만 신체 내부의 장기는 몇 천년이 지나야 그 성장을 따라갈 수 있습니다. 따라서 현재의 일본인의 장기는 그 성장 속도를 따라갈 수 없습니다. 지금 초등학생들의 몸이 커진 만큼 예전보다 더 해독을 많이 해야 합니다. 제가 의사가 되었을 당시만 해도 신장투석을 하는 사람이 한 명도 없었습니다. 그러나 지금 우리 집 근처에도 큰 투석 병원이 있습니다. 가장 쉽게 이해할 수 있는 것이 심장입니다. 체중 1kg당 모세혈관까지 치면 엄청난 길이가 되지만 주요 혈관만 30m 정도 늘어납니다. 지금 초등학교 6학년은 50년 전의 학생에 비해 몸무게가 14.5kg이 늘었으므로 심장이 한 번 박동할 때마다 425m나 되는 혈관에 여분의 피를 보내야 합니다. 그런 이유로 예전에 없던 돌연사나 운동 중에 죽는 사고가 늘어났습니다."

음식을 칼로리와 영양 성분 위주로 따지다 보니 고칼로리 고단백 음식을 골고루 먹고 사는 것이 잘먹고 사는 것이라고 인식되어왔다. 인간의 몸에 음식이 들어가 어떻게 분해, 흡수, 배출되는가보다 입안에 들어가는 음식이 갖고 있는 성분표에 더 관심을 기울여온 것이다. 하루 필요 칼로리를 설정해 놓고 그 기준 정도의 칼로리를 내는 음식을 '골고루' 조합해 먹으면 그 내용물이 무엇이든, 어떻게 만들어진 것이든 마치 아무런 문제가 없다고 생각해온 것이다.

그러나 성인 남자라고 해서 모두 2400~2500kcal를 먹어야 하는 것은 아니다. 오히려 과거보다 활동량이 줄어든 현대인들 중에는 이보다 훨씬 덜 먹어야 하는 경우가 많다. 게다가 우리가 한 가지 잊지 말아야 하는 것은 몸 안에 들어가서 몸을 괴롭히는 음식들은 아무리 칼로리가 높고 영양 성분들이 우수하다 하더라도 그것들을 대사시키면서 쓰지 않아도 될 에너지와 영양 성분들을 우리가 모르는 사이 낭비시킨다는 것이다. 한마디로 에너지 효율이 떨어지는 것이다. 좀더 쉽게 비유를 하자면, 승용차에 기름을 조금 넣고 충분히 갈 수 있는 거리를 탱크를 타고 가며 엄청난 기름을 낭비하고 소음을 일으키고 아스팔트에 상처를 내는 것과 같은 이치라고나 할까.

한국에서도 아이들의 몸은 커지지만 체력은 점점 떨어지고 있다는 이야기는 이제 상식이 되었다. 키 큰 서양인에 대한 콤플렉스와 '롱다리' 선호 성향이 겹쳐서 대부분의 부모들은 자신의 아이들이 남들보다 키가 크기를 바란다. 그러나 인위적인 영양 공급으로 원래 유전적으로 커야 할 몸집보다 더 크다고 좋아할 일만은 아닌 것 같다. 부모에게서 물려받은 몸보다 위아래로 커지든 옆으로 불어나든 몸집이 커지면 인간의 몸은 문제가 생기게 설계되어 있는 것이다.

내가 어렸을 때 여유 있는 집의 아이들은 병에 담긴 우유를 배달해 먹었다. 그때 친구에게서 가끔 얻어먹던 고소한 우유 맛을 난 지금도 잊을 수가 없다. 그런데 첨단시설에서 생산된 지금의 우유가 당시의 우유보다 좋아진 것일까. 오히려 그 반대일 것이다. 포유류의 젖에는 어미가 먹는 먹이의 성분이 녹아 나오기 때문이다. 과거의 소는 신선한 풀을 먹고 젖을 만들었지만 지금은 우유를 대량으로 생산하기 위해 풀말고도 옥수수나 곡물, 수입 사료 등을 먹이고 있다. 이로 인해 생산 양은 많아졌지만 예전처럼 자연스런 우유의 맛은 사라졌다. 또한 지금은 토지 자체가 농약으로 오염되었거나 다이

옥신과 같은 화학물질로 오염되어 풀 자체의 영양 가치가 떨어졌고 사료를 미국에서 수입하기 때문에 수입할 때 뿌리게 되는 방부제의 문제라든지 유전자 조작 곡물의 문제가 남게 된다. 또한 젖소의 입장에서 한 번 생각해보자. 대를 거듭하면서 품종 개량된 현대의 젖소들은 철저히 계산된 사료를 먹고 하루 30~50리터의 우유를 생산한다. 그리고 이렇게 우유 생산공장(?)이 되어 혹사당하는 대부분의 젖소들은 2~3번 새끼를 낳으면 우유 생산능력이 떨어져 도살장으로 보내진다.

푸른 초원에서 어슬렁거리는 젖소들의 평화로운 모습 뒤에도 이런 비극적인 단면이 감추어져 있는 것이다. 이것 저것 다 따지면 이 세상에 먹을 음식이 어디 있냐고 반문할지 모르지만 어떤 음식이든 생산과정을 정확히 알고 먹는 것과 모르고 먹는 것은 소비의 방향과 삶의 질에 영향을 주기 때문에 매우 중요하다.

우유를 먹을 땐 좋은 환경에서 자란 젖소에서 생산된 우유를 마시자. 필자가 취재하면서 만난 전문가들 가운데는 고온 살균 우유와 저온 살균 우유 중에 후자가 좀더 낫다는 사람이 많았다.

미국의 우유 반대론자들

우유에 대한 반대 목소리의 원조는 미국이다. 미국 사람들은 우유를 먹는 게 생활화되어 있어 우유를 직접 먹는 것뿐 아니라 치즈 등 각종 유제품, 빵 등을 통해 간접적으로도 많은 양을 섭취한다. 그런 미국에서 우유에 대해 일부 학자들을 중심으로 우유 무용론이 제기되고 있는 것이다. 미국에서 내가 가장 먼저 방문한 우유 반대 단체는 5천 명의 의사와 10만 명의 회원이 가입해 있는 '책임 있는 의료를 위한 의사회(PCRM ; Physician's Committee for Responsible Medicine)' 였다. PCRM은 1985년에 시작된 비 정부기관으로 예방의학을 권장하고 특히 영양을 중요시하는 연구 단체이다. 이곳의 닐 바나드 회장과 자리를 마주했다. 가장 궁금했던 것부터 물었다.

"우유가 골다공증에 효과가 없다고 주장하는 사람들의 이론적 근거는 무엇입니까?"

"우유가 골다공증의 위험 부담을 전혀 줄여주지 않는다는 것에 저도 매우 놀랐습니다. 낙농산업 측에서는 우유에 칼슘이 많다고 종종 말하지만 실제로는 뼈가 부러지는 것을 막지 못하며 뼈가 약해지는 것도 막지 못합니다. 실제로 우유 소비가 가장 많은 나라 사람들의 뼈가 가장 잘 부러집니다. 내가 말하는 것은 미국과 스칸디나비아 국가들입니다.

미국에는 셀 수 없이 많은 우유 광고가 있습니다. 그리고 그 광고들은 거짓 약속을 하고 있습니다. 광고는 한결같이 우유를 마시면 뼈가 튼튼해질 것이라고 말하지만, 그것은 뇌를 많이 먹으면 똑똑해질 거라는 말과 같은 이치입니다. 광고처럼 그렇게 작용하지 않습니다. 뼈가 튼튼해지려면 칼슘이 많이 있어야 하는 것은 사실이지만 우유가 필요한 것은 아닙니다. 우리는 연방정부에 광고산업이 이런 거짓 정보를 광고하지 못하게 해달라고 청원하고 있습니다. 그리하여 정부는 과학자 패널에게 그 사실 여부를 확인해달라고 의뢰했고, 최근에 우리의 주장이 옳았다는 것을 알게 되었습니다. 아직 정부가 어떤 노선으로 행동을 취하게 될 것인지는 두고 보아야 하는 상황입니다."

"그렇지만 아직도 많은 과학자들이 당신들의 주장에 반대하고 있습니다. 우유가 칼슘의 좋은 공급원이라고 말하고 있지 않습니까?"

"우유가 건강에 이로운 점을 주장하는 과학자들이 있고, 그들의 일부는 낙농산업 분야에서 지원을 받고 있기도 합니다. 하지만 그들의 주장을 자세히 살펴보면 미약한 점들이 너무도 많습니다. 사람들이 강하게 믿고 있는 것이 — 우유에 칼슘이 많이 있어서 우유를 많이 마시는 아이는 강한 뼈를 가지게 된다는 것 — 실제로는 사실무근이라는 것입니다. 연구에 따르면, 우유를 마시는 아이가 그렇지 않은 아이에 비해 강한 뼈를 가지고 있지 않다는 것이 드러났습니다. 또한 뼈가 약해지는 중년 여성들을 살펴보아도 우유를 마시는 것이 그들을 보호해주지 못한다는 사실을 알 수 있습니다. 일부 의사들은 우유 자체가 가져오는 건강 문제들에 주목하기도 합니다. 중년 남자들에게서 흔히 볼 수 있는 전립선암도 우유와 관계가 있다고 합니다. 우유는 남성의 호르몬에 영향을 끼치며, 그것이 전립선암의 유발을 가져올 수 있다는 사실이 바로 지난주에 하버드 대학의 의학 연구자들이 밝혀낸 사실입니다."

우유가 인간 뼈에 미치는 영향에 대해 더 자세한 설명이 필요했다. 입으로 들어간 우유의 칼슘 성분이 도대체 어디로 사라지기에 효과가 없다는 것일까. 바나드 회장의 말에 따르면 우유가 뼈에 별 도움을 주지 못하는 이유는 분명치 않지만 우유의 칼슘은 대부분 흡수되지 못한다는 것이다. 우유 안의 칼슘 중 약 3분의 1만 인체 내의 혈류로 들어오게 되며 이와 동시에 체내에 있는 칼슘도 배출되는 작용을 한다는 것이다. 결국 칼슘은 혈관을 통해 신장을 거쳐 소변으로 나가게 되고 따라서 우유를 마시는 것이 우리 인체를 더 튼튼하게 하는 것이라고 말할 수 없다는 논리였다.

그 이유로 그는 동물성 단백질과 염분을 원흉으로 꼽고 있었다. "우유 속에 들어 있는 단백질이 칼슘을 배출시키고 뼈로부터 단백질을 끌어내어 신장을 통해 나가도록 하는 작용을 합니다. 나트륨도 이러한 작용을 합니다. 가공식품이나 스낵식품에도 나트륨이 많지만 우유에도 많이 포함되어 있죠. 우리가 마시는 한 잔의 우유에도 우리의 인체에서 칼슘을 잃게 할 수 있을 정도의 나트륨이 들어 있습니다. 치즈를 만들 때도 염분을 더욱 첨가하기 때문에 치즈는 우유보다 나트륨 함유량이 더 높아지게 됩니다. 치즈를 먹는 것은 그야말로 칼슘을 잃게 되는 지름길이라고 할 수 있습니다. 또한 단백질은 우리 몸을 더 산성이 되도록 합니다. 피가 단백질에서 생성되는 산(酸)을 더 많이 함유하게 되면 중화작용을 위해 우리 몸의 칼슘을 빼앗아오게 됩니다. 결국 우유에 들어 있는 단백질과 나트륨으로 인해 우리의 몸은 전보다 칼슘을 더 많이 잃게 됩니다."

바나드 회장의 이런 주장은 하버드 대학의 윌렛(Walter C. Willett)

교수가 지난 1997년 발표한 우유와 골다공증의 관계를 밝히기 위한 12년간의 방대한 연구결과에 근거하고 있다. 하버드 대학에서 조사된 이 연구는 무려 7만 7천여 명을 대상으로 하루에 우유를 두 잔 이상 마시는 그룹과 일주일에 한 잔 이하로 거의 마시지 않는 두 그룹으로 나누어 진행되었다. 그런데 12년 후 뜻밖에도 우유를 많이 마신 그룹에서 골절 발생률(골반은 45%, 팔은 5%)이 오히려 더 높은 것으로 나타난 것이다.

학자들은 그 이유로 몸의 산성화를 꼽고 있다. 혈액은 항상 산성과 알칼리성의 비율이 일정하게 유지하도록 설계되어 있다. 그런데 동물성 단백질은 산성이기 때문에 몸 안의 혈액을 산성화시킨다. 따라서 몸은 혈액을 중화시키기 위해 알칼리성 미네랄이 필요한 것이다. 이때 가장 쉽게 동원되는 것이 뼈 속의 칼슘이다. 동물성 단백질 섭취를 많이 하면 할수록 골다공증을 촉진하는 결과를 야기한다는 것이다. 이것은 1970년대 위스콘신 대학의 칼슘과 단백질 섭취관계에 관한 실험으로 입증되었다. 즉, 칼슘의 양을 일정하게 한 상태에서 단백질의 섭취를 늘릴수록 몸 안으로 칼슘이 흡수되기는커녕 오히려 점점 더 빠져나가는 결과를 보인 것이다.

이 내용은 우리 대학의 영양학 교과서에도 실려 있다. 칼슘이 혈중에 많다고 우리 몸에 칼슘이 풍부한 것이 아니라 오히려 뼈에서는 칼슘 부족 현상이 생기는 것이다. 이것을 칼슘의 역설(Calcium Paradox)이라고도 한다. 이런 결과는 칼슘이 풍부한 음식을 많이 먹는 것도 중요하지만 우리 몸 안에서 더 필요로 하는 것은 다른 음식과의 균형이라는 사실을 입증한 것이다.

"그렇다면 미국 사람들은 PCRM 같은 단체를 통해 이런 정보들을 잘 알고 있을 텐데 왜 여전히 우유를 좋아합니까?"

"어떤 식품이 일단 문화 속으로 들어오게 되면, 다른 것과 마찬가지로 일방통행식이 됩니다. 다시 그 문화에서 없어지기란 매우 어렵습니다. 담배 피우는 것이 건강에 나쁘다는 것을 알지만, 그만두기가 어렵듯이, 우유도 우리 몸에 좋지 않다는 것을 알면서도 많은 사람들이 익숙해져 있기 때문에 그만 마시기가 어려운 것입니다. 내가 의사로서 주목하는 것은, 우유가 아직 문화의 일부가 아닌 나라들의 낙농업체들이 우유를 문화 속으로 강하게 끌어들이기 위해 노력하고 있는 점입니다. 학교를 통해서, 자판기를 통해서 우유 마시기를 권장하고 있으나 결코 건강에 좋은 현상이 아닙니다. 멈추어야 합니다. 우유는 자연적으로 송아지의 성장을 잘 촉진시킬 수 있도록 되어 있습니다. 어른에게 이런 빠른 성장은 필요 없습니다. 세포의 성장 촉진은 굉장히 위험한 결과를 가져올 수 있습니다. 암세포의 성장 촉진도 가져올 가능성이 있으니까요."

PCRM이 최근 정부를 상대로 법원의 승소 판결을 받아낸 사건이 있다. 미 정부는 5년마다 미국인들이 무엇을 얼마나 먹어야 하는가에 대한 식사 권장량을 다시 짠다. 그것이 식사지침(Dietary Guidance)이라는 것인데 2000년에 식사지침 제정을 위해 동원된 11명의 전문가들 가운데 6명이 낙농 분야 출신의 전문가들이었다는 점에 PCRM이 문제를 제기한 것이다. 결과적으로 판사는 식사지침이 제정 과정에서 연방법에 위배되었음을 인정하였다. 이 소송이 의미하는 것은 미국 같은 다인종 국가에서 유당 분해 효소가 없는 사람이 많은 동양인이나 아프리카 출신 흑인들의 입장(이들 중 약 70~90% 정도가 유당 분해 효소가 없다고 함)을 무시하고 우유나 유제품을 먹어야 한다고 식사 지침에 포함시키는 것은 인종에 대한 편견과 차별이라는 점을 부각시킨 것이다.

그는 끝으로 동양의 식습관이 서구화되어가는 경향에 대해 안타까움을 표시했다.

"아시아 사람들이 미국식 음식을 매우 좋아하고 있다는 것은 불행한 일을 예고합니다. 다국적 패스트푸드 업체들 때문에 많은 사람들이 희생되고 있습니다. 맛은 좋겠지만, 결국에는 더 많은 심장질환과 유방암, 결장암을 포함한 암의 발생률이 높아질 것입니다. 당뇨, 고혈압도 훨씬 자주 볼 수 있을 것이며 벌써 이런 징조는 시작되었습니다. 국민에게 건강식품들을 장려해야 합니다. 야채, 곡물들이 국민들에게 충분히 섭취되도록 장려해야 합니다. 학교 차원에서 아이들에게 건강한 음식이 무엇인지 제대로 교육시키는 것이 중요합니다. 우유가 건강에 좋은 음식이 아니라는 것, 육류가 우리가 먹는 음식 중 가장 해로운 식품이라는 것, 건강에 좋은 음식들은 야채, 과일, 곡류와 콩류라는 점을 주지시켜야 합니다."

나는 마지막으로 그에게 한국에서 배운 어린이 성장에 관련하여 질문했다.

"성장하는 유년기만큼은 어쨌든 많은 칼슘과 동물성 지방과 단백질을 충분히 섭취해야 하는 것 아닙니까?

"녹색 야채류에는 충분한 단백질이 들어 있으며, 모든 콩류에도 충분한 칼슘이 함유되어 있습니다. 또한 아이가 많은 양의 고기를 섭취하지 않는다면, 체내의 칼슘을 더욱 잘 유지할 수 있습니다. 그것이 열쇠입니다. 세계 여러 나라를 살펴봐도 우유를 먹지 않는 아이들이 우유를 먹는 아이들보다 훨씬 튼튼한 뼈를 가지고 있습니다. 우유가 뼈를 위한 마법약이라도 되는 듯이 생각하는 것은 크나큰 착각입니다.

많은 사람들은 지방과 단백질이 많이 들어 있는 음식, 우유, 고기 등을 먹이면 아이들이 더 커진다고 생각합니다. 실제로 가능합니다. 그러나 과학자들은 다른 요소들을 주목하기도 합니다. 성장 촉진이 가져오는 건강상의 부작용도 생각하는 것입니다. 빠르게 성장하는 세포가 좋은 것일 수만은 없다는 것을 명심해야 합니다. 쌀과 야채류를 주로 먹고, 지방질이 많은 동물성 식품을 최소화한 식단에 충실하면 당뇨에 관련된 유전자는 표현되지 않아 당뇨가 발생하지 않습니다.

그러나 식단이 변하여 지방질이 많은 음식을 먹고, 패스트푸드점 같은 곳을 자주 찾으면 이런 유전자가 표현될 것이라고 생각합니다. 일본의 경우를 보면, 미국식 식단을 좋아하는 사람들을 조사해본 결과 당뇨 발생률이 400%에 이르렀습니다. 폐암 유전자를 가지고 있다고 해도 흡연하지 않으면 암에 덜 걸리는 것처럼 당뇨 유전자가 있지만 미국식 식단을 따르지 않으면 당뇨에 잘 걸리지 않을 것입니다. 전통적이고 건강한 식단을 유지하면 이러한 유전자들은 표현되지 않을 가능성이 매우 높습니다. 그런 식단을 잃는 것은 큰 실수입니다."

그 다음 만난 사람은 우유를 반대하는 대표적 학자 로버트 코헨(Robert Cohen)이었다. 전국을 돌며 우유 반대 강연을 하는 그는 인터넷 사이트 'notmilk.com'를 운영하고 있으며 우유를 반대하는 각종 학술 활동과 학교, TV, 라디오 등에서 우유는 인간에게 좋지 않다는 주장을 활발히 펼치고 있는 사람이다. 또한 그는 의사들과 과학자들로 이루어진 미국 유제품 교육위원회(America's Dairy Education Board)의 회장이기도 하다. 이 조직에는 약 2천 명의 의사와 과학자를 포함해 약 4천 명이 소속되어 있다고 한다. 구레나룻이 매우 인상적인 코헨은 다혈질의 정열적인 사람이었다. 그는 첫 이야기부터 매우 공격적이었다.

"인간은 어려서는 개 젖, 돼지 젖, 고양이 젖, 말 젖 등도 마실 수 있습니다. 그런데 지구상에는 4700여 종의 포유동물이 있는데 그 이름을 모두 나열하면서 어른들에게 그 젖을 먹으라고 한다면 끔찍해 할 것입니다. 만약 부모가 광고에서 매일 개 젖을 먹으라고 한다고 아이들에게 개 젖을 먹일까요? 그렇다면 우리는 그들을 비웃을 것입니다. 동물성 지방과 콜레스테롤은 심장에 유해하다는 것을 알고 있으면서 왜 사람들에게 우유를 마시라고 합니까? 한국전쟁 당시 전사한 18세의 미국 병사들을 부검했던 의사들은 그들의 심장을 보고 동맥 경화증(Atherosclerosis)이라는 새로운 용어를 만들어냈습니다. 그것은 미국의 식습관에서 온 것입니다. 일반 미국인들이 먹는 음식의 40%가 우유와 유제품이며 이는 연간 포화지방과 콜레스테롤 666파운드에 해당됩니다. 우리는 이것이 심장에 유해하다는 것을 이미 알고 있습니다.

우리는 본능적으로 각 동물들의 젖은 어른들을 위한 것이 아니라 자신들의 새끼에 딱 맞는 성분들이 있다는 것을 알 수 있습니다. 그것이 자연의 섭리입니다. 우유에는 아주 강력한 성장호르몬이 있는데 락토페린, 이뮤노글로부린 등 유아기의 동물을 성장하게 하는 성분들이 들어 있습니다. 아기들이 빠르게 자라는 것은 매우 중요한 일일지 몰라도 성인은 빠르게 자라면 안 됩니다. 성인의 몸 안에서 빠르게 자랄 게 암세포말고 또 뭐가 있겠습니까?"

"일본과 한국 아이들의 키가 커지고 있는데 우유 때문인가요?"

"일본의 여자아이들이 우유가 도입된 지 25년 만에 4인치 반이나 자랐습니다. 그러나 이것은 그리 좋은 일만은 아닙니다. 그만큼 뼈 질환이 늘어나기 때문입니다. 인간의 몸을 크게 하기 위해 계획에도 없는 뼈를 잡아늘이는 일을 하게 되면 뼈를 약화시키게 됩니다. 그래서 골다공증이 많은 것입니다. 일본의 오키나와 제도에는 160여 개의 섬이 있는데 이곳에서는 우유를 먹지 않습니다. 그들은 과일과 야채, 곡물, 대두, 약간의 고기 등을 먹고 일주일에 두어 번 생선을 먹습니다. 그래서인지 그들은 뼈 질환이 무엇인지도 모릅니다. 그들에게는 X-ray도 없고 전립선암이나 유방암이 뭔지 모릅니다. 이것이 열쇠입니다."

"우유가 뼈에 어떻게 영향을 주나요?"

"인간의 뼈는 매우 복잡한 기관입니다. 많은 사람들이 그저 칼슘으로만 되어 있다고 생각하지만 그렇지 않습니다. 많은 성분들로 이루어져 있고 뼈를 만드는 데 90일이 걸립니다. 그런데 골다공증 비율이 가장 높은 국가들은 우유를 많이 먹는 덴마크, 노르웨이, 네덜란드 그리고 스웨덴 등입니다. 동물성 단백질은 다량의 메티오닌을 함유하고 있는데 이는 바로 황(sulfur)입니다. 황은 산성 환경을 조성하게 되고 몸은 산성을 중화시키려 노력합니다. 그렇기 때문에 나이가 든 사람이 단백질을 많이 섭취하게 되면 문제가 되는 것입니다."

"미국의 골다공증 협회에서는 우유가 칼슘을 섭취할 수 있는 좋은 식품이라고 말하고 있는데요?"

"국립 골다공증 재단(National Osteoporosis Foundation)은 물론 우유가 좋은 식품이라고 할 것입니다. 왜냐하면 이 재단은 유제품 산업에 의해 세워졌기 때문입니다. 나는 1978년, 국립 골다공증 재단이 유제품 산업의 자매 기업에 의해 설립되었다는 것을 알아냈습니다. 그리고 이 재단의 국장들을 살펴보면 모두 미국의 유제품 산업에서 일했던 사람들입니다. 그렇기 때문에 그들은 당연히 자기네 제품을 먹으라고 할 것입니다.

"우리가 하루에 먹는 다양한 음식 중에는 특별히 칼슘을 섭취하지 않아도 될 정도의 칼슘을 포함하고 있나요?"

"100g당 감자칩에는 40mg, 콩에는 50mg, 브로콜리는 102mg, 그리고 인간의 모유는 33mg을 함유하고 있습니다. 음식에 충분한 칼슘이 함유되어 있기 때문에 정상적인 식사를 하는 사람이라면 칼슘을 섭취하지 않을 수 없습니다. 이것이 우리가 사람들이 알았으면 하는 메시지 중 하나입니다. 사람은 칼슘을 섭취할 때 같은 양의 마그네슘을 섭취해야 하는데 그렇지 않으면 칼슘의 효과가 없습니다. 우유와 치즈를 먹을 때 섭취하는 그 모든 단백질은 부정적인 칼슘 균형을 만들게 됩니다.

미국에는 골다공증 환자들이 4천만 명에 이릅니다. 아프리카에는 25만 명 정도인데 이들은 케냐나 탄자니아에 있는 마사이족으로 우유를 마시는 사람들입니다. 남아프리카의 여성들은 하루에 칼슘 196mg씩 섭취하지만 뼈 질환은 없습니다. 미국에는 하루에 칼슘 983mg을 먹으면서도 50세에 이르면 대부분 골다공증에 걸리게 됩니다. 골다공증은 여성의 폐경기 이후 문제로 등장하는데 이를 예방하기 위해선 햇빛을 통한 피부의 비타민 D 흡수, 스트레스를 없애는 꾸준한 운동이 매우 중요합니다."

"그러나 여전히 대학이나 학교의 영양학 수업에서 우유는 단백질과 칼슘을 섭취할 수 있는 좋은 식품이라고 하는데요?

"그렇습니다. 엄마에게서 어려서부터 배워왔고 학교에서도 그렇게 배웠습니다. 학교에는 우유가 건강에 좋은 음식이라는 포스터들이 붙어 있고 많은 학교들이 그렇게 가르치고 있기 때문에 아이들이 그렇게 믿고 있는 것입니다. 그러나 한편으로 많은 사람들이 다른 면도 배워가고 있습니다. 현재 우리는 승리하고 있습니다. 7년 전 우리가 시작할 때만 해도 슈퍼마켓에서 두유를 찾을 수 없었지만 지금은 슈퍼마켓에 가면 두유, 쌀 음료, 아몬드 음료 등 우유를 대체할 수 있는 것들이 복도 하나를 차지하고 있을 정도입니다. 이는 우리가 정보를 제공하고 그것을 통해 사람들이 새로운 것을 배워가고 있기 때문입니다. 이것은 결코 쉬운 일이 아니었습니다.

우리에게는 우유가 해롭다는 것을 사람들에게 알릴 수 있는 50억 달러라는 돈(유제품업계가 광고비로 지출하는 돈)이 없습니다. 우리는 TV와 라디오, 그리고 강연들을 통해 알릴 뿐이죠. 이제 우유에 대해 새롭게 인식한 수천 명에 이르는 의사들이 이 사실을 더 많이 알리려고 노력하고 있습니다. 미국에서 가장 존경받았던 의사인 스파크 박사의 저서는 7500만 부나 팔렸습니다. 그는 사람들이 매우 존경했던 인물입니다. 그의 마지막 저서에는 어떠한 인간도 소의 우유를 마시지 말라는 내용이 나와 있습니다. 우유는 우리 몸에 불필요할 뿐만 아니라 문제만 일으킨다고 했습니다. 결국 그는 옳았습니다."

"두유의 단백질은 인체를 산성으로 만들지 않습니까?"

"두유의 단백질은 다릅니다. 최근 나는 두부와 닭고기를 분석하였는데 닭고기에는 메티오닌이 두부보다 11배 많은 것을 알아냈습니다. 우리는 식물과 동물의 단백질이 같다고 생각했지만 그렇지 않습니다. 동물 단백질에는 유황이 들어 있는 메티오닌이 훨씬 더 많이 함유되어 있습니다."

" 지금까지 내가 만난 의사들은 당신의 주장에 대해서 아직 증거가 충분하지 않다고 하던데요?"

나는 다시 한 번 그의 비위를 건드렸다. 그러나 그는 차분하게 말을 이었다.

"그것은 그들이 무지하기 때문입니다. 많은 사람들이 무지하다는 뜻을 나쁜 뜻으로 알고 있는데 단지 배운 적이 없다는 의미입니다. 배우지 않아서 모르는 것은 잘못이 아닙니다. 우리는 오랫동안 골다공증에 대해서 연구해왔는데 골다공증은 자연적인 현상입니다. 그런데 우유를 마시면 완치할 수 있고 예방할 수 있다고 믿어왔습니다. 그러나 거짓을 홍보하고 있는 거대한 유제품 기업이 있습니다. 우유를 마시지 않으면 뼈가 부러진다는 말로 사람들에게 공포를 줍니다. 사람들에게 우유를 먹지 않으면 어떻게 되는지 물어보십시오. 아마도 뼈가 부서지는 끔찍한 일이 일어날 것이라고 대답할 것입니다. 그러나 그 말은 거짓입니다. 실제 과학은 그 반대라는 것은 증명하고 있습니다."

"유제품 업체에서 당신의 대외 활동에 대해 법적 행동을 취하지는 않습니까?"

"나는 그러길 바라고 있지만 그들은 나를 고소하지 않고 있습니다. 그들은 나를 고소할 만큼 바보는 아니기 때문입니다. 미국의 13개 주에는 농산물 관련 비난 법(Agricultural Disparagement Act)이라는 것이 있어 농산물 제품을 비난하는 것이 법으로 금지되어 있습니다. 미국의 모든 주에서 내가 그런 비난을 하고 다녀도 그들은 나무 뒤에 숨는 것처럼 숨어버립니다. 왜냐하면 그들이 나를 고소하면 우유가 재판대에 오르게 될 것이고 우유의 진실이 밝혀질 것이기 때문입니다.

이것이 바로 내가 바라는 바입니다. 그들은 나를 고소할 만큼 어리석지는 않습니다."

"그래서 아직도 고소를 당하지 않았군요?"

"(웃으며) 고소를 당하고 싶습니다. 제발 고소를 해달라고 합니다. 그들은 현명하기 때문에 그렇게 하지는 않을 것입니다."

그의 말은 나의 혼을 완전히 빼놓을 만큼 강력하고 논리 정연했지만 감정적으로 우유에 대한 반감을 갖고 있다고 느껴질 정도로 전혀 들어보지 못한 일방적이고 새로운 이야기였다. 그는 자신의 이야기가 혼자 추측하는 것이 아니라 학자들이 연구한 결과를 가지고 이야기하는 것임을 강조하면서 각각의 이론에 대한 학자들의 연구 논문을 보여주었다. 그의 이야기의 핵심은 그렇지 않아도 동물성 음식을 많이 먹는 서양 사람들이 우유까지 먹으면 몸이 더 산성화되어 몸 안의 칼슘도 몸 밖으로 배출되는 일이 벌어진다는 것이다. 게다가 우유를 먹으면 성장 성분을 갖고 있는 각종 호르몬들이 몸 안의 질서를 무너뜨려 성장하지 않아도 되는 암세포를 성장시킬 수 있고, 우유 단백질은 우리 몸에 알레르기를 일으킬 가능성이 높다는 것이다.

앞서 언급한 알렉산더 사우스 박사도 우유에 대해 매우 비판적인 시각을 갖고 있었다. 우유에 대해 묻는 나의 질문에 그는 이런 대답을 했다.

"낙농업계가 주장하는 이야기 가운데 한 가지 모순을 들겠습니다. 미시건은 낙농업 최고 생산지역인데 골다공증 환자가 가장 많이 분

포되어 있습니다. 세계의 다른 지역에선 1년에 우유를 한 잔도 안 먹는데 뼈가 우리들처럼 잘 형성되어 있습니다. 지금 낙농업계가 소를 키우는 방법은 진짜 소라고 하기 어려울 정도 각종 화학물질을 씁니다. 우유가 완벽한 뼈를 형성할 수 있는 음식이라는 데 나는 의문을 품지 않을 수 없습니다. 왜 어려서부터 우유를 먹어온 그렇게 많은 노인들이 골다공증으로 고생하고 있습니까? 무언가 이상한 점이 있다는 생각이 들지 않습니까?"

그는 웃고 있었다.

"크레시언 박사가 미국에서 《우유 먹지 마시오》라는 책을 썼을 때 그는 뉴욕 주립 대학에 재직하고 있었기 때문에 책 출판 사실을 숨겨야만 했습니다. 그 당시만 해도 낙농업계의 반응이 두려웠던 거죠. 그러나 그는 정직하고 옳았습니다. 결국 그는 미국에서 최고의 소아과 의사가 되었습니다. 낙농업계는 그와 감히 싸우려 하지 않았습니다. 낙농업계가 존스 홉킨스 의과 대학의 최고 학장과 싸운다고 생각해 보세요. 그게 낙농업계에 무슨 득이 되겠습니까?"

우유에 비판적인 시각을 가지고 있는 학자들의 이야기는 여기서 줄이려 한다. 우유가 미국인들의 골다공증에 별 효과가 없었다는 연구 결과나 동양인들 중 상당수 사람들에게 유당 소화효소가 없다는 이야기는 우리에겐 충격으로 다가올 수 있는 내용들이다. 그러나 이들의 이야기가 그대로 한국인에게도 똑같이 적용되는가는 좀더 다른 각도에서 냉정하게 바라볼 필요가 있다.

실제로 한국인들은 미국 사람들과 달리 유당 분해효소가 없는 사람이 많기 때문에 우유를 그렇게 과하게 먹는 사람도 많지 않다(미국인의 3분의 1 수준). 그리고 어느 정도 우유를 먹어야 암세포까지 성장할 가능성이 있는지도 현재로선 정확히 알 수가 없다. 게다가 유제품 업계에서는 자신들에게 유리한 각종 논문들을 근거로 들이대고 있다. 유제품 업계가 내놓는 논문에는 우유가 영양이 풍부한 음식이라는 이야기말고도 우유가 오히려 암, 충치, 고혈압을 예방하고 심지어 머리까지 좋게 한다는 상반된 주장을 하고 있다. 또한 한국인은 미국인들보다 동물성 단백질의 섭취량도 현저하게 떨어지므로 고기나 우유를 지금 정도로 먹는 것은 문제될 게 없다고 주장한다.

아무튼 '책임 있는 의료를 위한 의사회(PCRM)' 회장인 닐 바나드와 로버트 코헨 등 서양의 우유 반대론자들의 이야기는 필자를 매우 혼란스럽게 만들기에 충분했다. 그러나 냉정하게 중립적인 입장에서 연구 논문들을 종합해 보면, 아직까지는 그들의 주장이 미국 등 서구사회에 주로 해당되는 이야기인 것 같다. 오히려 앞으로의 문제는 우리 나라 사람들의 식생활이 빠른 속도로 미국을 닮아가는 데 있다고 하겠다.

우리의 식생활 변화를 살펴보면, 농촌경제연구원 1999년 식품 수급표에 따르면 당질로부터의 에너지 공급은 감소하는 반면 지방질로부터의 에너지 공급량은 총에너지 공급의 25.8%로 전년도 23.3%보다 2.5%포인트 증가하였으며 단백질의 총공급량은 국민 1인 하루당 97g으로 전년도 93.6g보다 3.4g 증가하였다고 한다. 특히 단백질 증가에 있어서 1980년도에 72.6g 먹던 단백질이 1999년에 97g으로 증가하였고 그 내용을 보면 1980년 동물성 단백질 20.1g 섭취하던 것이 1999년에 40.8g으로 두 배 이상 증가했고 식물성 단백질은 53.5g에서 56.3g으로 거의 증가세가 없다. 우리 나라도 소득 상승으로 동물성 지방과 단백질 증가가 빠른 속도로 진행되고 있다. 이는 곧 식생활 불균형을 예고하는 것이다. 정작 성인 하루 필요 단백질 섭취량은 남자가 70g, 여자가 55g(성인 30세 기준)에 불과하다.

좀더 복잡한 설명이 필요한데, 3년 전 단백질 섭취가 이미 97g을 돌파했다는 것은 우리가 이미 심각한 상황에 돌입했다는 것을 의미한다. 앞서 언급한 위스콘신대학의 실험에 따르면 하루 칼슘을 500mg 섭취하면서 단백질량을 95g 섭취했을 때에는 이미 몸 안의 칼슘 평형은 -58mg을 기록했는데, 이것의 의미는 단백질이 95g만 되어도 과도한 양이어서 몸이 산성화되어 몸 안의 칼슘이 오히려 빠져나간다는 것을 의미한다(단백질 142g을 섭취하면 -120mg이 됨). 그러면 칼슘 섭취를 늘이면 될 것 아닌가 하고 반문하겠지만, 실험에서 칼슘섭취를 800mg으로 늘렸더니 고작 몸 안에서 칼슘 +1mg의 효과를 보였다(단백질 142g을 섭취했을 때에는 -85mg이 됨). 그러나 오히려 단백질을 하루 47g 먹으며 칼슘 500mg을 먹을 때 몸 안에서 칼슘 +31mg이 저장되는 효과가 나타났다(단백질 47g에 칼슘 800mg을 섭취하면 +12mg이 됨. 단백질 섭취도 적고 칼슘 섭취만 늘렸는데 왜 +31보다 적은 +12만 몸에 축적되는가 의아해 하겠지만 음식의 칼슘을 섭취하면 칼슘만 섭취되는 게 아니라 칼슘의 흡수를 방해하는 인의 섭취도 그만큼 늘어나기 때문이다. 이것은 몸을 혹사시키며 효과도 없는 과영양 상태보다 현명한 소식이 더 중요하다는 것을 의미한다).

단백질 섭취와 칼슘 평형

피 험 자	단백질 섭취량 (g/일)	칼슘 섭취량 (mg/일)	인 섭취량 (mg/일)	몸안의 칼슘평형 (mg/일)
19~22세(9명)	47	500	800	+31
	95	500		-58
	142	500		-120
19~22세(9명)	47	800	1000	+12
	95	800		+1
	142	800		-85

위의 표는 몸에 좋은 것이라고 알려진 음식을 많이 섭취하는 것이 몸에 오히려 해가 된다는 것을 입증하는 것이고 동물성 음식을 많이 먹는 서양 사람들이 동양인보다 골다공증이 많고 병이 많은 이유이기도 하다.

요즘 아이들은 미국식 입맛에 길들여져서 어른들의 통제 영역을 벗어나고 있다. 30년 전만 해도 상상도 못했던 고단백, 고지방, 패스트푸드 가공식품들이 우리 아이들 세대의 음식문화를 서서히 지배하고 있는 것이다. 평균을 내보면 아직 안심할 수준이라지만 일부에서는 이미 우려할 만한 수준의 영양 과잉 상태인 것이 사실이다. 문제를 인식하고 밸런스를 유지하지 않으면 머지않아 코헨과 바나드의 우려가 우리의 현실이 될지도 모를 일이다. 우유 반대론자들의 주장을 듣고 판단의 중심을 잡기 위해 뉴욕대학의 영양학 과장이며 FDA 자문위원인 마리온 네슬 교수를 찾아갔다.

우유, 알고 먹자

마리온 네슬 교수는 우유가 어떻게 미국인의 필수 음식이 되었는지 그 배경에 관해 남다른 연구를 해온 사람이다. 먼저 우유에 대한 그녀의 의견을 물어보았다.

"우유는 음식입니다. 나는 모든 음식은 다 좋다고 생각합니다. 다만 항상 양이 문제입니다. 우유의 유당을 분해하는 성분이 없는 사람들은 다른 음식을 먹으면 됩니다. 그리고 우유를 소화할 수 있고 우유를 좋아하는 사람이라면 우유를 마시되 다른 음식들과 마찬가지로 적당량을 먹으면 됩니다.

유제품 업계는 오랫동안 우유가 필수적인 음식이라고 사람들을 설득시키고 로비를 했습니다. 유제품은 항상 정부가 만든 식습관 지침서에 '국민들이 먹어야 하는 음식'으로 올라와 있는데, 제 생각은 사람들이 우유를 먹지 않고도 완벽하게 건강을 유지할 수 있다고 생각합니다. 우유가 해로운지에 대해서 나에게 의견을 묻는다면 적은 양은 해롭지 않지만 많은 양에 대해서는 확신할 수 없다고 말합니다. 우유에는 사람들에게 좋은 영양소들이 있기는 합니다만 꼭 우유를 통해 섭취해야 하는 건 아닙니다. 그러나 우유의 락토스를 분해할 수 있고 지방이 없는 우유를 먹는다면 나는 우유가 청량음료보다 낫다고 생각합니다. 적은 양이라면 말이죠."

"적은 양의 우유가 좋다는 당신 의견의 근거는 무엇인가요?

MILK

"적은 양이라면 어떤 음식이건 간에 해롭다는 증거는 없습니다. 유제품 업계는 사람들이 우유를 훌륭한 음식이라고 생각하기를 바랄 것입니다. 그러나 일부 사람들에게는 좋을 수 있지만 일부 사람들에게는 좋지 않을 수 있습니다. 우유가 필수적인 음식은 절대 아니지만 나는 우유가 나쁜 음식이라고 말하고 싶지 않습니다. 나는 PCRM과 코헨의 의견을 보았지만 우유에 대한 그들의 생각이 옳을 수도 틀릴 수도 있습니다. 그러나 나는 사람들에게 우유를 1리터씩 마시라고 권하고 싶지 않습니다. 이는 청량음료를 그만큼씩 권하지 않는 것과 마찬가지입니다. 성인은 물을 마셔야 한다고 생각합니다. 이는 명백한 사실입니다. 그리고 특히 칼로리의 섭취가 많은 사람이라면 물을 마셔야 합니다. 어린아이들에게는 우유가 좋다고 생각합니다. 그러나 나는 영양학자로서 아기들에게는 모유가 최고라고 생각합니다."

"성인에게는 왜 우유를 권장하지 않나요?"

"성인에게는 칼로리 문제가 있기 때문입니다. 또한 우유의 당분인 락토스를 흡수할 수 없다면 마시지 말아야 합니다. 그러나 적은 양이라면 문제가 없다고 생각합니다. 반면 아시아인들 중에는 락토스를 흡수하지 못하는 사람들이 많은데 그들은 우유를 마시지 않으면 됩니다. 마시고 탈이 날 필요는 없죠. 다른 곳에서 같은 영양분을 얻을 수 있으니까요. 칼슘은 야채에도 있습니다. 그리고 아시아인들이 우유를 많이 먹는 서양인들보다 골다공증에 덜 걸립니다. 실제로 유제품을 많이 먹는 국가에서 골다공증이 더 많습니다. 유제품도 당분처럼 식습관 패턴의 일부이며 항상 뭐든지 과도하게 섭취하는 것이 문제가 된다는 것입니다. 그리고 과도한 음식 섭취가 일부 질병들과 관련 있는 것입니다."

"한국의 초등학생들이 학교에서 매일 우유를 마시고 있는 것에 대해서 어떻게 생각하십니까?"

"(한바탕 웃고 난 후) 그게 어떤 사람의 훌륭한 아이디어였습니까? 누가 우유를 공급하나요? 그리고 왜 그렇게 하나요? 하하, 그것 참 기막힌 아이디어입니다. 나도 어릴 때 우유를 꼭 먹어야 한다고 믿고 학교에서 먹었습니다. 내가 우려하는 것은 아시아인들 중에는 다섯 살 이후 락토스를 소화시킬 수 있는 효소가 분비되지 않는 사람들이 많다고 알고 있기 때문입니다. 아이들이 유당을 흡수할 능력이 있고 아이들에게 영양이 부족해서라면 학교에서 공급하는 것은 좋은 생각인 것 같습니다. 그러나 유당을 흡수하지 못하는 아이라면 먹여서는 안 되겠지요. 저라면 소화시킬 수 없는 사람들에게 누구나 우유를 다 먹어야 한다고 권장하지 않을 것입니다. 권장하는 것은 이해할 수 없는 일입니다. 차라리 두부 같은 다른 음식이 더 나을 것입니다. 그 권장 사항이 어떻게 실행되었는지를 알게 되는 것도 흥미로운 일일 것 같군요. 한국에도 유제품 업계의 로비가 있었나요? 하하…."

그녀는 인터뷰 도중 또 한바탕 웃었다.

"미국의 식사지침은 유제품을 필수 음식 항목에 집어넣었습니다. PCRM은 업계의 로비 때문이라고 하는데 맞는 말인가요?"

"미국의 '식사지침'은 식품업계의 영향을 많이 받고 있습니다. 문

식사지침이 업계의 로비에 의해 좌우된다고 설명하는 마리온 네슬 교수.

제는 간단하죠. 미국은 음식을 과도하게 생산하고 있기 때문에 식품이 남아돌고 있습니다. 그러므로 식품업계는 어떻게 하든 자신들의 제품을 소비자들이 더 소비하도록 애를 씁니다. 그리고 정부가 자신들의 제품을 적게 먹게 하는 지침을 만들지 않도록 하는 로비도 동시에 해야 합니다. 예를 들어 정부에서 지방을 적게 먹게 하려면 고기나 유제품을 줄여야 하고, 당분을 적게 먹게 하려면 청량음료를 줄여야 하고, 염분 섭취를 줄이려면 스낵 음식을 덜 먹게 해야 하는데 이러한 권장 조치들은 각 업계로부터 매우 강력한 반대에 부딪히게 됩니다.

그러면 업계에서는 매우 복잡하고 논란의 여지가 많은 연구 보고서를 제출합니다. 그 보고서는 전체 식사에서 특정 영양소를 분리해 증명해 내기 어렵기 때문에, 논란의 여지가 많은 것임에도 불구하고 업계는 그 보고서를 이용해서 자신들의 제품에는 문제가 없음을 주장하는 것입니다. 식품업계는 권장 섭취량을 표시하는 것도 원하지 않습니다. 자신들의 제품이 더 많이 소비되기를 바라기 때문이죠. 예를 들어 사람들은 포화지방은 심장질환을 일으키는 원인이 된다는 것을 알고 있습니다. 육류는 미국인들의 식습관에서 포화지방을 가장 많이 흡수하게 하는 음식이죠. 그러나 정부가 미국인들에게 고기를 덜 먹으라고 할 수는 없습니다. 이 결정은 미국 농무부에서 하는데 이들의 임무는 미국의 농산물을 널리 알리고 소비를 촉진하는 일입니다. 그러나 다른 한편으로는 미국의 일반인들에게 건강을 위한 음식을 권장하는 곳이기도 합니다. 그렇기 때문에 이해관계의 모순이 생기는 것입니다.

식사지침서를 예로 들면, 청량음료나 고기를 덜 먹으라는 말을 직접적으로 하지 않고 복잡한 말로 규정하는데 실제로는 청량음료나 고기를 덜 먹으라는 의미를 갖고 있습니다. 왜냐하면 어떠한 정부 기관도 특정 식품을 덜 먹으라고 할 수는 없기 때문입니다. 정치적으로 가능한 일이 아닙니다. 왜냐하면 그렇게 되면 산업계가 국회에 불평을 할 것이고 국회는 그 기관에 책임을 물을 것이기 때문입니다. 정부와 영양학자들의 입장에 산업계가 영향을 주는 경우는 많습니다."

마리온 네슬 교수의 이야기는 소비자인 내가 듣기에 매우 씁쓸한 이야기였다. 정부라는 공권력도 이미 일반 국민의 이익을 위해 존재하는 순수하던 시대의 정부가 아닌 것이다. 각종 이권과 권력화된 산업의 입김에서 학자와 단체, 그 누구도 자유로울 수 없는 것이 현실인 것이다. 그녀의 말대로 우유라는 특정 식품이 좋은지의 여부를 논하는 것은 별 의미가 없을지도 모른다. 우유를 먹건 안 먹건 큰일나는 일이 아니기 때문에 우유가 몸에 안 맞는 사람은 안 먹으면 되는 것이고 맞는 사람은 적당히 먹으면 문제가 없다. 다만 문제는 미국의 유제품 업계가 그동안 로비와 선전으로 잉여 생산품을 소비자들이 필요 이상 많이 소비하도록 해왔다는 데 문제가 있다.

미국의 소비자는 연간 300억 달러의 식품 광고를 하는 식품업계에서 정보를 얻는다. 업계는 사람의 몸에 그리 유익하지 않은 새 상품들을 내놓으면서 사람들로 하여금 더 많이 먹도록 하는 데 그야말로 혈안이 되어 있다. 미국의 극장에서 파는 음료수의 컵이 얼마나 큰지, 음식점의 음식 양이 얼마나 많은지를 보면 알 수 있을 것이다. 내가 미국에 처음 갔던 1993년, 나를 가장 놀라게 했던 것도 다름 아닌 엄청난 크기의 콜라 컵이었다. '아니, 어떻게 저렇게 많은 양을 마실 수 있을까!' 그러나 이 놀라움은 여기서 그치지 않았다. 스테이크 가게에서 맞닥뜨린 920g짜리 스테이크를 보고 미국 사람들이 왜 그렇게 뚱뚱하게 되었는지를 알게 되었다. 그때 받은 강한 인상이 나로 하여금 4부작 다큐멘터리 '육체와의 전쟁'이라는 프로그램을 만드는 단서를 제공해 주었었다.

나는 어떤 특정 식품은 절대 먹으면 안 된다고 하는 것도 일종의 극단적 사고라고 생각한다. 대부분의 현대인들은 이미 이런 금욕 생활을 할 수 없는 사회적 동물이 되었다. 사람들로 하여금 더 많이 먹도록 하기 위해 음식산업이 총력전을 펼치고 있는 환경에서 소비자들이 할 수 있는 최선의 방법은 스스로 적당량을 결정하고 그 이상은 먹지 않는 것이다.

과일, 야채, 도정하지 않은 곡물, 해조류를 적당량 먹고 고기나 유제품은 조금 먹고, 포장되어 나오는 제품화된 음식(이런 음식에는 당분, 염분 그리고 좋지 않은 지방이 상당량 들어 있는 경우가 많다)은 더 적게 먹는 현명함을 갖는 것이 그리 어려운 것만은 아니다. 가끔 먹는 닭고기, 돼지고기, 소고기나 유제품이 나의 몸에 큰 치명타를 가할 정도로 문제가 있는 음식이라고는 생각하지 않는다. 적은 양을 야채와 함께 즐겁게 먹는다면 몸에 나쁠 게 없다고 생각한다. 우리 몸이 그런 정도의 충격을 흡수해 내지 못할 만큼 취약하다면 우리 인류가 현재의 수준으로 진화 발전해오지 못했을 것이다. 문제는 맛과 편리만을 너무 추구하다보니 나도 모르게 과도하게 섭취하는 식품들이 내 몸이 감당할 수 있는 한계를 넘어섰다는 것이다.

그리고 또한 우리가 잊지 말아야 할 것은 음식이 생산되는 과정이 매우 중요하다는 것이다. 어떤 환경 속에서 어떤 물질들이 첨가되어 만들어진 식품인지를 알고 먹는 것과 모르고 먹는 것과는 큰 차이가 있다. 소비자는 구매라는 경제행위를 하기 전에 이런 것들을 자세히 알 당연한 권리가 있으나 현대의 음식산업은 소비자의 알 권리를 그들의 이익을 위해 철저히 차단시켜온 것이다.

분명한 것은 우유라는 음식도 칼로리 과잉시대를 살고 있는 현대인 모두에게 완전식품은 아니라는 사실이다. 국내 학자들 중에는 유당 분해효소가 우유를 많이 먹으면 다시 생긴다고 주장하는 사람도 있지만 미 국립 보건원(NIH)의 홈페이지에 가면 유당 소화효소는 다시 생기지 않는다고 분명히 나와 있다. 이것은 호주의 영양학회장을 비롯한 수많은 세계적 학자들도 이구동성으로 하는 말이다.

그러나 분명 우리 몸은 계속해서 조금씩 우유를 먹으면 그것에 적응하여 설사 등의 증세를 일으키지 않을 수도 있다. 그러나 계속해서 설사한다면 우유를 억지로 먹을 이유가 없다. 우유말고도 좋은 음식이 이 세상에는 많기 때문이다. 우유를 반대하는 사람들의 논리는 나름대로 연구에 근거한 이야기이고 매우 설득력 있는 부분도 있다. 마리온 네슬 교수의 말처럼 우유를 먹지 않아도 건강하게 살 수 있지만 그렇다고 우유가 먹지 말아야 할 나쁜 음식은 아니라는 말에 난 동의한다. 문제는 평소 어떤 식습관을 가지고 어떤 음식들과 함께 우유를 마시는가에 있기 때문이다.

자신이 동물성 음식을 과잉 섭취하고 있다고 생각하거나 야채 등을 적게 먹는 편향된 식생활을 가지고 있다고 생각하는 사람들은 간단히 우유를 마셔 영양분을 섭취하려 하지 말고 좀 어렵지만 야채와 해조류 등 칼슘이 풍부한 다른 음식을 더 섭취하라고 권하고 싶다. 좋은 것이라고 너무 과하게 섭취하면 균형이 깨져 오히려 문제를 일으킬 수 있기 때문이다. 그리고 우유를 좋아하고 소화에 문제가 없는 사람들에게는 꼭 마그네슘 등이 풍부한 녹황색 야채 등을 같이 먹으라고 말하고 싶다. 그리고 유당 소화나 알레르기에 문제가 없다면 영양이 절대 부족한 저소득층의 사람들이나 영양 과잉 상태가 아닌 아이들은 우유를 섭취하여 몸이 필요로 하는 영양의 기초 밸런스를 유지하는 것도 중요하다. 고기도 적게 먹고 콩같은 식물성 단백질도 싫어하는 사람은 달걀, 우유 등으로 단백질을 섭취해야 한다. 섭생에도 중용의 미덕이 필요한 것이다.

국경 없는 인터넷 정보시대를 맞이하여 이제 거대한 공룡처럼 커진 음식산업이 일방적으로 전달하던 정보전달 체계가 서서히 무너지고 있고 영양 성분과 칼로리만 따져 골고루 먹으라는 이론에 대한 반성의 목소리도 높아지고 있다. 다시 말하지만 특정 영양 성분을 보강한 음식을 먹는다고 해서 그만큼의 영양분이 몸에 흡수되고 효과를 발휘하는 것이 아니다. 우리 몸의 메커니즘은 단순 산수의 세계가 아니라 아직도 파악되지 않은 어려운 고등 수학의 세계라고 해야 더 정확하다. 요즘같이 정보 과잉시대에 현명하게 사는 지혜는 자신에 맞는 정보를 취사선택하는 '정보 선택 능력' 을 키우는 것이다.

우리 나라에서 만약 업무 시간에 여성이 아이에게 젖을 물리며 회의에 참석하면 아마 그날로 회사를 떠날 각오를 해야 할 것이다. 모유를 먹이는 것이 개인의 선택이 아닌 어머니의 당연한 권리로 인식되는 분위기가 우리 나라에는 언제쯤이나 정착될는지….

제14장

모유 만세

모유 은행

내가 나의 딸아이를 키우면서 가장 잘못한 것이 있다면 아이에게 모유를 먹이지 않은 것이다. 다큐멘터리 '잘먹고 잘사는 법'을 제작하기로 마음먹은 동기의 절반 정도는 아이들에게 모유를 먹이지 못한 나의 과오를 시청자들은 반복하지 않기를 바라서였다. 사람이 태어나 처음 입에 넣는 음식은 인생을 좌우할 수도 있는 중요한 첫 단추와 같은 것이다. 모유 수유율이 10%를 간신히 넘는 우리의 현실이 과연 이 프로그램 한 편으로 나아진다고 장담할 수는 없었지만 방송시간의 제약에도 불구하고 용기를 가지고 부딪혀 보기로 했다. 먼저 모유 수유율이 약 60%인 미국의 실태를 취재하기로 했다.

캘리포니아주 산호세에 자리잡고 있는 모유 은행(Mother's Milk Bank). 미 전국에 여러 지부를 가지고 있는 모유 은행은 자원봉사 단체로서 건강한 일반인들에게 모유를 기증받아 모유를 먹일 수 없는 사람들에게 공급하는 단체이다. 영국과 캐나다 등에도 모유 은행이 있는데 엄마나 아기가 아파 병원에 입원해 있을 때 모유 은행이 중간에서 역할을 하고 있다. 이곳에서는 근처의 산타클라라 밸리 종합병원과 연계되어 인큐베이터 안의 조산아들에게도 모유를 공급하고 있다. 모유 은행은 기증자의 사전 건강진단을 철저히 하고 기준에 합격한 사람들의 집을 직접 방문하여 모유를 수거한 다음, 다시 에이즈, 박테리아 검사 등을 거쳐 최종적으로 합격한 모유를 공급한다. 또한 모유 기증자들을 위한 식사지침도 엄격해서 모유 기증자에게는 약

모유 은행의 냉장고 안에 보관된 모유.

물, 담배, 술 등을 못 먹게 하고 지나친 지방의 섭취도 제한하도록 권고하고 있다. 미국인들이 우리처럼 분유를 먹이면 간단히 해결될 문제를 가지고 왜 이처럼 복잡하고 귀찮은 일들을 하느라 시간과 돈을 낭비하는 것일까. 그것은 그들이 모유가 아기에게 필수적인 음식이라고 철저히 믿기 때문이다.

모유 은행 의학책임자 론 코인의 안내를 받아 병원의 신생아 중환자실을 방문했다. 때마침 임신 6개월 만에 태어나 1파운드(약 450g)밖에 안 되는 조산아에게 모유 은행에서 가져온 모유를 주사기와 튜브를 통해 아이에게 먹이는 정겨운 광경을 목격했다. 이곳의 조산아들은 대부분 모유 은행의 모유를 먹는다고 한다.

취재를 마치고 복도로 나와 장비를 챙겨 떠나려고 하다가 낯선 광경을 목격하였다. 의사로 보이는 여자가 대나무 바구니에 아이를 담아 들고 씩씩하게 출근하는 모습이 눈에 들어온 것이다. 신기하게 보여 다가가서 물어보았다.

"지금 출근하시는 건가요?" "네" "아이를 데리고요?" "네, 이 아이가 셋째아이입니다. 저한테는 벌써 익숙해진 일이지요. 아이는 태어난 지 두 달 됐습니다."

캐시 엔젤이라는 소아과 의사였다.

얘기를 마치고 회의가 있다며 돌아서는 그녀를 회의실까지 따라 들어가 보았다. 의사들이 모여서 진지한 회의를 하는 시간이었는데 캐시는 회의 도중 태연스레 담요로 아기의 얼굴을 살짝 가리고는 젖을 물리기 시작했다. 회의에 참석한 사람들은 모두 캐시의 모습에 익숙한 듯 별 관심을 보이지 않았다. 아기는 평온한 모습으로 엄마 품에 안겨 젖을 빨고 있었다. 젖을 물린 채 회의를 하는 캐시의 모습이 하도 부러워 회의 끝날 때까지 지켜보다 복도에 나와 물어보았다. "아이에게 젖을 줄 때 다른 사람들이 신경 쓰이지 않나요?" "이 병원 식구 중에 나의 행동에 동의하지 않는 사람이 있다면 아마 그 사실이 더 놀라울 겁니다. 젖을 물릴 때 살짝 가리니까 남에게 불편을 주는 것도 아니고 사람들도 재미있어 합니다. 전 최소한 1년은 모유를 먹일 겁니다." 그녀는 웃으며 대답했다.

우리 나라에서 만약 업무 시간에 여성이 아이에게 젖을 물리며 회의에 참석하면 아마 그날로 회사를 떠날 각오를 해야 할 것이다. 모유를 먹이는 것이 개인의 선택이 아닌 어머니의 당연한 권리로 인식되는 분위기가 우리 나라에는 언제쯤이나 정착 될는지…. 그날 일은 하도 인상적이라 어떻게 하든 방송에 넣으려 했으나 방송시간 관계상 아쉽게도 편집에서 잘려 나가야 했다.

분유회사 연구원의 고백

나는 일반 전문가들보다 차라리 분유회사에서 근무했던 사람을 만나 솔직한 이야기를 듣고 싶었다. 일본의 모리나가라는 분유제조회사에서 오랫동안 연구원으로 있으면서 알레르기 전문 분유를 개발하기도 했던 키오사와 이사오(68세) 박사를 섭외하여 분유회사에서 일했던 사람으로서 분유와 모유를 비교해 달라고 부탁했다. 그는 흔쾌히 인터뷰에 응했다.

"모유에는 영양 면에서 보면 여러 가지 영양소가 균형 있게 들어있습니다. 말이나 소는 태어나자마자 일어서지만 갓 태어난 아이, 특히 사람의 아이는 포유동물 중에서 가장 미숙한 상태로 태어납니다. 그 결과 체내의 간장, 신장, 소화흡수를 담당하는 장 기능이 매우 미숙합니다. 아이는 3시간마다 먹는데, 이것은 모유가 먹자마자 장기의 아래로 내려가 버린다는 것을 뜻합니다. 아주 소화흡수 기능이 좋은 상태가 아니면 그렇게 될 수 없습니다. 모유의 근본적인 성질은 그것이 가능하도록 만들어져 있습니다.

모유와 우유를 짜서 한동안 놔둔 다음 관찰하면 알 수 있는데 모유

는 금방 냄새가 달라집니다. 모유 속에는 여러 가지 효소가 들어 있으므로 그에 의해 모유 성분이 분해됩니다. 그만큼 모유는 소화흡수가 좋다는 말입니다. 또 하나 중요한 것은 모유에는 병원균을 막는 여러 가지 물질이 들어 있습니다. 아기는 엄마 몸 속에 있을 때는 완전한 무균 상태인데 밖으로 나오면 세균에 감염됩니다. 그것을 막기 위한 물질이 필요한데 모유에는 락토페린, 면역 글로블린, 리조틴 등이 있어서 장에서 세균 증식을 막습니다."

그동안 누구에게서도 들어보지 못했던 신선한 이야기였다. 그는 다시 말을 이어갔다.

"또한 아이가 젖을 빨면 엄마와 아이의 심리 상태에도 당연히 영향을 줍니다. 엄마와 아기의 심리가 안정됩니다. 엄마는 아기의 울음소리만 들어도 젖에 있는 신경이 활동하여 모유를 줄 준비를 하게 됩니다. 모유 이상으로 뛰어난 분유는 절대로 없습니다. 분유를 가능한 모유에 가깝게 만들기 위해 노력한 덕분에 최근 20~30년 사이에 분유의 기능이 크게 발전했습니다만, 아직도 모유를 따라가지는 못합니다."

모리나가 연구원이었던 키오사와 이사오 박사의 이야기를 들으면서 분유산업의 홍보 공세에 가려졌던 진실의 일면을 들여다보는 것 같았다. 나의 딸아이가 태어나기 직전인 1980년대 후반만 해도 분유회사들은 엄마의 젖보다 마치 분유가 여러 면에서 더 좋은 것처럼 마음놓고 선전했었다. 요즘은 분유를 직접 선전하지 못하게 되어 있다지만 지금도 이유식 광고를 하면서 교묘하게 분유 광고를 겸하고 있다. 최근에 분유 회사들이 DHA다 EPA다 하면서 머리에 좋다는 각종 영양소를 첨가하고 있는데 이런 성분이 들어 있다고 해도 인체에 적합하게 설계된 모유와 똑같이 작용하는지는 알 수가 없다. 아직도 인간의 기술이 밝혀내지 못한 신비한 성분이 있고 그 성분들의 절묘한 하모니가 만들어내는 효능은 미지의 영역으로 남아 있다. 엄마의 몸 안에서 만들어지는 모유 성분은 아이의 성장 기간에 따라 아주 미세하게 변한다. 이렇듯 영양 자동조절 시스템을 갖춘 인체의 신비를 인간이 배합 공식을 만들어 제조한 인공 분유가 어찌 따라갈 수 있겠는가. 포유류들은 이 땅에 생존하고 번성하기 위해 자신의 종에 가장 알맞은 젖을 대를 거듭해가며 완성해 왔다. 그 결과로 만들어진 것이 오늘날의 엄마 젖이다. 여기에 무슨 설명이 더 필요할 것인가.

쌍둥이 엄마의 모유 수유 성공기

산모들이 모유 수유를 포기하는 첫째 요인은 젖이 잘 나오지 않는다는 것이었다. 대부분의 산모들이 처음에는 젖을 먹이려고 노력하지만 결국 젖이 잘 나오지 않아 분유를 보충하여 먹이게 되고 그러다 보면 아이가 맛있는 분유에 익숙해져 결국 모유 수유에 실패하는 것이다. 나는 시청자들에게 용기를 주기 위해 모유 수유가 가장 어려운 경우를 상정해 그 사람이 모유 수유에 성공하는 모습을 보여주기로 했다. 지난해(2001년) 8월 작가진의 끈질긴 노력으로 다행히 우리가 머릿속에서 상상만 해온 그런 산모를 실제로 섭외하는 데 성공했다. 쌍둥이를 임신한 초산모로 제왕절개 예정인 산모 강희원 씨.

강희원 씨와 남편 김태진 씨는 신세대 부부 치고 생각하는 것이 참 기특하다는 말이 절로 나올 만한 사람들이다. 두 사람의 애정 강도도 부럽거니와 나 같으면 그 나이에 상상도 하지 못했던 모유 수유 결심을 꿋꿋하게 밀어붙이는 것을 보고 감동하지 않을 수 없었다. 약간 저체중으로 태어난 쌍둥이들. 태어나자마자 젖을 물려 젖에 익숙하게 해야 한다는 말을 따랐지만 젖은 나오지 않았다. 하루가 지나도 젖이 나오지 않자 불안해진 가족은 의사와 상담을 했고 탈수가 올지 모른다는 의사의 권고에 따라 묽게 탄 분유를 젖병에 담아 아기들에게 수유를 했다. 이것은 대부분의 산모들이 겪게 되는 과정이기도 하다.

그런데 그게 문제였다. 젖병을 통해 술술 나오는 달콤한 분유에 맛을 들인 아기들은 아무리 배고파도 젖을 물려고 하지 않았다. 젖을 먹이려고만 하면 빨 생각은 안하고 인공 젖병을 찾는지 계속 울어젖혔다. 그런 힘든 과정을 겪으면서도 강희원 씨는 포기하지 않고 유축기로 젖을 짜내어 먹이고 계속해서 직접 가슴을 대고 젖먹이는 것을 시도했다. 제왕절개 수술을 해서 통증이 가라앉지 않은 몸으로 직접 수유를 계속하려는 모습은 곁에서 보기에도 눈물겨운 것이었다.

이틀이 지나도 젖이 잘 나오지 않자 부부는 온갖 방법을 동원하기 시작했다. 시중에서 파는 거꾸로 된 주사기로 함몰된 유두를 빼기도 하고 남편이 매달려 뜨거운 수건으로 가슴 마사지를 해댔는데도 고통만 늘어갈 뿐 젖은 잘 나오지 않았다. 사흘째 되는 날부터는 젖몸살이 시작되어 유방 마사지할 때의 모습은 마치 분만실의 산모 같았다. 게다가 너무 뜨거운 수건으로 마사지를 하는 바람에 가슴 부위에 가벼운 화상을 입어 고통은 더 심해졌다. 마사지할 때마다 쌍둥이 엄마의 얼굴에는 하염없이 눈물이 흘렀다. 소리를 내지 않으려고 자신의 입에다 손을 넣어 비명소리를 삼키면서 쌍둥이 엄마는 고통을 참아내었다. 땀을 뻘뻘 흘리며 유방 마사지를 하는 남편도 아내가 애처로워 어쩔 줄 몰랐다.

사흘이 지나자 처음엔 어떤 일이 있어도 모유 수유를 하겠다던 이들도 마음이 흔들리기 시작했다.

"처음부터 주변에서 쌍둥이 모유 수유는 불가능하다고 했는데 그때 말을 들을 걸 괜히 이 고생을…."

그때마다 우리는 이화대학교 의과대학 이근 교수 등 전문가들한테 귀에 못이 박이도록 들은 말을 반복하며 설득에 나섰다.

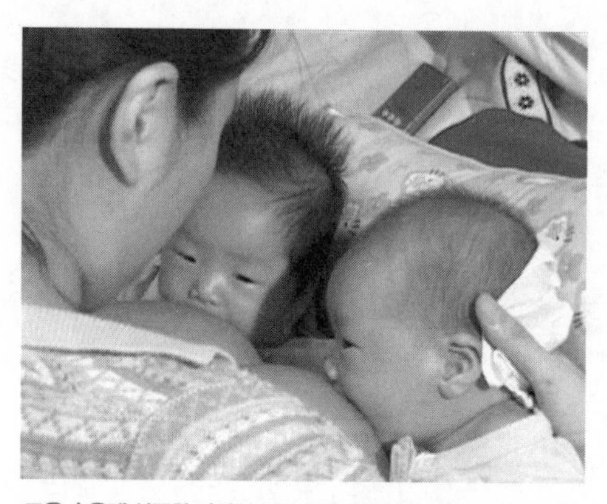
모유 수유에 성공한 강희원 씨가 쌍둥이들에게 젖을 먹이는 모습.

"반드시 성공할 수 있습니다. 아이가 젖을 빨면 젖은 나오게 되어 있답니다. 저희를 믿어 주세요."

며칠 후 희원 씨 부부가 퇴원하여 산후조리원으로 자리를 옮겼다. 조리원으로 찾아갔더니 쌍둥이 엄마는 젖몸살도 조금 수그러들었고 마사지도 열심히 하고 있으며 아이들은 계속 젖병에 모유를 담아 먹이고 있다고 했다. 그러면서도 그녀는 하루에 서너 번씩 아이들에게 직접 젖을 물리는 연습도 게을리하지 않았다. 엄마 젖만 보면 자지러지던 아이들도 조금씩 얌전해졌다. 그러나 갈등은 계속되고 있었는데 문제는 아이들의 몸무게가 쉽게 늘지 않는다는 것이었다.

"주위 사람들이 그래요. 분유 먹이면 금방 살 오른다고…. 그럴 때마다 갈등이 생겨요."

가느다란 아이의 다리를 어루만지면서 쌍둥이 엄마는 안타까워했다.

출산 이주일째. 쌍둥이네 집에서 연락이 왔다. 아이들에게 직접 수유를 시작했다는 것이다. 쌍둥이네 집으로 달려간 난 눈앞에 펼쳐진 희한한 광경에 입을 다물 수가 없었다. 쌍둥이 엄마가 가슴을 풀어 젖히더니 두 아기 등 밑에 각각 쿠션을 받친 후 양팔에 품고 동시에 젖은 물리는 것이 아닌가. 아기들은 엄마 품에 안겨 엄마 표정을 살피며 편안하게 젖을 빨고 있었다. 모자라던 젖도 이제는 남아돌아 잉여분을 냉동실에 보관도 해둔다며 남편은 연신 싱글벙글이었다. 남편은 처음에 젖이 잘 안 나올 때 자신이 아내의 젖을 빨아주어 잘 나오게 되었다며 나에게 은근히 자랑을 늘어놓았다. 내가 그게 사실이냐고 재차 물었더니, "처음에 안 나올 때 제가 빨아주었죠. 그런데 아내가 아이들 먹을 것도 없는데 축낸다고 못 빨게 하잖아요. 그래서 솔직히 한 번밖에 못했어요, 하하하."

프로그램이 방송된 후 쌍둥이 엄마의 인상적인 수유 모습을 보고 모유 수유를 계획한 많은 사람들이 힘을 얻었다는 내용의 전화가 걸려왔다. '생명의 기적' 이 방송된 후 최정원 씨 등 용기를 내어 출연해 주신 분들 덕에 수직상승을 보이던 국내 제왕절개율이 오히려 감소세로 돌아섰다는 것은 의료계에서도 인정하는 바이다. 그때처럼 쌍둥이 엄마 덕에 부디 우리 나라 모유 수유율이 조금이라도 높아지는 계기가 되었으면 하는 마음 간절하다. 과정이 쉽지는 않지만 아이에게 모유를 먹이는 것처럼 나라의 미래를 위해 확실하고 돈 안 드는 투자는 아마 없을 것이다. 아이의 신경조직은 생후 세 살 때까지 완성된다고 한다. 이때 엄마의 포근한 품 안에서 자기 몸에 맞는 모유를 자기 힘으로 빨아먹던 아이와 그렇지 못한 아이의 발달상의 차이가 학자들이 밝혀낸 IQ 6~7점 차이만은 아니라고 생각한다. 정서발달 등 아직까지 수치화되지 않은 더 많은 것들이 있지 않을까.

생명 탄생의 소중함은 아무리 강조해도 지나치지 않다. 뮤지컬 배우 최정원 부부의 수중 분만 모습.

모유는 누구나 먹일 수 있다

쌍둥이네를 취재하면서 산고의 고통보다 더 심하다고 하는 젖몸살의 고통을 줄일 방법을 찾기로 했다. 그러던 중 일본에 오케다니식 유방 마사지법이라는 것이 있다는 것을 알아냈는데 일본에서 젖이 잘 안 나오는 산모들에게 큰 인기를 끌고 있는 마사지법이라고 했다. 오케다니 여사의 수제자로 오케다니식 유방 마사지법을 전파하고 있는 일본의 다케다 조산원의 다케다 가즈코 씨를 찾아갔다.

내가 조산원을 방문했을 때도 여러 사람이 조산원장한테 마사지하는 법을 배우고 있었다. 그녀가 산모들에게 설명하던 내용을 잠시 그대로 옮겨보겠다.

"젖은 창고가 아니고 생산 공장입니다. 창고는 그냥 저장해두는 곳이고 공장은 생산하는 곳이라는 차이가 있죠. 엄마는 젖 제조 공장 주식회사 사장이고 아기는 회사원으로 기계를 움직입니다. 즉 빠는 것입니다. 빨면 자극이 척추를 통해 뇌로 가서 뇌하수체에 전달되어 뇌하수체로부터 결국 프로락틴, 옥시토신이란 호르몬을 분비하므로 젖이 잘 나옵니다. 젖의 크기는 상관없습니다. 작아도 만드는 양이 많으면 됩니다."

산모 중 한 명이 물었다.

"마사지할 때 어떻게 하면 안 아픈가요?

"지금까지의 마사지는 아팠습니다. 유방 안에 젖이 만들어지는 유선체(포도송이처럼 생긴 젖이 모이는 장소)를 직접 자극하여 젖을 많이

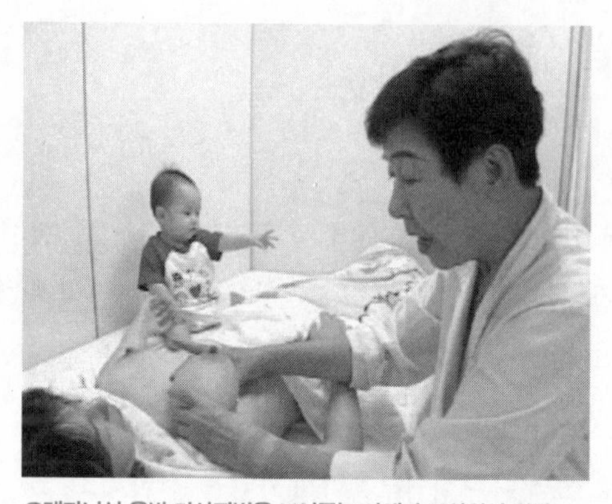
오케타니식 유방 마사지법을 보여주는 다케다 조산원의 원장.

나오게 하는 것이 종전의 방식이었습니다. 하지만 산후, 특히 유선체가 발달하는 시기에 자극을 주면 엄청나게 아픕니다. 그 아픔을 참고 젖이 나오게 한다는 것이 참 힘듭니다. 그래서 20여년 전에 오케타니 선생님이 개발한 것이 오케다니식 마사지법입니다. 직접 보고 저도 정말 놀랐는데 유선체는 전혀 만지지 않고, 유방과 가슴의 경계선이 있는 기저부라는 곳을 흉부와 분리시키듯이 마사지하는 겁니다. 젖은 흉부 위에 얹혀져 있으면서 일체화되어 딱 붙어 있습니다. 붙어 있으면 젖꼭지 부분이 늘어나지 않습니다. 늘어나지 않으면 아기가 빨아도 젖이 잘 나오지 않고 엄마도 아픕니다.

오케타니 선생님은 기저부를 가슴에서 떼어내어(기저부 박리라고 함) 기저부에서 젖꼭지 쪽을 잡아당기는 것을 제거해줘야 한다는 것을 알았습니다. 그러면 아기가 젖을 빨아도 잘 나오고 자극이 충분히 전달됩니다. 자극이 제대로 전달되지 않으면 호르몬이 나오지 않고 호르몬이 나오지 않으면 젖이 나오지 않는 악순환이 반복됩니다. 기저부를 분리시켜 주면 엄마에게서 호르몬이 많이 나오고, 젖꼭지도 충분히 부드럽게 늘어나므로 아기도 즐겁게 먹습니다. 오케타니식의 기본은 기저부 박리이며 유선체를 만지지 않으니까 당연히 아프지 않습니다."

그녀는 설명 후 한 여성의 가슴을 열고 마사지하는 법을 보여주었다. 통상 우리 나라 산모들은 마사지를 할 때 유방 위에서 누르면서 하는데 그녀는 유방의 밑부분을 가슴으로부터 떼어내듯이 마사지했다. 그리고 유륜(乳輪 : 젖꼭지 주변의 원형 테) 부분부터 힘을 주어 직접 젖을 짜내는 방법도 가르치면서 말했다. "유륜 부분이 부드럽지 않으면 아기가 빠는 것이 불가능합니다. 따라서 기저부를 분리하고 젖꼭지를 부드럽게 하여 아기가 빨기 쉽고 젖도 잘 나오게 되는 것이 오케타니식의 기본입니다."

조산원장은 꼭 모유로 기르겠다는 마음이 가장 중요하다 것을 강조했다. 일본의 모유 수유율은 40~50%다. 우리와 마찬가지로 예전에 모유 수유율이 90%가 넘을 때는 거의 가정 분만이었다. 가정 분만으로 아이가 태어날 경우 아기를 엄마 옆에 두고 아기가 울면 자연스레 젖을 물렸다. 모든 포유동물은 어떤 종이든 젖을 먹도록 만들어져 있다. 처음부터 젖을 빨 수 있도록 DNA에 프로그램 되어 있는 인간에게 태어나자마자 신생아실로 옮겨놓고 그곳에서 처음부터 분유를 먹이는 것이다. 아기가 태어나 먹고 싶을 때 자연스레 먹이면 되는데 요즘 엄마들은 아이가 하루만 굶어도 걱정을 하며 분유를 먹인다.

이것은 산업의 거대한 음모와 같은 것이다. 인간이 엄마 젖을 못 먹게 만든 교묘한 메커니즘이 사람들이 알지 못하는 사이 병원에 제도화되어 버렸다. 모든 포유동물은 태어난 지 얼마 안 되어 곧 젖을 빤다. 사람도 마찬가지이다. 아기가 빨든 못 빨든 태어나서 곧 젖을 물리면 인간의 몸은 아기가 먹고 자랄 수 있는 만큼의 젖을 분비하도록 설계되어 있고 아기는 생존을 위해 자연히 빨게 되어 있는 것이다. 처음에 젖이 적게 나오는 것은 아기가 그만큼 먹어도 잘살 수 있기 때문이고 오히려 많이 먹으면 좋지 않기 때문이다. 이 자연스러운 과정을 현대의 병원 분만이 단절시킨 것이다.

일본에는 아기가 태어날 때는 3일분 도시락과 3일분 물통을 가지고 태어난다는 말이 있다. 3일간 다른 것을 먹이지 않고 거의 안나오는 젖만 먹여도 아이에게는 충분하다는 말이다. 옛날엔 자연적인 체중 감소로 출생 3, 4일째 1% 정도 체중이 줄다가 10일째 정도 돼야 태어날 때의 체중으로 돌아가는 것이 보통이었다고 한다. 그러나 지금은 분유를 먹기 때문에 퇴원할 무렵에는 태어날 때보다 체중이 훨씬 증가한 상태가 된다. 체중 많이 나가는 우량아에게 상까지 주던 가난한 시절은 지나갔는데 부모 마음은 아직도 그 시절의 관습을 따라가고 있는 것이다.

한 가지 빼놓을 수 없는 모유에 대한 정보가 있다. 모유 전문가인 일본의 순천당 의대 교수인 야마시로 유타로 박사의 연구에 따르면, 분유로 자란 아이와 모유로 자란 아이의 소장의 무게가 차이가 난다는 것이다. 모유를 먹은 아기는 분유를 먹은 아기보다 장이 잘 발달한다는 것인데 이것은 강아지를 대상으로 한 실험에서도 입증되었다. 그는 나에게 이런 말을 했다. "모유는 신이 사람에게 준 훌륭한 선물입니다. 모유는 신비스러울 정도로 연구를 거듭할수록 매우 훌륭한 것이라는 것을 알게 되었습니다.

아기에게는 모유가 가장 좋은 음식이라는 사실이 최근 연구로 점점 더 밝혀지게 되었습니다. 지금은 분유를 만드는 기술이 발달하여 큰 차이가 없어 보이지만 모유에 들어 있지만 분유에는 들어 있지 않은 것이 많이 있습니다. 예를 들면 모유로 자란 아이가 병에 덜 걸립

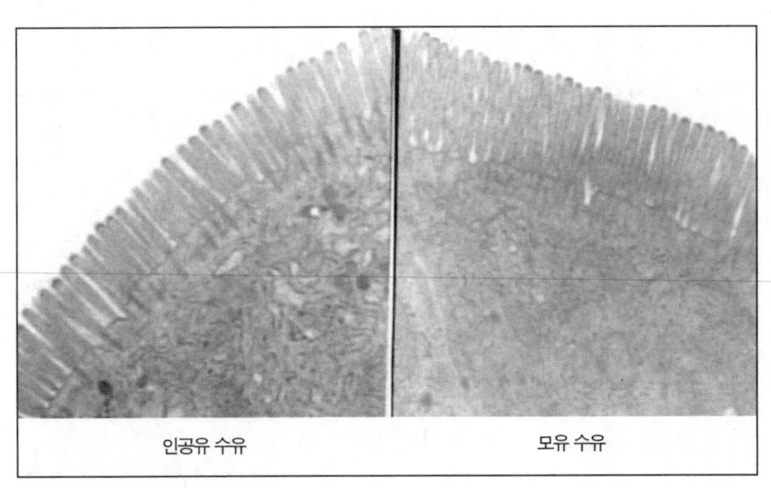

모유와 인공유를 수유한 강아지의 장조직 비교. 모유 먹인 장조직이 더 튼실하다. 일본 순천당 의대 야마시로 유타로 박사 자료.

니다. 바이러스, 세균에 대해서, 그리고 좀더 자라서 당뇨병이나 다른 병에 잘 걸리지 않는다는 것은 잘 알려진 사실입니다. 영양 면에서 최근의 분유는 모유에 가깝습니다만 분유에는 바이러스, 세균 감염을 막는 물질이 들어 있지 않습니다. 과학이 발달하면서 성분을 첨가하려는 연구가 진행되고 있습니다. 그리고 조금씩 락토페린을 첨가하기는 하지만 모유에 들어 있는 만큼 첨가하려면 엄청난 돈이 들고 또 락토페린은 살아 있으므로 분유에 넣으면 죽습니다. 모유에 백혈구가 많이 들어 있다고 했죠. 백혈구도 역시 살아 있는 것이므로 가루로 만들면 죽어 버립니다."

인공적인 가공식품이 자연식품의 흉내를 낼 수 없는 가장 큰 요인은 가공 과정에서 원래 그 식품 안에 자연적으로 존재하는 생명체가 살 수 없다는 것이다. 엄마의 가슴에서 가공되지 않고 살아나오는 성분들이 적절히 혼합되어 각각 유기적인 역할을 담당하는 모유와 열을 가하는 가공 과정을 거치면서 그 안의 생명체를 모두 죽여 버린 분유가 어찌 같을 수 있겠는가. 게다가 우유는 위장이 넷 달린 소가 분해 흡수하여 빠르게 몸을 키우는 데 필요한 성분들로 가득 차 있는 데 비해 모유는 위장 하나 달린 사람이 소화 흡수하기에 적당한 단백질과 몸집 불리기보다 뇌를 키우는 성분들이 주류를 이루고 있다. 사람이 모유를 먹고 자라면 태어나서 180일이 지나야 몸집이 2배로 커지는 데 비해 소는 태어난 지 47일 만에 2배가 된다.

몸이 커지는 데 온 에너지가 집중되는 사이 뇌 성장에 필수적인 성분들이 빠진 분유를 먹고 사람의 뇌는 과연 제대로 자랄 수 있을까? 상식적으로 생각해 봐도 너무나 당연한 이치인데 나는 이런 것을 하나도 알지 못하고 아이를 낳고 키운 것이다. 교양 PD 한답시고 잘난 체하고 다녔는지 모르지만 생명을 탄생시키고 키우는 데 필요한 가장 기본적인 사실조차 모르고 살아온 것이다. 내 어찌 스스로 한심하다고 생각하지 않을 수 있겠는가. 이런 이유로 해서 '생명의 기적'과 '잘먹고 잘사는 법'이 탄생했다. 결혼을 앞둔 사람이나 아이를 낳을 예정인 사람들은 좀 어렵더라도 꼭 모유 먹이기를 권한다.

직장생활 등으로 어려움이 예상되는 사람들도 그 환경에 당당히 맞서 이겨내야 한다. 그러면 주위 환경도 서서히 변할 것이다. 아주 조금이라도 세상을 바꾸는 것은 매우 힘든 일이다. 누구든 먼저 하지 않으면 바뀌지 않기 때문이다. 앞서 소개한 산타클라라 병원의 소아과 의사 캐시 엔젤의 이야기는 하루아침에 이루어진 게 아니기 때문이다.

앞으로 인류는 인위적으로 만든 식품의 유해성에 천문학적인 돈을 쏟아붓게 될 것이다. 동시에 인간은 끊임없이 더 적은 비용으로 더 맛있는 음식, 더 잘 팔리는 식품을 생산하기 위해 인공적 조작을 계속할 것이다. 인위적 수명 연장 노력과 질병 퇴치를 위한 의학의 발달은 인간의 평균 수명을 앞으로도 계속 늘려갈 것이 분명하다. 그러나 각 개인의 건강 지수는 세월이 갈수록 악화될 것이고, 인류의 복지를 향한 미래의 희망은 예측 불가능한 혼돈 속에 놓일 것이다.

제15장

유전자 조작 식품과 미래 사회의 전망

리프킨의 경고

제레미 리프킨으로부터 생명과 유전자 조작문제에 대한 명쾌한 이야기를 듣고 싶었다. 그는 유전자 조작문제와 생명공학에 대해 여러 책을 출판할 정도의 식견을 가지고 있는 사람이다. 그는 생명 복제에 대해서 매우 비판적 시각을 가지고 있었다.

"100마리의 같은 유전자 꼴을 가지고 있는 염소들을 복제했다고 합시다. 그런데 유전자 내에 특정 약물이나 화학물을 생산할 수 있는 단백질을 넣어서 제작한다면 그 염소의 젖에서는 그 화학물이나 약물이 생산될 것이고, 그것을 우유로부터 분리해내면, 그 염소는 바로 화학물 또는 약물 공장이 되는 것이죠. 염소 한 무리가 100명의 일꾼이 있는 공장을 대체하게 되는 것입니다. 그런데 인류가 생각해야 할 문제는, 도대체 문명이 어디까지 왔길래 인간과 공존하는 생물들을 복제해서 화학물 공장으로 전락시키는 상황까지 되었나 하는 것입니다. 부끄러울 뿐만 아니라 그런 일을 하는 회사들이 수치스럽습니다. 지금은 21세기이고, 21세기에 인류가 이런 수준 못 되는 것을 뉘우쳐야 한다고 생각합니다."

필자는 이 분야에 대해 잘 모르지만 그래도 개인적 의견을 이야기하자면, 인간이 조금 더 살아 얼마나 행복을 누릴지 모르지만 다른 생명을 마음대로 만들었다 죽였다 하는 행위는 매우 비인간적인 것이다. 겉으로는 인류의 복지를 위해 복제나 생명조작을 연구한다고 하지만 실제의 핵심은 상업적인 이윤 추구에 있는 것이다. 장기 복제든 생명 복제든 연구에 성공하는 사람은 떼돈을 벌겠지만, 한정된 지구 안에 사람들이 자연스레 죽지 않고 자꾸 늘어가는 것이 모두에게 바람직한 것인가도 진지하게 다시 생각해봐야 한다. 잘먹고 잘사는 법은 잘먹어 어떻게 하든 오래 살자고 주장하는 프로그램이 아니다. 사는 동안 건강하게 그리고 다른 생명과 환경에 폐를 덜 끼치면서 살자는 것이다. 이런 부질없는 짓에 사람들이 몰두하면 할수록 인간 사회는 살기 좋아지는 것이 아니라 더 혼돈 속에 빠질 것이 분명하다.

"많은 사람들이 생명공학이 우리의 미래 사회를 밝게 해줄 것으로 생각하고 있습니다. 유전자 공학이 미칠 영향에 대해 말씀해 주십시오."

"우리는 지금 이동중에 있습니다. 19세기와 20세기를 주도했던 화학과 물리학을 떠나 의문의 여지없이 생명공학의 세기로 들어섰습니다. 두 개의 거대한 기술혁신이 합쳐지고 있습니다. 그것은 바로 컴퓨터와 유전자입니다. 정보과학과 생명과학이죠. 소프트웨어(software)와 웨트웨어(wetware : 컴퓨터의 소프트웨어를 생각해내는 사람의 두뇌, 혹은 컴퓨터를 사용하는 인간을 지칭)입니다. 우리는 생명의 책을 해독하기 위해 컴퓨터 언어를 계속해서 사용하고 있습니다. 이 위대한 컴퓨터들을 이용해서 유전자를 분리시키고 추적하고 해독하고 보관하고 재결합하는 데 쓰고 있는 것입니다.

유전자는 21세기의 1차 자원입니다. 음식, 섬유, 에너지, 건축 자재, 약들을 위한 1차 자원입니다. 말하자면, 이것은 화석연료, 금속, 광물이라는 자원으로부터 유전자로의 큰 이동입니다. 이제 과학을 이용하면서 진지한 철학적 접근이 있어야 합니다. 지금까지는 새로운 생물공학에 찬성하느냐, 아니면 진보에 반대하느냐 하는 것이 관건이었습니다. 내가 말하고 싶은 것은 생명공학의 발전에 따라 우리가 얻게 되는 지식을 이용할 수 있는 '급진적 방법' 과 '온건한 방법' 이 있다는 것입니다. 전자는 생명과학과 농화학물 회사들이 주력하는 분야입니다. 그것은 자연을 적대시하고 새로운 창조를 통해 인류의 생각대로 생명을 재설계하는 것입니다. 그것은 우리와 우리 후손들에게 매우 심각한 환경 · 사회 · 도덕적인 문제를 제기합니다. 하지만 다른 길도 있습니다.

'온건한 방법' 은 똑같이 유전자에 대한 지식을 이용하지만, 복합기능적인 농사 환경을 만드는 데 주력하는 것이고, 새로운 지식에 기반하여 전통적인 재배를 업그레이드시킬 수 있습니다. 또한 주변환경과 공존할 수 있는 종자를 만들 수 있습니다. 환경친화적인 음식과 유전자 조작된 음식들 가운데 선택하라고 하면 모두가 전자를 선택할 테니까요. 모든 분야에서 다 마찬가지입니다. 의학계에서의 '급진적 방법' 이란 아플 때 유전자 조작된 약물을 준다든가 유전자 치료를 하는 개념일 텐데, 더 급진적 방법을 쓴다면 아예 태아를 만들 때 난자와 정자를 조작하여 처음부터 병의 싹을 없애는 것입니다. 물론 그런 상황이 오면 우생학적인 사회의 도래를 걱정해야 할 것입니다. 그런 사회에서는 자신이 자신의 운명을 좌우하고 부모가 창조자가 되는 것입니다.

온건한 방법으로는 예방 차원의 복합적인 기능을 가진 약품을 개발할 수도 있을 것입니다. 우리가 이미 알고 있지만 몇 년 내에 모든 사람들의 유전자 프로필을 읽어낼 수 있을 것이라 생각됩니다. 생명의 지도에서 읽어내는 자료를 토대로 아기의 유전자 형태와 질병의 소질 등을 미리 알 수 있을 것입니다. 일정한 식생활 형태가 질병을 예방할 수 있다는 것도 알고 있습니다. 예를 들어, 결장암의 위험이 있는 사람이라면, 의사가 하루에 3번 토마토를 먹으라고 지시할 것입니다. 그렇게 하면 그 질병의 유전적 성질이 표현되지 않도록 막을 수 있기 때문입니다. 이제는 암의 유전자가 표현되지 않도록 막아주는 단백질 유전자를 개발하고 있는 현실입니다. 이제 머지않은 미래에는 모든 생물체의 유전자 코드를 읽어낼 것이기 때문에, 자신 안에 존재하는 질병이 표현되지 않도록 완전하게 예방하는 식생활을 계획할 수 있는 것입니다. 이것이 예방을 위주로 의학에 접근해 가는 '온건한 방법' 입니다."

"그렇다면 온건한 방법은 유전자 과학의 긍정적인 면이라고 생각할 수 있지 않습니까?"

"긍정적인 면입니다. 부정적인 면에는 유전자 조작(변형) 식품을 비롯한 심각한 환경 및 건강 문제가 있습니다. 콩이나 옥수수처럼 유전자가 조작된 식품을 개발하면, 그 안에는 그 식품과 전혀 관계없는 유전자들이 포함되어 있다는 것을 알아야 합니다. 그런 옥수수 안에는 기존의 종에는 전혀 존재하지 않았던 기생충, 벌레에 강한 유전자가 들어 있다는 것입니다. 전통적인 교배로 같은 과(科)의 종들끼리는 교배가 가능했습니다. 예를 들어 나귀와 말의 경우가 그렇습니다. 하지만 나귀와 사과나무를 교배할 수는 없었죠. 우리가 알아야 할 것은, 생명공학의 발달은 그런 경계선들을 다 뛰어넘을 수 있도록 해준다는 것입니다. 인간의 유전자를 동물에, 식물의 유전자를 인간에 심어넣을 수 있는 것입니다. 생물체계 내에서의 모든 유전자 지도를 바꾸어 놓을 수 있습니다.

예를 들어 북부 대서양에 사는 가자미는 몸이 얼지 않도록 하는 유전자를 지니고 있습니다. 농업계는 이 유전자를 빼내어 토마토 안에 집어넣으면, 모든 토마토들이 이제 얼지 않는 유전자를 가지도록 복제할 수 있게 되는 것입니다. 전통적인 육종에서는 도저히 불가능한

일입니다. 이렇게 하면 외래의 품종은 전혀 새로운 환경에 놓이게 되는 것입니다. 새로운 유전자를 농작물에 넣는 행위가 가져올 결과에 어떻게 대처해야 하는지는 역사상 유례가 없는 일이기 때문에 아무도 알 수 없습니다. 전혀 새로운 종으로부터 유전자를 옮겨 식용 농작물에 배치하는 것은 매우 위험한 환경과의 도박입니다."

"그렇지만 유전자 조작은 미국에서 시작된 것입니다. 유전자 조작된 농작물이 가져올 재앙에 대해 미국 정부나 기업의 주장처럼 걱정하지 않아도 되는 건가요?"

"이제 미국 경작지의 반은 유전자가 조작된 옥수수, 콩, 기타 작물이 차지하고 있습니다. 환경적인 문제들을 들여다보기 전까지는 그 심각성을 알 수 없습니다. 예를 들어 제초제에 대해 저항력을 가지는 유전자의 옥수수가 있다고 합시다. 그 옥수수를 심은 후에 아무리 많은 양의 제초제를 뿌려도 그 옥수수는 끄떡도 없을 것입니다. 좋게 들리겠지만, 이 좋은 소식이 바로 나쁜 소식입니다. 제초제가 잡초를 다 없앨 수 없다면 이때 남은 잡초들은 더 강력한 형태로 자라나게 된다는 것입니다. 그때가 되면 우리는 그에 대한 방어벽이 없게 되는 것이지요.

독소를 갖고 있는 옥수수 유전자가 있다고 합시다. 이 경우 살충제를 쓰지 않아도 되고 지하수 오염이 없으니까 좋을 것 같습니다. 하지만 실상은 그 반대로 나타납니다. 이제는 옥수수의 모든 세포에 독소를 복제시키는 꼴이 되므로 그 어느 때보다도 대량으로 독소를 생산해내고 있는 것입니다. 살충제를 쓸 때보다 더 심각한 상태가 되는 것입니다. 물론 벌레는 그 옥수수를 먹으려고 시도하면 거기서 배출되는 독소로 인해 죽게 되지만 문제는 모든 벌레를 죽일 수는 없다는 것입니다. 이 독소에 저항력을 가진 벌레들은 이전보다 몇 배 강해지게 되어 결국 막을 수 없게 되는 것입니다.

이보다 더 큰 문제도 있습니다. 유전자들이 공기중에 날아다니는 것입니다. 꽃가루가 날리듯이 이 유전자들도 날아다니게 되고 화학적 오염과는 근본적으로 다른 문제를 일으키게 됩니다. 이 유전자는 살아 있기 때문에 번식하며 변이를 발생시키는데 이때 이 유전자들을 실험실로 다시 불러들일 방법은 없습니다. 미국은 벌써 이 문제에 직면하고 있기 때문에 이제 근본적인 사고의 전환이 있어야 합니다. 미국 내 경작지의 반은 GMO들이며, 그 꽃가루는 사방으로 날아다니고 있습니다. 잡초들 위로 꽃가루들이 날리는 상황에서 잡초가 살충제와 제초제에 저항력을 가지는 유전자와 결합하게 된다고 생각해 봅시다. 몇 년 후에는 막강한 잡초들이 무성한 상황이 올 수도 있습니다. 그때는 누구에게 책임을 물을 것인가요?"

섬뜩하기까지 한 리프킨의 경고는 매우 설득력이 있었다. 유전자들이 공기중에 날아다니는 문제는 유전자 조작 식품들을 재배하는 농장에서 발생하는 꽃가루들이 유기농장에 날아들 수 있음을 뜻한다. 지금 유럽의 많은 나라들은 GMO 농작물의 수입을 거부하기 때문에 일반 옥수수를 재배하는 사람들이 이익을 보고 있는 상황이다. 그런데 앞으로는 일반 옥수수를 검사해도 날아든 꽃가루 때문에 검사 결과 GMO 식품으로 판정날 수 있는 것이다. 결국 미국의 경작량 중 절반이 GMO 식품이 되어가는 현실임을 감안할 때, 그 나머지 자연식품 경작물들도 위기에 직면할 수 있는 것이다. 일본과 유럽이 미국의 GMO 식품을 배격하고 있는 이유가 여기에 있다. 그런데 우리는 미국의 통상압력으로 아직 구체적인 대응책을 마련하지 못하고 있는 실정이고 국민들의 인식 수준도 미흡하다.

만약 리프킨의 이야기대로 꽃가루가 잡초에 날려 손쓸 수 없는 막강한 잡초들이 생기면 그때는 누가 책임질 것인가. 농가들의 손해는 또 누가 책임질 것인가. 결국 농민과 소비자들이 책임질 수밖에 없을 것이다.

이 시대가 기억해야 하는 지성인과의 만남은 이렇게 아쉽게 끝이 났지만 그가 한 이야기들은 머지않은 미래에 우리의 현실로 다가올지도 모른다. 과연 이대로 간다면 지구의 미래는 어떻게 될 것인가. 미국은 지구상의 비옥한 토지 상당 부분을 독식하고 있는 지상 최대의 가용 토지를 가진 나라이다. 그 나라에서 불붙고 있는 환경 재앙의 불씨는 과연 어디까지 지구의 재앙으로 확산될 것인가. 과연 미국이라는 나라가 이 넓은 땅을 독식하고 마음대로 할 자격이 있는 나라인가. 머릿속이 온통 혼돈이었다. 비행기 안에서 눈 아래 펼쳐진 광활한 미국의 땅덩어리를 볼 때마다 이런 생각이 꼬리를 물고 내 머리를 어지럽혔다. '이 넓은 땅과 아름다운 자연이 인간의 배를 기름으로 채우기 위해 낭비되고 있단 말인가.'

현재 유전자 조작 작물은 유채씨, 콩, 옥수수, 감자, 면 등 5가지인데 그 중에서 가장 수입량이 많고 문제가 되는 것은 콩이다. 일본에서 '유전자 조작 식품은 필요 없다' 라는 캠페인을 벌이고 있는 환경

운동가 아마가사 게이스케 씨. 도쿄에서 만난 그도 유전자 조작 식품 판매가 너무 빨리 시작됐으며 좀더 안전성을 검토한 다음에 천천히 판매했어야 한다고 말한다.

"그는 덧붙여 만약 50년, 100년 뒤에 그것이 위험하다는 것을 알았을 때가 가장 무섭습니다. 그때는 이미 손을 쓸 수가 없게 됩니다. 안전한지 위험한지도 모른 채 동물실험에서 어떤 이상이 발생한 식품은 신중하게 다루어야 합니다"라며 인간을 대상으로 벌이고 있는 유전자 조작 식품 실험의 위험성을 경고하고 있다.

그는 미국 등지에서 발표된 최근의 보고서를 보면 유전자 조작 콩은 수확량이 준다는 내용이 줄을 잇고 있으며 일반 콩을 심은 곳과 유전자 조작 콩을 심은 곳의 수확량을 보면 유전자 조작 쪽이 오히려 적어 지구 전체의 식량 부족을 가속화하게 된다며 식량부족 사태에 대비해 유전자 조작 식품이 필요하다는 주장에 대해 일축하고 있다. "유전자 조작 식품이 식량부족을 해소한다는 말은 근거가 없는 선전 문구였습니다. 사실은 그 반대되는 보고서가 나오기 시작했습니다."

사람이 자연에 손을 대면 댈수록 자연은 사람들에게 반격하고 복수하는 역사가 환경문제의 역사였다. 어쩌면 유전자 조작 식품도 같은 길을 걷게 될지 모른다. 사람이 인간 이외의 생명체를 우습게 알고 조작하고 개조하면 할수록 자연의 질서는 인간에게 냉엄한 반격을 가할지 모른다. 환경운동가들은 미래의 농업을 유전자를 조작한 작물의 대량생산이 아닌 친환경적 유기농업이라고 생각하고 있다. 자연을 죽이고 조작하는 농업이 아닌 자연을 살리는 농업. 사람도 자연의 일부이므로 유기농은 사람을 살리는 농업이기도 하다.

영국에서 일어난 사건

2001년 10월 19일. 유전자 조작 식품을 가지고 쥐실험을 하여 파란을 일으켰던 스탠리 이웬(Stanley W. B. Ewen) 박사를 만나기 위해 런던에서 약 1000km 떨어진 에버딘으로 향하는 비행기에 몸을 실었다. 이번 취재의 종착지였다. 에버딘의 로웨트 연구소(Rowett Research Institute)의 연구원이었던 푸스차이(Arpad Pusztai) 박사와 그린피언 대학 병원 교수인 이웬 박사는 공동으로, GMO 감자를 한쪽은 익힌 것으로, 다른 한쪽은 날것으로 쥐에게 먹여 쥐의 장에 어떤 일이 생기는가를 연구한 사람들이다. 그들이 의학 전문 학술지 《란셋 *Lancet*》에 〈렉틴 단백질이 포함된 유전자 조작 감자가 쥐의 소장에 미치는 영향(Effect of diets containing genetically modified potatoes expressing Galanthus nivalis lectin on rat small intestine)〉이라는 논문을 발표하자 영국뿐 아니라 전 세계가 충격에 휩싸였다.

마침 푸스차이 박사가 유럽 여행 중이어서 나는 이웬 박사와 그의 연구실에서 마주했다.

"왜 이런 실험을 하게 되었습니까?"

"푸스차이 박사와는 10~12년 간 같이 일해왔습니다. 이제는 친구가 됐습니다. 푸스차이 박사가 유전자 변형된 감자에 대한 실험을 도와줄 수 있겠느냐고 물었을 때, 나는 물론 아무런 대가 없이 그렇게 하겠다고 했습니다. 그가 만들어 놓은 실험환경은 훌륭했습니다. 동물들도 매우 좋은 상태였으며, 그런 실험은 본 적이 없었던 것 같습니다. 참여하게 되어서 영광으로 생각했습니다."

"실험 결과는 어땠습니까?"

"우리는 유전자 조작 식품이 쥐의 장에 아무런 영향이 없을 것이라고 기대했습니다. 그 전엔 아무도 우리처럼 자세하게 장을 현미경으로 관찰하지 않았던 것입니다. 아주 간단한 실험이었습니다. 그냥 확인만 하려고 했죠. 우리는 최소 5천~6천 마리의 쥐를 실험했습니다. 결론을 얘기하자면 익힌 음식은 별 변화를 주지 않았지만 익히지 않은 음식은 쥐의 장의 한 부분을 커지게 했습니다. 다시 말하면 덜 익은 유전자 조작 음식이 성장 성분에 영향을 준다는 것입니다."

"하지만 우린 대부분의 유전자 조작 식품을 요리해 먹지 않습니까?"

"거의 대부분의 음식은 조리가 되어 있습니다. 하지만 채식주의자 음식의 60%는 날것입니다. 우리가 쓰는 표본은 유전자가 조작된 감자였습니다. 그러나 다음 세대를 위한 유전자 조작 음식은 사과나 배 같은 과일일 수 있습니다. 유전자 조작한 과일은 벌레들로부터의 공격을 이겨낼 겁니다. 그리고 대부분의 유전자 조작된 과일은 날걸로 수확될 것입니다. 그것이 문제입니다. 과일과 토마토, 당근 같은 야채는 날것으로 먹지 않습니까?"

"그렇다면 유전자 조작 식품이라도 음식을 조리해 먹으면 안전하다는 말입니까?"

"모든 생물은 열을 가하여 조리를 하는 과정에서 단백질이 파괴됩니다. DNA는 95도에서 5분간의 가열에 파괴됩니다. 따라서 콩이 주재료로 만들어진 두부는 안전합니다. 그런데 만약 유전자 조작된 채소를 날로 먹으면 DNA가 인체에 영향을 미칠 수 있습니다. 이건 꼭 아셔야 합니다. 그러나 조리된 것은 걱정 없습니다. DNA가 열에 의해 비활성화되면서 구조가 변한다는 얘기입니다."

"왜 푸스차이(Pusztai) 박사가 로웨트 연구소에서 해고당했는지 알고 있습니까?"

"잘은 모르지만, 내 생각으로는 정부 지침에 위배되어서였던 것 같습니다."

"그게 전부인가요?"

"정확히 연구소에서 무슨 일이 있었는지는 알 수 없습니다. 아무도 우리에게 설명하지 않았습니다. 내 느낌으로는 현재 생명공학 연구를 위해 많은 자금을 끌어오는 것이 연구소의 지침이었기 때문에 푸스차이 박사의 연구는 그 지침과 부딪힌 것이 아니었나 싶습니다. 우리가 연구하라고 돈을 받은 것은 유전자 식품의 안전을 입증하기 위해서였습니다. 그래서 처음에는 별다른 차이를 보이지 않을 거라고 생각했는데, 그런 예상치 못한 결과가 나타나자 보고를 해야만 했습니다. 그동안 동물실험에 대해 출판된 바는 전혀 없었습니다. 그래서 우리는 유전자 변형된 음식들이 아무것도 모르는 사람들에게 공급되고 있는 것은 아닌가 의심하게 되었죠. 그래서 유전자 조작 식품에 대해 '인간을 가지고 실험하는 것이 아닌가' 하는 표현을 쓰게 된 것이 잘못 받아들여진 것 같습니다."

"하지만 영국은 민주주의 국가이고 그런 나라에서 진실을 영원히 은폐하는 것은 불가능하다고 생각하는데요?"

"물론 우리가 민주주의 사회라는 것은 맞는 말이지만, 그것이 정부기관에서 일하는 사람으로서의 언론의 자유를 가진다는 것과는 좀 다릅니다. 우리의 연구 결과는 《란셋》에 실렸는데 연구라는 것은 지명도 있는 학술지에 실리기 전에는 가치가 없기 때문에, 전 세계에서 읽힐 수 있는 저널에 연구를 실을 수 있었던 것을 굉장히 다행스럽게 생각합니다. 우리의 연구 결과를 출판할 수 있는 수준까지는 우리에게 표현의 자유가 있었습니다."

"푸스차이 박사가 한 번의 실험 결과를 가지고 섣부르게 공개했다고 비난하는 사람들도 있던데요, 사실인가요?"

"아닙니다. 나는 한 실험에만 참여했지만, 그는 동시에 3,4가지 실험을 진행중이었습니다. 나의 연구 결과조차도 편견이 들어 있다고 비판받았죠. 내가 차이점이 있을 것을 예상하고 그 결과를 만들었다는 것인데, 나는 그 연구를 5번 반복했지만 결과는 같았습니다. 이 정보는 아직 알려진 것이 아닙니다. 곧 출판될 것입니다. 실험은 완벽한 조건하에서 이루어졌고 네덜란드의 한 실험가도 나와 같은 실험을 해서 같은 결과를 얻었습니다. 중요한 것은 다른 나라 사람들의 실험에서도 나와 같은 차이점이 나왔다는 것입니다."

실제로 푸스차이 박사와 이웬 박사의 실험 결과는 그후 여러 나라의 연구진의 똑같은 실험을 통해 입증되었다.

"내가 말하고자 했던 것은, 유전자 조작 식품이 세포의 증식을 촉진한다는 것입니다. 우리는 폴립(종양)이 왜 발달하게 되는지 알지 못합니다. 하지만 결국에는 그것이 악성종양이 되며, 이것을 우리는 폴립 암 단계라고 부릅니다. 내가 염려하는 바는, 유전자 변형된 과일은 아직 시장에 나와 있지 않지만, 이런 식품이 나온다면 암의 진행을 가속시킬 수 있다는 것입니다."

"한국은 미국에서 많은 곡물을 수입해오는데 그 대부분이 유전자가 조작된 음식들입니다. 영국에서는 이에 대한 보호장치가 있습니까?"

"그렇지는 않습니다. 하지만 반드시 표시되어 있어야 합니다. 그것이 우리의 보호 시스템입니다. 내 생각으로는, 현재 가게의 선반에 놓여 있는 GMO들은 굉장히 많이 가공된 상태이기 때문에, 그다지 큰 위험 부담은 없는 것 같습니다. 유전자 조작 콩이 빵에 들어 있는 경우도 있죠. 거의 모든 경우 콩은 미국에서 건너오게 되어 있고, 유전자가 변형되어 있을 가능성이 매우 높습니다. 하지만 아마도 그 콩은 잘 익히고 가공된 상태일 것입니다. 나도 별 영향이 없다는 생각에 그 빵을 먹고 있습니다. 우리는 과일이나 야채 등 날음식에 문제가 있다고 보고 있습니다. 유전자 조작 식품은 지금 현재보다 다음 세대에 더 큰 문제가 될 것입니다."

자연의 질서를 벗어나 인공적 환경으로 나아가려는 인간의 우매한

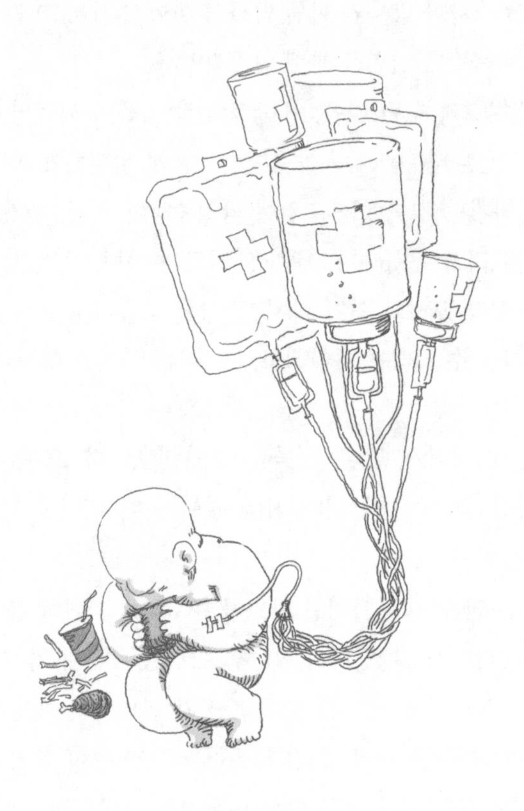

시도는 이제 우리가 매일 입에 넣는 음식에까지 그 범위를 확대하고 있다. 유전자 조작 식품이나 방사선을 쪼인 식품 등은 그 한 예에 불과하다. 지구의 인구 증가로 식량 증산이 필요해 유전자 조작 기술이 필요하다는 말은 별로 설득력이 없다. 현재 유럽만 보더라도 농산물이 과잉으로 생산되고 있기 때문에 상당히 많은 부분의 토지를 매년 쉬게 한다. 전통적인 농작물 생산으로도 공급이 넘친다는 애기이다. 지금의 식량 문제는 생산량의 부족이 아니라 분배의 문제이고 인간이 먹을 곡물을 가축에게 먹이고 있기 때문에 발생하는 것이다.

앞으로 인류는 인위적으로 만든 식품의 유해성에 천문학적인 돈을 쏟아붓게 될 것이다. 동시에 인간은 끊임없이 더 적은 비용으로 더 맛있는 음식, 더 잘 팔리는 식품을 생산하기 위해 인공적 조작을 계속할 것이다. 인위적 수명 연장 노력과 질병 퇴치를 위한 의학의 발달은 인간의 평균 수명을 앞으로도 계속 늘려갈 것이 분명하다. 그러나 각 개인의 건강 지수는 세월이 갈수록 악화될 것이고, 인류의 복지를 향한 미래의 희망은 예측 불가능한 혼돈 속에 놓일 것이다. 인간은 음식을 가공하는 사업에 엄청난 돈을 투자하고, 사람들은 그렇게 생산된 맛있는 제품을 사먹고 병에 더 자주 걸릴 것이며, 의료비 부담은 계속 더 늘어갈 것이다. 동시에 이런 병들을 치료하기 위해 의학계는 천문학적 연구비를 계속 지출할 것이고 우리는 새로 개발된 치료법의 혜택을 입어 아픈 몸을 이끌고 생명을 조금씩 연장할 것이다.

이런 인간의 비효율적이고도 우매한 악순환의 고리를 과감히 끊고 이제 새로운 삶을 시작해야 한다. 시작은 바로 독자의 선택에 달려 있다. 지금까지 장황하게 늘어놓은 '잘먹고 잘사는 법'은 바로 나의 선택의 문제이다. 내가 어떤 길을 선택하느냐에 내 인생은 물론 지구 환경과 인류의 미래가 놓여 있는 것이다.

후기

이 책이 독자 여러분의 인생에서 가장 중요한 요소인 먹고 사는 문제를 조금이나마 친환경적이고 건강에 도움이 되는 방향으로 바꾸는 계기가 되었으면 하는 바람 간절하다.

이 책을 쓰면서 난생 처음, 그것도 내 전공 분야도 아닌 내용으로 글을 쓴다는 것이 얼마나 무모한 일인가를 새삼 알게 되었다. '작가는 아무나 하는 게 아니구나' 하는 사실을 뼈저리게 느끼는 순간 이미 출판의 약속을 저버릴 수 없는 시간이 지나가고 있었다. 이 책에 나온 내용들은 방송에 소개된 것도 있고 필자가 새로 추가한 것도 많지만, 기본 정보의 상당 부분은 프로그램에 참여한 제작진과 국내외 전문가들의 도움을 토대로 한 것이다. 그동안 여러 프로그램을 제작했지만 주변의 권유에도 불구하고 내가 직접 글을 써서 책을 낸 적은 단 한 번도 없었다. 그 이유는 글을 쓸 줄 모르기 때문이기도 하지만 프로그램 만드는 데 신경 쓰는 것만으로도 벅찬데 글을 쓰는 것은 내가 가지고 있는 지적 용량을 훨씬 넘어서는 일이기 때문이었다.

그런 내가 이 책을 직접 쓰기로 작심하게 된 가장 큰 이유는 프로그램에서 하고 싶었던 이야기를 제대로 하지 못했기 때문이다.

다루려고 하는 주제에 비해 프로그램 시간이 너무 한정되어 있었다. 그러다 보니 중요하게 생각된 부분들이 구성의 논리에 따라 삭제되는 것을 감수해야 했다. 또 다른 문제는 일부 국내 업계에 갑작스런 피해가 가는 것을 나름대로 막기 위해 고육책으로 이것 빼고 저것 빼고 하다보니 프로그램의 논리가 많이 흐트러져 버렸다.

이 책에 나온 내용들 가운데 일부 극단적인 주장을 담고 있다고 생각되는 부분도 있을 텐데 모두 학자들의 연구 논문들에 의해 뒷받침된 것들이라는 점을 밝히고 싶다. 전체를 보지 못하고 한 면만을 강조한 듯한 주장도 있지만 그런 내용들이 모여 전체를 이루고 정보의 균형을 이루는 것이라 생각한다. 인터넷 시대를 맞이하여 상품의 공급자가 일방적으로 제공하던 정보 독점 시대는 지나갔다. 새로운 견해들이 새롭게 등장하고 비판받고 또 다시 새로운 이론들이 뒤를 잇는다. 이런 생산적 비판 과정을 통해 우리의 학문과 역사가 발전해온 것이라는 대전제하에 다소 과격한 주장도 실어야 한다고 판단했다.

먹는 것에 관해 공부를 하면서 한 가지 발견한 사실은 인간들이 먹는 음식의 종류에 따라 역사도 다르게 발달해왔다는 것이다. 열대지방이나 아프리카, 동남아시아, 한국 등 곡식과 야채, 과일을 주로 먹고 살아온 사람들은 육식을 하면서 살아온 서양 사람들에 비해 호전적이지 못하고 남을 괴롭히지 못하는 습성을 타고났다. 그러나 같은 아시아인 중에서도 기마 민족인 몽골인은 고기와 동물의 젖을 먹은 탓인지 매우 호전적이었다. 그들은 유럽까지 초토화시킬 만큼 정복욕도 매우 강했고 잔인했다. 세계 역사를 돌아보면 같은 생명을 잡아먹던 선조들의 동물적 잔인함이 후손들에게 대대로 전이되고 있는 것은 아닐까 하는 생각이 들 때가 많다. 못 먹고 못 살던 시절보다 요즘 우리 아이들의 행동이 매우 거칠고 공격적이다. 이런 현상들 전체가 단순히 먹는 음식에 따라 결정되는 것이라고 말하는 것은 아니지만 분명히 상관관계는 있다고 생각한다. 매우 비과학적 논리로 보이는 이런 생각이 머지않아 학자들의 연구에 의해서 뒷받침될 것이라고 기대해 본다.

고기든 우유든 김치든 현미밥이든 우리가 입으로 집어넣는 음식은 뭐든지 적게 먹어야 건강하게 살 수 있다. 그리고 우리 몸이 진정으로 좋아하는 음식이 무엇인지를 알고 조심하며 사는 것과 모르고 사는 것은 매우 다른 결과를 가져온다. 골고루 먹는 것이 잘먹는 것이 아니라 무엇을 더 먹고 무엇을 덜 먹어야 하는지를 알고 사는 것이 잘사는 인생의 시작이다. 다른 생명을 괴롭히는 음식은 자연의 일부인 우리의 몸도 괴롭히는 음식이며, 남을 고통스럽게 하는 음식을 많이 취하는 사람은 그 만큼의 대가를 치르도록 자연의 질서가 설계되어 있는 것 같다. 최근 《타임》의 건강 특집호(2002년 1월)에서는 마늘, 토마토, 시금치, 녹차, 블루베리, 견과류, 브로콜리, 귀리, 적포도주, 연어 등 10대 건강음식을 꼽았는데, 물론 이것들도 좋다고 과하게 먹으면 오히려 해를 줄 수 있을 것이다.

이제 우리 아이들에게 제대로 먹는 방법과 음식에 대한 올바른 생각을 심어줘야 한다. 아무리 돈 많은 식품업계가 광고를 홍수처럼 쏟아부어 사람들의 판단력을 흐리게 하더라도 진실은 손바닥으로 가릴 수 없는 하늘과 같은 것이리라. 이 책이 독자 여러분의 인생에서 가장 중요한 요소인 먹고 사는 문제를 조금이나마 친환경적이고 건강에 도움이 되는 방향으로 바꾸는 계기가 되었으면 하는 바람 간절하다.

2002년 8월

박 정 훈

김영사에서 발행한 인문과학서

우리 역사의 수수께끼 1
이덕일·이희근 지음 인문서 최대 베스트셀러! 잘못된 역사, 가려진 진실에 대한 성역 없는 추적. **출판인회의선정 이달의 책**

우리 역사의 수수께끼 2
이덕일·이희근 지음 발간 즉시 폭발적인 화제. 미스터리에 싸인 역사 사실에 대한 최초의 본격적인 분석!

신라의 역사 1, 2
이종욱 지음 '민족'과 '실증'이라는 색안경을 벗겨낸 새로운 신라사. 반토막난 신라사를 복원한 이종욱 교수의 역작.

송시열과 그들의 나라
이덕일 지음 한국사의 최대 금기, 송시열 신화의 진실을 밝힌 최대 논쟁작!

고려 500년, 의문과 진실
김창현·김철웅·이정란 지음 고려인의 눈으로 바라본 가장 생생한 고려사, 그 30가지 진실! **간행물윤리위원회 선정도서**

화랑세기로 본 신라인 이야기
이종욱 지음 이것이 진정한 신라다! 신라를 신라답게 살려낸 최초의 이야기. 중앙일보 선정 좋은 책.

한국고대사, 그 의문과 진실
이도학 지음 고조선에서 발해까지, 베일에 싸인 한국 고대사의 새로운 해석! **간행물윤리위원회 선정도서**

풍납토성, 500년 백제를 깨우다
김태식 지음 백제사 최고의 미스터리, 풍납토성 지하에 숨겨진 한국 고대사의 진실을 발견한다!

화랑세기, 또 하나의 신라
김태식 지음 고려의 그늘을 걷어내고 신라의 눈, 화랑세기로 생생하게 담아낸 천년 전 신라인의 모습!

우리말의 수수께끼
박영준 외 지음 역사 속에서 찾아보는 사라진 언어들과 우리말의 다양한 모습들, 우리말 탄생의 비밀!

문명의 충돌
새뮤얼 헌팅턴 지음/이희재 옮김 오만한 서구 문명의 몰락은 이미 시작되었다! 21세기 혁명적 패러다임, '문명충돌론'의 완결편! **문화관광부 추천도서**

부유한 노예
로버트 라이시 지음/ 오성호 옮김 고속 성장경제, 그 풍요의 환상 속에 감추어진 냉혹한 현실. 발전하는 기술의 노예들에게 보내는 경종의 메시지. **시사저널선정 올해의 책**

문화가 중요하다
새뮤얼 헌팅턴·로렌스 해리슨 지음/이종인 옮김 문화적 가치가 국가의 미래를 결정한다! 21세기 문화논쟁을 주도한 화제의 책. **간행물윤리위원회 선정도서**

불멸의 지도자 등소평
등용 지음/임계순 옮김 오류의 역사 문화대혁명에 대한 드라마틱한 기록. 가장 정확한 등소평 전기, 가장 정통한 중국 현대사! **교보문고 계층별 권장도서**

다중지능, 인간 지능의 새로운 이해
하워드 가드너 지음/문용린 옮김 세계적인 교육학자 가드너의 최신작. 다중지능 이론의 완결편! **간행물윤리위원회 선정도서**

신의 거울
그레이엄 핸콕 지음/김정환 옮김 500만 독자를 사로잡은 핸콕과 함께 1만2천년 전 초고대문명의 네트워크를 찾아 떠나는 시간여행!

악령이 출몰하는 세상
칼 세이건 지음/이상헌 옮김 과학적 무지와 비판적 사고 결핍에 대한 칼 세이건의 냉철한 고발과 경고! **출판인회의선정 이달의 책**

카오스의 날개짓
김용운 지음 복잡성 과학이론으로 문화와 역사를 해석한 세계 최초의 책! 한국 사회의 실상에 대한 예리한 해부와 대안.

게놈: 23장에 담긴 인간의 자서전
매트 리들리 지음/하영미 외 옮김 〈뉴욕타임스〉선정 최고의 책! 하나의 세포가 완전한 인간이 되기까지, 흥미진진한 인간 게놈 여행. **중앙일보선정 좋은 책**

21세기를 지배하는 키워드
이인식 지음 21세기 과학 발달에 의한 인류 문명의 변화를 명쾌하게 짚어낸 미래 전망서! **간행물윤리위원회 선정도서**